BERNARD WERBER

Les Fourmis

ROMAN

ALBIN MICHEL

ISBN : 978-2-253-06333-9 – 1re publication – LGF

A mes parents

Et à tous ceux, amis, chercheurs,
qui ont apporté leur brindille à cet édifice

Pendant les quelques secondes qui vont vous être nécessaires pour lire ces 4 lignes :

— 40 humains et 700 millions de fourmis sont en train de naître sur Terre.

— 30 humains et 500 millions de fourmis sont en train de mourir sur Terre.

HUMAIN : Mammifère dont la taille varie entre : 1 et 2 mètres. Poids : entre 30 et 100 kilos. Gestation des femelles : 9 mois. Mode de nutrition : omnivore. Population estimée : plus de 5 milliards d'individus.

FOURMI : Insecte dont la taille varie entre : 0,01 et 3 centimètres. Poids : entre 1 et 150 milligrammes. Ponte : à volonté selon le stock de spermatozoïdes. Mode de nutrition : omnivore. Population probable : plus d'un milliard de milliards d'individus.

EDMOND WELLS.
Encyclopédie du savoir relatif et absolu.

1

L'ÉVEILLEUR

Vous verrez, ce n'est pas du tout ce à quoi vous vous attendez.

Le notaire expliqua que l'immeuble était classé monument historique et que des vieux sages de la Renaissance l'avaient habité, il ne se rappelait plus qui.

Ils prirent l'escalier, débouchèrent sur un couloir sombre où le notaire tâtonna longuement, actionna en vain un bouton avant de lâcher :

— Ah zut ! Ça ne marche pas.

Ils s'enfoncèrent dans les ténèbres, palpant les murs à grand-bruit. Lorsque le notaire eut enfin trouvé la porte, l'eut ouverte et eut appuyé, cette fois avec succès, sur l'interrupteur électrique, il vit que son client avait une mine décomposée.

— Ça ne va pas, monsieur Wells ?

— Une sorte de phobie. Ce n'est rien.

— La peur du noir ?

— C'est cela. Mais ça va déjà mieux.

Ils visitèrent les lieux. C'était un sous-sol de deux cents mètres carrés. Bien qu'il n'ouvrît sur l'extérieur que par de rares soupiraux, étroits et situés au ras du plafond, l'appartement plut à Jonathan. Tous les murs étaient tapissés d'un gris uniforme, et il y avait de la poussière partout... Mais il n'allait pas faire le difficile.

Son appartement actuel faisait le cinquième de

celui-ci. En outre, il n'avait plus les moyens d'en payer le loyer ; l'entreprise de serrurerie où il travaillait avait décidé depuis peu de se passer de ses services.

Cet héritage de l'oncle Edmond représentait vraiment une aubaine inespérée.

Deux jours plus tard, il s'installait au 3, rue des Sybarites avec sa femme Lucie, leur fils Nicolas et leur chien Ouarzazate, un caniche nain coupé.

— Moi, ça ne me déplaît pas, tous ces murs gris, annonça Lucie en relevant son épaisse chevelure rousse. On va pouvoir décorer comme on veut. Il y a tout à faire ici. C'est comme si on devait transformer une prison en hôtel.

— Où est ma chambre ? demanda Nicolas.

— Au fond à droite.

— Ouaf, ouaf, fit le chien, et il se mit à mordiller les mollets de Lucie sans tenir compte du fait qu'elle avait dans les bras la vaisselle de son mariage.

Du coup, il fut promptement bouclé dans les toilettes ; à clé, car il sautait jusqu'aux poignées de porte et savait les actionner.

— Tu le connaissais bien, ton oncle prodigue ? reprit Lucie.

— L'oncle Edmond ? En fait, tout ce dont je me souviens c'est qu'il me faisait l'avion quand j'étais tout petit. Une fois ça m'a fait très peur, au point que je lui ai pissé dessus.

Ils rirent.

— Déjà froussard, hein ? le taquina Lucie.

Jonathan fit celui qui n'avait rien entendu.

— Il ne m'en a pas voulu. Il a juste lancé à ma mère : « Bon, on sait déjà qu'on n'en fera pas un aviateur... » Par la suite, Maman me disait qu'il suivait avec attention mon parcours de vie, mais je ne l'ai plus revu.

— Quel était son métier ?

— C'était un savant. Un biologiste, il me semble.

Jonathan demeura songeur. Finalement, il ne connaissait même pas son bienfaiteur.

A
6 km de là :

BEL-O-KAN,

1 mètre de haut.
50 étages sous le sol.
50 étages au-dessus du sol.
Plus grande ville de la région.
Population estimée : 18 millions d'habitants.

Production annuelle
— 50 litres de miellat de puceron.
— 10 litres de miellat de cochenille.
— 4 kilos de champignons agaric.
— Gravier expulsé : 1 tonne.
— Kilomètres de couloirs praticables : 120.
— Surface au sol : 2 m^2.

Un rayon est passé. Une patte vient de bouger. Le premier geste depuis l'entrée en hibernation, voici trois mois. Une autre patte avance lentement, terminée par deux griffes qui s'écartent peu à peu. Une troisième patte se détend. Puis un thorax. Puis un être. Puis douze êtres.

Ils tremblent pour aider leur sang transparent à circuler dans le réseau de leurs artères. Celui-ci passe de l'état pâteux à l'état liquoreux puis à l'état liquide. Peu à peu la pompe cardiaque se remet en marche. Elle propulse le jus vital jusqu'au bout de leurs membres. Les biomécaniques se réchauffent. Les articulations hypercomplexes pivotent. Partout, les rotules avec leurs plaques protectrices jouent à trouver leur point extrême de torsion.

Ils se lèvent. Leurs corps reprennent souffle. Leurs mouvements sont décomposés. Danse au ralenti. Ils se secouent légèrement, s'ébrouent. Leurs pattes avant se réunissent devant leur bouche comme pour prier, mais non, ils mouillent leurs griffes pour se lustrer les antennes.

Les douze qui se sont éveillés se frictionnent mutuellement. Puis ils tentent de réveiller leurs voisins. Mais ils ont à peine assez de force pour mouvoir leur propre corps, ils n'ont pas d'énergie à offrir. Ils renoncent.

Alors, ils s'acheminent avec difficulté au milieu des corps statufiés de leurs sœurs. Ils se dirigent vers le grand Extérieur. Il faut que leur organisme à sang froid capte les calories de l'astre du jour.

Ils avancent, harassés. Chaque pas est une douleur. Ils ont tellement envie de se recoucher et d'être tranquilles comme des millions de leurs pairs ! Mais non. Ils ont été les premiers réveillés. Ils doivent maintenant ranimer toute la cité.

Ils traversent la peau de la ville. La lumière solaire les aveugle, mais le contact avec l'énergie pure est si réconfortant.

Soleil entre dans nos carcasses creuses,
Remue nos muscles endoloris
Et unis nos pensées divisées.

C'est une vieille aubade fourmi rousse du centième millénaire. Déjà à l'époque ils avaient envie de chanter dans leur cervelle au moment du premier contact chaud.

Une fois dehors, ils se mettent à se laver avec méthode. Ils sécrètent une salive blanche et en enduisent leurs mâchoires et leurs pattes.

Ils se brossent. C'est tout un cérémonial immuable. D'abord les yeux. Les mille trois cents petits hublots qui forment chaque œil sphérique sont dépoussiérés, humectés, séchés. Ils opèrent de même pour les antennes, les membres inférieurs, les membres moyens, les membres supérieurs. Pour finir, ils astiquent leurs belles cuirasses rousses jusqu'à ce qu'elles étincellent comme des gouttes de feu.

Parmi les douze fourmis éveillées figure un mâle reproducteur. Il est un peu plus petit que la moyenne de la population belokanienne. Il a des mandibules étroites et il est programmé pour ne pas vivre plus de quelques mois, mais il est aussi pourvu d'avantages inconnus de ses congénères.

Premier privilège de sa caste : en tant que sexué, il possède cinq yeux. Deux gros yeux globuleux qui lui donnent une large vision à 180°. Plus trois petits ocelles placés en triangle sur le front. Ces yeux surnuméraires sont en fait des capteurs infrarouges qui lui permettent de détecter à distance n'importe quelle source de chaleur, même dans l'obscurité la plus totale.

Une telle caractéristique s'avère d'autant plus précieuse que la plupart des habitants des grandes cités de ce cent millième millénaire sont devenus complètement aveugles à force de passer toute leur existence sous terre.

Mais il n'a pas que cette particularité. Il possède aussi (comme les femelles) des ailes qui lui permettront un jour de voler pour faire l'amour.

Son thorax est protégé par une plaque bouclier spéciale : le mésotonum.

Ses antennes sont plus longues et plus sensibles que celles des autres habitants.

Ce jeune mâle reproducteur reste un long moment sur le dôme, à se gaver de soleil. Puis, lorsqu'il est bien réchauffé, il rentre dans la cité. Il fait temporairement partie de la caste des fourmis « messagères thermiques ».

Il circule dans les couloirs du troisième étage inférieur. Ici, tout le monde dort encore profondément. Les corps gelés sont figés. Les antennes sont à l'abandon.

Les fourmis rêvent encore.

Le jeune mâle avance sa patte vers une ouvrière

qu'il veut éveiller de la chaleur de son corps. Le contact tiède provoque une agréable décharge électrique.

Un pas de souris se fit entendre dès le deuxième coup de sonnette. La porte s'ouvrit, avec un temps d'arrêt quand Grand-mère Augusta en retira la chaîne de sûreté.

Depuis la mort de ses deux enfants, elle vivait recluse dans ce petit trente mètres carrés, ressassant les souvenirs anciens. Cela ne pouvait lui faire du bien, mais n'avait en rien altéré sa gentillesse.

— Je sais que c'est ridicule, mais prends les patins. J'ai ciré le parquet.

Jonathan obtempéra. Elle se mit à trotter devant lui, le guidant vers un salon dont les nombreux meubles étaient recouverts de housses. Se posant au bord du grand canapé, Jonathan échoua dans son désir de ne pas faire grincer le plastique.

— Je suis si contente que tu sois venu... Tu ne me croiras peut-être pas, mais j'avais l'intention de t'appeler ces jours-ci.

— Ah oui ?

— Figure-toi qu'Edmond m'avait remis quelque chose pour toi. Une lettre. Il m'avait dit : Si je meurs, il faudra que tu donnes à tout prix cette lettre à Jonathan.

— Une lettre ?

— Une lettre, oui, une lettre... Mmh, je ne sais plus où je l'ai mise. Attends une seconde... Il me donne la lettre, je lui dis que je vais la ranger, je la mets dans une boîte. Ce doit être une des boîtes en fer-blanc du grand placard.

Elle commença à jouer des patins, mais stoppa au troisième pas glissé.

— Voyons, suis-je bête ! Comme je te reçois ! Tu prendras bien une petite verveine ?

— Volontiers.

Elle s'enfonça dans la cuisine et y remua des casseroles.

— Donne-moi un peu de tes nouvelles, Jonathan ! lança-t-elle.

— Heu, ça va pas terrible. J'ai été licencié de mon travail.

Grand-mère passa un instant sa tête de souris blanche à la porte, puis réapparut tout entière, l'air grave, empaquetée dans un long tablier bleu.

— Ils t'ont renvoyé ?

— Oui.

— Pourquoi ?

— Tu sais, la serrurerie est un milieu spécial. Notre société, « SOS Serrure », fonctionne vingt-quatre heures sur vingt-quatre dans tous les quartiers de Paris. Or, depuis que l'un de mes collègues s'est fait agresser, j'ai refusé de me déplacer le soir dans les quartiers louches. Alors, ils m'ont viré.

— Tu as bien agi. Mieux vaut être chômeur et en bonne santé que le contraire.

— En plus je ne m'entendais pas très bien avec mon chef.

— Et tes expériences de communautés utopiques ? De mon temps on appelait ça les communautés *New Age*. (Elle rit sous cape, elle prononçait « nouillage ».)

— J'ai laissé tombé après l'échec de la ferme des Pyrénées. Lucie en avait marre de faire la cuisine et la vaisselle pour tout le monde. Il y avait des parasites parmi nous. On s'est fâchés. Maintenant je vis juste avec Lucie et Nicolas... Et toi, Grand-mère, comment vas-tu ?

— Moi ? J'existe. C'est déjà une occupation de chaque instant.

— Veinarde ! Toi tu as vécu le passage du millénaire...

— Oh ! tu sais, ce qui me frappe le plus c'est que rien n'a changé. Avant, lorsque j'étais toute jeunette, on se disait qu'après le passage du millénaire il se produirait des choses extraordinaires, et tu vois, rien n'a évolué. Il y a toujours des vieux dans la solitude, toujours des chômeurs, toujours des voitures qui font de la fumée. Même les idées n'ont pas bougé. Regarde, l'année dernière on a redécouvert le surréalisme, l'année d'avant le rock'n roll, et les journaux annoncent déjà le grand retour des minijupes pour cet été. Si ça continue on va bientôt ressortir les vieilles idées du début du siècle précédent : le communisme, la psychanalyse et la relativité...

Jonathan sourit.

— Il y a quand même eu quelques progrès : la durée de vie moyenne de l'homme a augmenté, ainsi que le nombre de divorces, le niveau de pollution de l'air, la longueur des lignes de métro...

— La belle affaire. Moi, je croyais qu'on aurait tous nos avions personnels et qu'on décollerait depuis le balcon... Tu sais, quand j'étais jeune, les gens avaient peur de la guerre atomique. C'était une peur formidable. Mourir à cent ans dans le brasier d'un gigantesque champignon nucléaire, mourir avec la planète... ça avait tout de même de la gueule. Au lieu de quoi, je vais mourir comme une vieille pomme de terre pourrie. Et tout le monde s'en foutra.

— Mais non, Grand-mère, mais non.

Elle s'essuya le front.

— Et en plus il fait chaud, toujours plus chaud. De mon temps il ne faisait pas aussi chaud. On avait de vrais hivers et de vrais étés. Maintenant la canicule commence dès mars.

Elle repartit dans sa cuisine, y sautant pour attraper avec une dextérité peu commune tous les instruments nécessaires à la confection d'une vraie bonne verveine. Après qu'elle eut craqué une allumette et qu'on entendit le bruit du gaz souffler dans les antiques tuyères de sa cuisinière, elle revint beaucoup plus détendue.

— Mais au fait, tu as dû venir pour une raison précise. On ne vient pas voir les vieux comme ça de nos jours.

— Ne sois pas cynique, Grand-mère.

— Je ne suis pas cynique, je sais dans quel monde

je vis, voilà tout. Allons, assez de simagrées, dis-moi ce qui t'amène.

— J'aimerais que tu me parles de « lui ». Il me lègue son appartement et je ne le connais même pas...

— Edmond ? Tu ne te rappelles pas Edmond ? Pourtant, il aimait bien te faire l'avion quand tu étais petit. Je me souviens même qu'une fois...

— Oui, ça je m'en souviens aussi, mais en dehors de cette anecdote, c'est le néant.

Elle s'installa dans un grand fauteuil en faisant attention à ne pas trop froisser la housse.

— Edmond, c'est, hum, c'était un personnage. Déjà tout jeune, ton oncle me causait bien du tracas. Etre sa mère n'était pas une sinécure. Tiens, par exemple il cassait systématiquement tous ses jouets pour les démonter, plus rarement pour les remonter. Et s'il n'avait cassé que ses jouets ! Il décortiquait tout : horloge, tourne-disque, brosse à dents électrique. Une fois, il a même démonté le réfrigérateur.

Comme pour confirmer ses dires, l'antique pendule du salon se mit à sonner lugubrement. Elle aussi en avait vu de toutes les couleurs avec le petit Edmond.

— Et puis il avait une autre marotte : les tanières. Il mettait la maison sens dessus dessous pour se construire des abris. Il en avait construit un avec des couvertures et des parapluies au grenier, un autre avec des chaises et des manteaux de fourrure dans sa chambre. Il aimait comme ça rester niché là-dedans, au milieu des trésors qu'il entassait. Une fois j'ai regardé, c'était rempli de coussins et de tout un bric-à-brac de mécanismes qu'il avait arraché aux machines. Ç'avait d'ailleurs l'air assez douillet.

— Tous les enfants font ça...

— Peut-être, mais chez lui ça prenait des proportions étonnantes. Il ne se couchait plus dans son lit, il n'acceptait de dormir que dans un de ses nids. Il y restait parfois des journées entières sans bouger.

Comme s'il hibernait. Ta mère prétendait d'ailleurs qu'il avait dû être écureuil dans une vie précédente.

Jonathan sourit pour l'encourager à continuer.

— Un jour, il a voulu construire sa cabane entre les pieds de la table du salon. Ç'a été la goutte d'eau qui a fait déborder le vase, ton grand-père a éclaté d'une rage dont il était peu coutumier. Il l'a fessé, a détruit tous les nids et l'a obligé à dormir dans son lit.

Elle soupira.

— A partir de ce jour, il nous a complètement échappé. C'est comme si on avait arraché le cordon ombilical. On ne faisait plus partie de son monde. Mais je crois que cette épreuve était nécessaire, il fallait qu'il sache que l'univers ne se plierait pas éternellement à ses caprices. Après, en grandissant, ça a posé des problèmes. Il ne supportait pas l'école. Tu vas encore me dire : « comme tous les enfants ». Mais chez lui ça allait plus loin. Tu connais beaucoup d'enfants qui se pendent dans les toilettes avec leur ceinture parce qu'ils se sont fait engueuler par leur instituteur ? Lui, il s'est pendu à sept ans. C'est le balayeur qui l'a décroché.

— Il était peut-être trop sensible...

— Sensible ? Tu parles ! Un an plus tard, il a tenté de poignarder un de ses maîtres avec une paire de ciseaux. Il a visé le cœur. Par chance, il a juste détruit son porte-cigarettes.

Elle leva les yeux au plafond. Des souvenirs épars retombaient sur sa pensée comme des flocons.

— Ça s'est un peu arrangé ensuite, parce que certains professeurs arrivaient à le passionner. Il avait vingt dans les matières qui l'intéressaient et zéro dans toutes les autres. C'était toujours zéro ou vingt.

— Maman disait qu'il était génial.

— Il fascinait ta mère parce qu'il lui avait expliqué qu'il essayait d'obtenir le « savoir absolu ». Ta mère, croyant dès l'âge de dix ans aux vies antérieures, pensait qu'il était une réincarnation d'Einstein ou de Léonard de Vinci.

— En plus de l'écureuil ?

— Pourquoi pas ? « Il en faut des vies pour composer une âme... », a dit Bouddha.

— Il a fait des tests de QI ?

— Oui. Cela s'est très mal passé. Il a été noté vingt-trois sur cent quatre-vingts, ce qui correspond à débile léger. Les éducateurs pensaient qu'il était fou et qu'il fallait le mettre dans un centre spécialisé. Pourtant, moi je savais qu'il n'était pas fou. Il était juste « à côté ». Je me souviens qu'une fois, oh ! il devait avoir à peine onze ans, il m'a mise au défi d'arriver à faire quatre triangles équilatéraux avec seulement six allumettes. Ce n'est pas facile, tiens tu vas essayer pour voir...

Elle partit dans la cuisine, donna un coup d'œil à sa bouilloire et ramena six allumettes. Jonathan hésita un moment. Cela semblait réalisable. Il disposa de différentes manières les six bâtonnets, mais après plusieurs minutes de recherche dut renoncer.

— Quelle est la solution ?

Grand-mère Augusta se concentra.

— Eh bien, en fait, je crois qu'il ne me l'a jamais livrée. Tout ce dont je me souviens c'est la phrase qu'il m'a lancée pour m'aider à trouver : « Il faut penser différemment, si on réfléchit comme on en a l'habitude on n'arrive à rien. » Tu t'imagines, un mouflet de onze ans sortir des trucs pareils ! Ah ! je crois que j'entends le sifflet de la bouilloire. L'eau doit être chaude.

Elle revint avec deux tasses remplies d'un liquide jaunâtre très odorant.

— Tu sais, ça me fait plaisir de te voir t'intéresser à ton oncle. De nos jours les gens meurent, et on oublie même qu'ils sont nés.

Jonathan laissa tomber les allumettes et but délicatement plusieurs gorgées de verveine.

— Et après, que s'est-il passé ?

— Je ne sais plus, dès qu'il a commencé ses études à l'université des sciences, nous n'avons plus eu de nouvelles. J'ai appris vaguement par ta mère qu'il a brillamment terminé son doctorat, qu'il a travaillé pour une société de produits alimentaires, qu'il l'a quittée pour partir en Afrique, puis qu'il est revenu habiter rue des Sybarites, où personne n'a plus entendu parler de lui jusqu'à son décès.

— Comment est-il mort ?

— Ah ! tu n'es pas au courant ? Une histoire incroyable. Ils en ont parlé dans tous les journaux. Figure-toi qu'il a été tué par des guêpes.

— Des guêpes ? Comment ça ?

— Il se baladait seul en forêt. Il a dû bousculer un essaim par inadvertance. Elles se sont toutes ruées sur lui. « Je n'ai jamais vu autant de piqûres sur une même personne ! » a prétendu le médecin légiste. Il est mort avec 0,3 gramme de venin par litre de sang. Du jamais vu.

— Il a une tombe ?

— Non. Il avait demandé à être enterré sous un pin dans la forêt.

— Tu as une photo ?

— Tiens, regarde là, sur ce mur, au-dessus de la commode. A droite : Suzy, ta mère (tu l'avais déjà vue aussi jeune ?). A gauche : Edmond.

Il avait le front dégarni, de petites moustaches pointues, des oreilles sans lobe à la Kafka qui remontaient au-dessus du niveau des sourcils. Il souriait avec malice. Un vrai diablotin.

A côté de lui, Suzy était resplendissante dans une robe blanche. Quelques années plus tard, elle s'était mariée, mais avait toujours tenu à conserver comme seul patronyme Wells. Comme si elle ne souhaitait pas que son compagnon laisse la trace de son nom sur sa progéniture.

En s'approchant de plus près, Jonathan s'aperçut qu'Edmond tenait deux doigts dressés au-dessus de la tête de sa sœur.

— Il était très espiègle, non ?

Augusta ne répondit pas. Un voile de tristesse lui avait embrumé le regard lorsqu'elle avait retrouvé le visage rayonnant de sa fille. Suzy était morte six ans plus tôt. Un camion de quinze tonnes conduit par un chauffeur ivre avait poussé sa voiture dans un ravin. L'agonie avait duré deux jours. Elle avait réclamé Edmond, mais Edmond n'était même pas venu. Une fois de plus il était ailleurs...

— Tu connais d'autres gens qui pourraient me parler d'Edmond ?

— Mmh... Il avait un ami d'enfance qu'il voyait souvent. Ils étaient même ensemble à l'université. Jason Bragel. Je dois encore avoir son numéro.

Augusta consulta rapidement son ordinateur et donna à Jonathan l'adresse de cet ami. Elle regarda son petit-fils avec affection. C'était le dernier survivant de la famille des Wells. Un brave garçon.

— Allons, finis ta boisson, ça va refroidir. J'ai aussi des petites madeleines, si tu veux. Je les fais moi-même avec des œufs de caille.

— Non, merci, il va falloir que j'y aille. Passe un jour nous voir dans notre nouvel appartement, nous avons fini d'emménager.

— D'accord, mais attends, ne pars pas sans la lettre.

Fouillant avec acharnement grand placard et boîtes en fer, elle trouva enfin une enveloppe blanche sur laquelle était noté d'une écriture fébrile : « Pour Jonathan Wells. » Le rabat de l'enveloppe était protégé par plusieurs couches de ruban adhésif afin d'éviter toute ouverture intempestive. Il la déchira avec précaution. Un feuillet froissé, type carnet d'écolier, en tomba. Il lut la seule phrase qui y était inscrite :

« SURTOUT NE JAMAIS ALLER A LA CAVE ! »

La fourmi tremblote des antennes. Elle est comme une voiture qu'on a longtemps laissée sous la neige et qu'on essaie de faire redémarrer. Le mâle s'y reprend à plusieurs fois. Il la frictionne. La badigeonne de salive chaude.

Vie. Ça y est, le moteur se remet en marche. Une

saison est passée. Tout recommence comme si elle n'avait jamais connu cette « petite mort ».

Il la frotte encore pour lui communiquer des calories. Elle est bien, maintenant. Alors qu'il continue à se démener, elle oriente ses antennes dans sa direction. Elle le titille. Elle veut savoir qui il est.

Elle touche son premier segment en partant de son crâne et lit son âge : cent soixante-treize jours. Sur le second, l'ouvrière aveugle repère sa caste : mâle reproducteur. Sur le troisième, son espèce et sa cité : fourmi rousse des bois issue de la ville mère de Bel-o-kan. Sur le quatrième, elle découvre le numéro de ponte qui lui sert de dénomination : il est le 327e mâle pondu depuis le début de l'automne.

Elle arrête là son décryptage olfactif. Les autres segments ne sont pas émetteurs. Le cinquième sert à réceptionner les molécules pistes. Le sixième est utilisé pour les dialogues simples. Le septième permet les dialogues complexes de type sexuel. Le huitième est destiné aux dialogues avec Mère. Les trois derniers, enfin, servent de petites massues.

Voilà, elle a fait le tour des onze segments de la deuxième moitié de l'antenne. Mais elle n'a rien à lui dire. Alors elle s'écarte et part se réchauffer à son tour sur le toit de la Cité.

Il fait de même. Terminé le travail de messager thermique, place aux activités de réfection !

Arrivé là-haut, le 327e mâle constate les dégâts. La Cité a été construite en cône afin d'offrir une moindre prise aux intempéries, cependant l'hiver a été destructeur. Le vent, la neige et la grêle ont arraché la première couche de branchettes. Les fientes d'oiseaux bouchent certaines issues. Il faut vite se mettre à l'œuvre. 327e fonce vers une grosse tache jaune et attaque à la mandibule la matière dure et fétide. De l'autre côté apparaît déjà par transparence la silhouette d'un insecte qui creuse depuis l'intérieur.

Le judas optique s'était obscurci. On le regardait à travers la porte.

— Qui est-ce ?

— M. Gougne... C'est pour la reliure.

La porte s'entrouvrit. Le dénommé Gougne baissa les yeux sur un garçon blond d'une dizaine d'années, puis, plus bas encore, sur un chien minuscule qui, passant la truffe entre les jambes de ce dernier, se mit à grogner.

— Papa n'est pas là !

— Vous êtes sûr ? Le Pr Wells devait passer me voir et...

— Le Pr Wells est mon grand-oncle. Mais il est mort.

Nicolas voulut fermer la porte mais l'autre avança le pied en insistant.

— Sincères condoléances. Mais vous êtes sûr qu'il n'a pas laissé une sorte de grosse chemise remplie de papiers ? Je suis relieur. Il m'a payé d'avance pour relier ses notes de travail sous une couverture de cuir. Il voulait constituer une encyclopédie, je crois bien. Il devait passer et je n'ai plus eu de nouvelles depuis longtemps...

— Il est mort, je vous dis.

L'homme engagea davantage son pied, poussant la porte du genou comme s'il voulait entrer en bousculant le garçon. Le chien en réduction se mit à japper furieusement. Il s'immobilisa.

— Comprenez, cela me gênerait énormément de ne pas tenir ses promesses, même à titre posthume. S'il vous plaît, vérifiez. Il doit forcément y avoir un grand classeur rouge quelque part.

— Une encyclopédie, dites-vous ?

— Oui, il nommait lui-même cet ensemble : « Encyclopédie du savoir relatif et absolu », mais cela me surprendrait que ce soit inscrit sur la couverture...

— Nous l'aurions déjà trouvée si elle était chez nous.

— Excusez-moi d'insister mais...

Le caniche nain se remit à gueuler. L'homme en eut un infime recul, suffisant au garçon pour lui claquer la porte à la figure.

Toute la Cité est maintenant réveillée. Les couloirs sont remplis de fourmis messagères thermiques qui s'empressent de réchauffer la Meute. Pourtant à certains carrefours on trouve encore des citoyennes immobiles. Les messagères ont beau les secouer, leur donner des coups, elles ne bougent pas.

Elles ne bougeront plus. Elles sont mortes. Pour elles l'hibernation a été fatale. On ne peut sans risque demeurer trois mois avec un battement cardiaque pratiquement inexistant. Elles n'ont pas souffert. Elles sont passées de sommeil à trépas durant un brusque courant d'air enveloppant la Cité. Leurs cadavres sont évacués puis jetés au dépotoir. Tous les matins, la Cité enlève ainsi ses cellules mortes avec les autres ordures.

Une fois les artères nettoyées de leurs impuretés, la ville d'insectes se met à palpiter. Partout les pattes grouillent. Les mâchoires creusent. Les antennes frétillent d'informations. Tout reprend comme avant. Comme avant l'hiver anesthésiant.

Alors que le 327e mâle charrie une branchette qui doit bien peser soixante fois son propre poids, une guerrière âgée de plus de cinq cents jours s'approche de lui. Elle lui tapote le crâne avec ses segments-massues pour attirer son attention. Il lève la tête. Elle pose ses antennes tout contre les siennes.

Elle veut qu'il laisse tomber le travail de réfection du toit pour partir avec un groupe de fourmis en... expédition de chasse.

Il lui touche la bouche et les yeux.

Quelle expédition de chasse ?

L'autre lui fait respirer un lambeau de viande assez sec qu'elle tenait caché dans un repli de l'articulation de son thorax.

Il paraît qu'on a trouvé ça juste avant l'hiver, dans la

région ouest à 23° d'angle par rapport au soleil de midi.

Il goûte. C'est, à l'évidence, du coléoptère. Du chrysomèle, pour être précis. Etrange. Normalement les coléoptères sont encore en hibernation. Comme chacun le sait, les fourmis rousses se réveillent à 12° de température-air, les termites à 13°, les mouches à 14°, et les coléoptères à 15°.

La vieille guerrière ne se laisse pas démonter par cet argument. Elle lui explique que ce morceau de viande provient d'une région extraordinaire, artificiellement réchauffée par une source d'eau souterraine. Là-bas, il n'y a pas d'hiver. C'est un microclimat où se sont développées une faune et une flore spécifiques.

Et puis la cité Meute a toujours très faim à son réveil. Elle a vite besoin de protéines pour se remettre en marche. La chaleur ne suffit pas.

Il accepte.

L'expédition est formée de vingt-huit fourmis de la caste des guerrières. La plupart sont, comme la sollicitrice, de vieilles dames asexuées. Le 327e mâle est le seul membre de la caste des sexués. Il scrute à distance ses compagnes à travers le tamis de ses yeux.

Avec leurs milliers de facettes les fourmis ne voient pas les images répétées des milliers de fois, mais plutôt une image grillagée. Ces insectes ont du mal à distinguer les détails. En revanche ils perçoivent les mouvements les plus infimes.

Les exploratrices de cette expédition semblent toutes aguerries aux voyages lointains. Leurs ventres lourds sont gorgés d'acides. Leurs têtes sont bardées des armes les plus puissantes. Leurs cuirasses sont rayées par les coups de mandibules reçus dans les combats.

Ils marchent droit devant depuis plusieurs heures. Ils dépassent plusieurs villes de la Fédération, qui se dressent haut dans le ciel ou sous les arbres. Des cités filles de la dynastie des Ni : Yodu-lou-baikan (la plus grande productrice de céréales) ; Giou-li-aikan (dont les légions de tueuses ont vaincu il y a deux ans une coalition des termitières du Sud) ; Zédi-bei-nakan (célèbre pour ses laboratoires chimiques arrivant à produire des acides de combat hyperconcentrés) ; Li-viu-kan (dont l'alcool de cochenille a un goût de résine très recherché).

Car les fourmis rousses s'organisent non seulement en cités mais aussi en coalition de cités. L'union fait la force. Dans le Jura, on a ainsi pu voir des fédérations de fourmis rousses comprenant 15 000 fourmilières occupant une surface de 80 hectares et possédant une population totale supérieure à 200 millions d'individus.

Bel-o-kan n'en est pas encore là. C'est une jeune fédération dont la dynastie originelle a été fondée il y a cinq mille ans. Selon la mythologie locale, ce serait une fille égarée par une terrible tempête qui aurait jadis échoué ici. Ne parvenant pas à rejoindre sa propre fédération, elle aurait créé Bel-o-kan, et de Bel-o-kan serait née la Fédération et les centaines de générations de reines Ni qui la composent.

Belo-kiu-kiuni était le nom de cette première reine. Ce qui signifie la « fourmi égarée ». Mais toutes les reines occupant le nid central ont repris son nom.

Pour l'instant Bel-o-kan n'est formée que d'une grande cité centrale et de 64 cités filles fédérées, éparpillées dans sa périphérie. Mais elle s'impose déjà comme la plus grande force politique de ce morceau de la forêt de Fontainebleau.

Une fois qu'ils ont dépassé les cités alliées, et notamment La-chola-kan, la cité belokanienne la plus à l'ouest, les explorateurs arrivent devant des petites mottes : les nids d'été ou « postes avancés ». Ils sont encore vides. Mais 327e sait que, bientôt, avec les chasses et les guerres, ils vont se remplir de soldates.

Ils continuent en ligne droite. Leur troupe dévale

une vaste prairie turquoise et une colline bordée de chardons. Ils quittent la zone des territoires de chasse. Au loin, vers le nord, on distingue déjà la cité des ennemies, Shi-gae-pou. Mais ses occupants doivent encore dormir à cette heure.

Ils poursuivent. Autour d'eux la plupart des animaux sont encore pris dans le sommeil hivernal. Quelques lève-tôt sortent par-ci par-là la tête de leur terrier. Dès qu'ils voient les armures rousses ils se cachent, apeurés. Les fourmis ne sont pas spécialement réputées pour leur convivialité. Surtout lorsqu'elles avancent ainsi, armées jusqu'aux antennes.

Maintenant les explorateurs sont arrivés aux limites des terres connues. Il n'y a plus la moindre cité fille. Pas le moindre poste avancé à l'horizon. Pas le moindre sentier creusé par les pattes pointues. A peine quelques traces infimes d'une ancienne piste parfumée qui indique que des Belokaniennes sont jadis passées par là.

Ils hésitent. Les frondaisons qui se dressent face à eux ne sont inscrites sur aucune carte olfactive. Elles composent un toit sombre où la lumière ne pénètre plus. Cette masse végétale parsemée de présences animales semble vouloir les happer.

Comment les avertir de ne pas y aller ?

Il posa sa veste et embrassa sa famille.

— Vous avez fini de tout déballer ?

— Oui, Papa.

— Bien. Au fait, vous avez vu la cuisine ? Il y a une porte au fond.

— Je voulais justement t'en parler, dit Lucie, ce doit être une cave. J'ai essayé d'ouvrir mais c'est fermé à clef. Il y a une grande fente. Du peu qu'on y voit, ça a l'air profond derrière. Il faudra que tu fasses sauter la serrure. Au moins que ça serve à quelque chose d'avoir un mari serrurier.

Elle sourit et vint se pelotonner dans ses bras. Lucie et Jonathan vivaient ensemble depuis maintenant treize ans. Ils s'étaient rencontrés dans le métro. Un jour un voyou avait lâché une bombe lacrymogène dans le wagon par pur désœuvrement. Tous les passagers s'étaient aussitôt retrouvés par terre à pleurer et cracher leurs poumons. Lucie et Jonathan étaient tombés l'un sur l'autre. Lorsqu'ils se furent remis de leurs quintes et de leurs larmoiements, Jonathan lui avait proposé de la raccompagner chez elle. Puis il l'avait invitée dans l'une de ses premières communautés utopiques : un squatt à Paris, du côté de la gare du Nord. Trois mois plus tard, ils décidaient de se marier.

— Non.

— Comment ça, non ?

— Non, on ne fera pas sauter la serrure et nous ne profiterons pas de cette cave. Il ne faut plus en parler, il ne faut plus l'approcher, il ne faut surtout pas penser à l'ouvrir.

— Tu rigoles ? Explique-toi !

Jonathan n'avait pas pensé à construire un raisonnement logique autour de l'interdit de la cave. Involontairement il avait provoqué le contraire de ce qu'il désirait. Sa femme et son fils étaient maintenant intrigués. Que pouvait-il faire ? Leur expliquer qu'il y avait un mystère autour de l'oncle bienfaiteur, et que ce dernier avait voulu les avertir du danger d'aller à la cave ?

Ce n'était pas une explication. C'était au mieux de la superstition. Les humains aimant la logique, jamais Lucie et Nicolas ne marcheraient.

Il bafouilla :

— C'est le notaire qui m'a averti.

— Qui t'a averti de quoi ?

— Cette cave est infestée de rats !

— Berk ! Des rats ? Mais ils vont sûrement passer par la fente, protesta le garçon.

— Ne vous en faites pas, on va tout colmater.

Jonathan n'était pas mécontent de son petit effet. Une chance qu'il ait eu cette idée des rats.

— Bon, alors c'est entendu, personne n'approche de la cave, hein ?

Il se dirigea vers la salle de bains. Lucie vint aussitôt l'y rejoindre.

— Tu es allé voir ta grand-mère ?

— Exact.

— Ça t'a pris toute la matinée ?

— Re-exact.

— Tu ne vas pas passer ton temps à traîner ainsi. Tu te rappelles ce que tu disais aux autres dans la ferme des Pyrénées : « Oisiveté mère de tous les vices. » Il faut que tu trouves un autre travail. Nos fonds baissent !

— On vient d'hériter d'un appartement de deux cents mètres carrés dans un quartier chic en lisière de forêt, et toi tu me parles boulot ! Tu ne sais donc pas apprécier l'instant présent ?

Il voulut l'enlacer, elle recula.

— Si, je sais, mais je sais aussi penser au futur. Moi je n'ai aucune situation, toi tu es au chômage, comment va-t-on vivre dans un an ?

— On a encore des réserves.

— Ne sois pas stupide, nous avons de quoi vivoter quelques mois, et après...

Elle posa ses petits poings sur ses hanches et bomba la poitrine.

— Ecoute Jonathan, tu as perdu ton job parce que tu ne voulais pas aller dans les quartiers dangereux le soir. D'accord, je comprends, mais tu dois pouvoir trouver autre chose ailleurs !

— Bien sûr, je vais chercher du boulot, laisse-moi seulement me changer les idées. Je te promets qu'ensuite, disons dans un mois, je fais les petites annonces.

Une tête blonde fit son apparition bientôt suivie de la peluche sur pattes. Nicolas et Ouarzazate.

— Papa, il y a un monsieur qui est venu tout à l'heure pour relier un livre.

— Un livre ? Quel livre ?

— Je ne sais pas, il a parlé d'une grande encyclopédie écrite par l'oncle Edmond.

— Ah tiens, ça alors... Il est entré ? Vous l'avez trouvée ?

— Non, il n'avait pas l'air gentil, et comme de toute façon il n'y a pas de livre...

— Bravo, fils, tu as bien fait.

Cette nouvelle laissa Jonathan perplexe, puis intrigué. Il fouina dans le vaste sous-sol, en vain. Il demeura ensuite un bon moment dans la cuisine, à inspecter la porte de la cave, sa grosse serrure et sa large fente. Sur quel mystère ouvrait-elle donc ?

Il faut pénétrer dans cette brousse.

Une suggestion est lancée par l'une des plus vieilles exploratrices. Se mettre en formation « serpent grosse tête », la meilleure manière d'avancer en terrain inhospitalier. Consensus immédiat, elles ont toutes eu la même idée au même moment.

A l'avant, cinq éclaireuses placées en triangle inversé constituent les yeux de la troupe. A petits pas mesurés, elles tâtent le sol, hument le ciel, inspectent les mousses. Si tout va bien, elles lancent un message olfactif qui signifie : « Rien devant ! » Elles rejoignent ensuite l'arrière de la procession pour être remplacées par des individus « neufs ». Ce système de rotation transforme le groupe en une sorte de long animal dont la « truffe » reste toujours hypersensible.

Le « Rien devant ! » sonne clair une vingtaine de fois. La vingt et unième est interrompue par un couac nauséabond. L'une des éclaireuses vient imprudemment de s'approcher d'une plante carnivore. Une dionée. Son arôme enivrant l'a attirée, sa glu lui a emprisonné les pattes.

Dès lors, tout est perdu. Le contact avec les poils déclenche le mécanisme de la charnière organique. Les deux larges feuilles articulées se referment inexorablement. Leurs longues franges servent de dents. Se croisant, elles se transforment en solides barreaux. Lorsque sa victime est complètement aplatie, le fauve végétal sécrète ses enzymes les plus voraces, capables de digérer les carapaces les plus coriaces.

Ainsi fond la fourmi. Tout son corps se transforme en sève effervescente. Elle lance une vapeur de détresse.

Mais on ne peut déjà plus rien pour elle. Cela fait partie des impondérables communs à toutes les expéditions longue distance. Il reste juste à signaler « Attention danger » aux abords du piège naturel.

Elles reprennent la route odorante en oubliant l'incident. Les phéromones pistes indiquent que c'est par là. Les fourrés traversés, elles continuent vers l'ouest. Toujours à 23° d'angle par rapport aux rayons solaires. Elles se reposent à peine, quand le temps est trop froid ou trop chaud. Elles doivent faire vite si elles ne veulent pas rentrer en pleine guerre.

Il était déjà arrivé que des exploratrices constatent à leur retour que leur cité était encerclée par des troupes ennemies. Et forcer le blocus n'était jamais une mince affaire.

Ça y est, elles viennent de trouver la phéromone piste qui indique l'entrée de la caverne. Une chaleur monte du sol. Elles s'enfoncent dans les profondeurs de la terre rocailleuse.

Plus elles descendent, plus elles perçoivent le gloussement discret d'une rigole. C'est la source d'eau chaude. Elle fume en dégageant une forte odeur de soufre.

Les fourmis s'abreuvent.

A un moment, elles repèrent un drôle d'animal : on dirait une boule avec des pattes. En fait c'est un scarabée géotrupe en train de pousser une sphère de bouse et de sable à l'intérieur de laquelle il a calfeutré ses œufs. Tel un Atlas de légende, il supporte son « monde ». Quand la pente est favorable, la boule roule toute seule et il la poursuit. Dans le cas contraire, il s'essouffle, glisse et doit souvent aller la rechercher en bas. Surprenant de trouver un scarabée par ici. C'est plutôt un animal des zones chaudes...

Les Belokaniennes le laissent passer. De toute façon sa chair n'est pas très bonne, et sa carapace le rend trop lourd à transporter.

Une silhouette noire détale sur leur gauche, pour se cacher dans une anfractuosité de la roche. Un perce-oreille. Ça, par contre, c'est délicieux. La plus vieille exploratrice est la plus rapide. Elle bascule son abdomen sous son cou, se place en position de tir en s'équilibrant avec les pattes arrière, vise d'instinct et décoche de très loin une goutte d'acide formique. Le jus corrosif concentré à plus de 40 pour cent fend l'espace.

Touché.

Le perce-oreille est foudroyé en pleine course. De l'acide concentré à 40 pour cent ce n'est pas du petit-lait. Ça pique déjà à 40 pour mille, alors à 40 pour cent, ça dégage ! L'insecte s'effondre, et toutes se précipitent pour dévorer ses chairs brûlées. Les exploratrices d'automne ont donné de bonnes phéromones. Le coin paraît giboyeux. La chasse sera bonne.

Elles descendent dans un puits artésien et terrorisent toutes sortes d'espèces souterraines jusqu'alors inconnues. Une chauve-souris tente bien de mettre fin à leur visite, mais elles la font fuir en l'embrumant sous un nuage d'acide formique.

Les jours suivants, elles continuent de ratisser la caverne chaude, accumulant les dépouilles de petits animaux blancs et les débris de champignons vert clair. Avec leur glande anale elles sèment de nouvelles phéromones pistes qui doivent permettre à leurs sœurs de venir chasser ici sans encombre.

La mission a réussi. Le territoire a poussé un bras jusqu'ici, au-delà des broussailles de l'ouest. Lourdement chargées de victuailles, alors qu'elles vont prendre le chemin du retour, elles déposent le drapeau chimique fédéral. Son parfum claque dans les airs : « BEL-O-KAN ! »

— Vous pouvez répéter ?

— Wells, je suis le neveu d'Edmond Wells.

La porte s'ouvre sur un grand type de près de deux mètres.

— Monsieur Jason Bragel ?... Excusez-moi de vous déranger mais j'aimerais parler de mon oncle avec vous. Je ne l'ai pas connu et ma grand-mère m'a appris que vous étiez son meilleur ami.

— Entrez donc... Que voulez-vous savoir sur Edmond ?

— Tout. Je ne l'ai pas connu et je le regrette...

— Mmmmh. Je vois. De toute façon, Edmond était le genre de types qui sont des mystères vivants.

— Vous le connaissiez bien ?

— Qui peut prétendre connaître qui que ce soit ? Disons que nos deux personnes marchaient souvent côte à côte et que ni lui ni moi n'y voyions d'inconvénient.

— Comment vous êtes-vous rencontrés ?

— A la faculté de biologie. Moi, je bossais sur les plantes, et lui sur les bactéries.

— Encore deux mondes parallèles.

— Oui, sauf que le mien est quand même plus sauvage, rectifia Jason Bragel en désignant le fouillis de plantes vertes qui envahissait sa salle à manger. Vous les voyez ? Elles sont toutes concurrentes, prêtes à s'entretuer pour un trait de lumière ou pour une goutte d'eau. Dès qu'une feuille est à l'ombre, la plante l'abandonne et les feuilles voisines poussent plus largement. Les végétaux, c'est vraiment un monde sans pitié...

— Et les bactéries d'Edmond ?

— Lui-même déclarait qu'il ne faisait qu'étudier ses ancêtres. Disons qu'il remontait un peu plus haut que la normale dans son arbre généalogique...

— Pourquoi les bactéries ? Pourquoi pas les singes ou les poissons ?

— Il voulait comprendre la cellule à son stade le plus primaire. Pour lui, l'homme n'étant qu'un conglomérat de cellules, il fallait comprendre à fond la « psychologie » d'une cellule pour déduire le fonctionnement de l'ensemble. « Un gros problème complexe n'est en fait qu'une réunion de petits problèmes simples. » Il a pris cet adage à la lettre.

— Il n'a travaillé que sur les bactéries ?

— Non, non. C'était une sorte de mystique, un vrai généraliste, il aurait voulu tout savoir. Il avait aussi ses lubies... par exemple, vouloir contrôler ses propres battements cardiaques.

— Mais c'est impossible !

— Il paraît que certains yogis hindous et tibétains réalisent cette prouesse.

— A quoi ça sert ?

— Je l'ignore... Lui souhaitait y arriver pour pouvoir se suicider juste en arrêtant son cœur avec sa volonté. Il pensait être ainsi en mesure de sortir du jeu à n'importe quel moment.

— Quel intérêt ?

— Il avait peut-être peur des douleurs liées à la vieillesse.

— Hum... Et qu'a-t-il fait après son doctorat de biologie ?

— Il est parti travailler dans le privé, une société produisant des bactéries vivantes pour les yaourts. « Sweetmilk Corporation ». Ça a bien marché pour lui. Il a découvert une bactérie capable non seulement de développer un goût mais aussi un parfum ! Il a eu le prix de la meilleure invention de l'année 63 pour ça...

— Et puis ?

— Et puis il s'est marié avec une Chinoise. Ling mi. Une fille douce, rieuse. Lui, le ronchon, s'est immédiatement adouci. Il était très amoureux. A partir de ce moment, je l'ai vu plus rarement. C'est classique.

— J'ai entendu dire qu'il était parti en Afrique.

— Oui, mais il est parti après.

— Après quoi ?

— Après le drame. Ling mi était leucémique. Cancer du sang, ça ne pardonne pas. En trois mois, la vie l'a quittée. Le pauvre... lui qui avait carrément professé que les cellules étaient passionnantes, et les humains négligeables... la leçon était cruelle. Et il n'avait rien pu faire. Parallèlement à ce désastre, il a eu des disputes avec ses collègues de « Sweetmilk Corporation ». Il a quitté son travail pour rester prostré dans son appartement. Ling mi lui avait redonné foi en l'humanité, sa perte le fit rechuter de plus belle dans sa misanthropie.

— Il est parti en Afrique pour oublier Ling mi ?

— Peut-être. En tout cas, il a surtout voulu cicatriser la plaie en se jetant à corps perdu dans son œuvre de biologiste. Il a dû trouver un autre thème d'étude passionnant. Je ne sais pas exactement ce que c'était, mais ce n'était plus les bactéries. Il s'est installé en Afrique probablement parce que ce thème de travail était plus facile à traiter là-bas. Il m'a envoyé une carte postale, il expliquait juste qu'il était avec une équipe du CNRS, et qu'il bossait avec un certain Pr Rosenfeld. Je ne connais pas ce monsieur.

— Vous avez revu Edmond par la suite ?

— Oui, une fois par hasard, aux Champs-Elysées. Nous avons un peu discuté. Il avait manifestement repris goût à la vie. Mais il est resté très évasif, il a éludé toutes mes questions un peu professionnelles.

— Il paraît aussi qu'il écrivait une encyclopédie.

— Ça, c'est plus ancien. C'était son grand truc. Réunir toutes ses connaissances dans un ouvrage.

— Vous l'avez déjà vu ?

— Non. Et je ne crois pas qu'il l'ait jamais montré à qui que ce soit. Connaissant Edmond, il a dû le cacher au fin fond de l'Alaska avec un dragon cracheur de feu pour le protéger. C'était son côté « grand sorcier ».

Jonathan se disposait à prendre congé.

— Ah ! encore une question : vous savez comment

faire quatre triangles équilatéraux avec six allumettes ?

— Evidemment. C'était son test d'intelligence préféré.

— Alors, quelle est la solution ?

Jason éclata d'un grand rire.

— Alors ça, je ne vous la donnerai sûrement pas ! Comme disait Edmond : « C'est à chacun de trouver seul son passage. » Et vous verrez, la satisfaction de la découverte est décuplée.

Avec toutes ces viandes sur le dos, la route semble plus longue qu'à l'aller. La troupe progresse d'un bon pas pour ne pas être surprise par les rigueurs de la nuit.

Les fourmis sont capables de travailler vingt-quatre heures sur vingt-quatre de mars à novembre sans le moindre repos ; cependant chaque chute de température les endort. C'est pourquoi il est assez rare de voir une expédition partir pour plus d'une journée.

Longtemps la cité de fourmis rousses avait planché sur ce problème. Elle savait qu'il était important d'étendre les territoires de chasse et de connaître les pays lointains, où poussent d'autres plantes et où vivent d'autres animaux avec d'autres mœurs.

Au huit cent cinquantième millénaire, Bi-stin-ga, une reine rousse de la dynastie Ga (dynastie de l'Est, disparue depuis cent mille ans), avait eu la folle ambition de connaître les « extrémités » du monde. Elle avait envoyé des centaines d'expéditions aux quatre points cardinaux. Aucune n'était jamais revenue.

L'actuelle reine, Belo-kiu-kiuni, n'était pas aussi gourmande. Sa curiosité se contentait de la découverte de ces petits coléoptères dorés qui ressemblent à des pierres précieuses (et qu'on trouve dans le Sud profond), ou de la contemplation des plantes carnivores qu'on lui ramenait parfois vivantes avec les racines et qu'elle espérait réussir un jour à apprivoiser.

Belo-kiu-kiuni savait que la meilleure manière de connaître de nouveaux territoires était encore d'agrandir la Fédération. Toujours plus d'expéditions longue distance, toujours plus de cités filles, toujours plus de postes avancés et on livre la guerre à tous ceux qui prétendraient empêcher cette progression.

Certes la conquête du bout du monde serait longue, mais cette politique de petits pas opiniâtres était en parfait accord avec la philosophie générale des fourmis. « Lentement mais toujours en avant. »

Aujourd'hui la fédération de Bel-o-kan comprenait 64 cités filles. 64 cités sous la même odeur. 64 cités reliées par un réseau de 125 kilomètres de pistes creusées et de 780 kilomètres de pistes odorantes. 64 cités solidaires pendant les batailles comme pendant les famines.

Le concept de fédération de cités permettait à certaines villes de se spécialiser. Et Belo-kiu-kiuni rêvait même de voir un jour une cité ne traiter que de céréales, une autre ne pourvoir qu'aux viandes, une troisième ne s'occuper que de la guerre.

On n'en était pas encore là.

C'était en tout cas un concept qui s'accordait bien avec un autre principe de la philosophie globale des fourmis. « L'avenir appartient aux spécialistes. »

Les exploratrices sont encore loin des postes avancés. Elles forcent l'allure. Quand elles repassent près de la plante carnivore, une guerrière propose qu'on la déracine pour la ramener à Belo-kiu-kiuni.

Agora antennaire. Elles discutent en émettant et en recevant de minuscules molécules volatiles et odorantes. Les phéromones. Des hormones, en fait, qui arrivent à sortir de leurs corps. On pourrait visualiser chacune de ces molécules comme un bocal où chaque poisson serait un mot.

Grâce aux phéromones, les fourmis se livrent à des dialogues dont les nuances sont pratiquement infinies. A voir la nervosité des mouvements d'antennes, le débat semble animé.

C'est trop encombrant.

Mère ne connaît pas ce genre de plante.

On risque d'avoir des pertes et ce seront des bras en moins pour transporter le butin.

Lorsqu'on aura apprivoisé les plantes carnivores ce seront des armes à part entière, on pourra tenir des fronts rien qu'en les plantant alignées.

On est fatiguées et la nuit va tomber.

Elles décident de renoncer, contournent la plante et poursuivent leur route. Comme leur groupe approche d'un bosquet fleuri, le 327e mâle, qui se trouve à l'arrière, repère une pâquerette rouge. Il n'a jamais vu de tel spécimen. Il n'y a pas à hésiter.

On n'a pas eu la dionée mais on va ramener ça.

Il se laisse distancer un instant et découpe précautionneusement la tige de la fleur. *Tchlic !* Puis serrant fort sa découverte, il court pour rattraper ses collègues.

Seulement de collègues, il n'y en a plus. L'expédition numéro un de la nouvelle année est certes en face de lui, mais dans quel état... Choc émotionnel. Stress. Les pattes de 327e se mettent à trembler. Toutes ses compagnes gisent mortes.

Qu'a-t-il bien pu se passer ? L'attaque a dû être foudroyante. Elles n'ont même pas eu le temps de se mettre en position de combat, toutes sont encore en formation « serpent grosse tête ».

Il inspecte les corps. Aucun jet d'acide n'a été tiré. Les fourmis rousses n'ont même pas eu le temps de lâcher leurs phéromones d'alerte.

Le 327e mâle mène l'enquête.

Il fouille les antennes du cadavre d'une sœur. Contact olfactif. Aucune image chimique n'a été enregistrée. Elles marchaient et puis soudain : coupure.

Il faut comprendre, il faut comprendre. Il y a forcément une explication. D'abord nettoyer l'outil sensoriel. A l'aide des deux griffes courbes de sa patte avant, il racle ses tiges frontales, retirant la mousse acide produite par son début de stress. Il les replie vers sa bouche et les lèche. Il les essuie sur le petit éperon brosse subtilement placé par la nature en haut de son troisième coude.

Puis il abaisse ses antennes propres à la hauteur de ses yeux et les active doucement à 300 vibrations/seconde. Rien. Il augmente le mouvement : 500, 1 000, 2 000, 5 000, 8 000 vibrations/seconde. Il est aux deux tiers de sa puissance réceptrice.

Instantanément, il recueille les plus infimes effluves flottant aux alentours : vapeurs de rosée, pollens, spores, et une petite odeur qu'il a déjà sentie mais qu'il a du mal à identifier.

Il accélère encore. Puissance maximale : 12 000 vibrations/seconde. En virevoltant, ses antennes engendrent des petits courants d'airs aspirants qui drainent à lui toutes les poussières.

Ça y est : il a identifié ce parfum léger. C'est l'odeur des coupables. Oui, ce ne peut être qu'elles, les impitoyables voisines du Nord qui ont déjà causé tant de soucis l'année dernière.

Elles : les fourmis naines de Shi-gae-pou...

Elles sont donc déjà réveillées, elles aussi. Elles ont dû tendre une embuscade et utiliser une nouvelle arme foudroyante.

Il n'y a pas une seconde à perdre, il faut alerter toute la Fédération.

« C'est un rayon laser de très forte amplitude qui les a tous tués, chef.

— Un rayon laser ?

— Oui, une nouvelle arme capable de faire fondre à distance les plus gros de nos vaisseaux. Chef...

— Vous pensez que ce sont...

— Oui, chef, seuls les Vénusiens ont pu faire ce coup-là. C'est signé.

— Dans ce cas les représailles vont être terribles. Il nous reste combien de fusées de combat stationnées dans la ceinture d'Orion ?

— Quatre, chef.

— Ce ne sera jamais assez, il faudrait demander le secours des troupes de... »

— Tu reveux un peu de potage ?

— Non merci, dit Nicolas complètement hypnotisé par les images.

— Allons, regarde un peu ce que tu manges ou on éteint la télé !

— Oh ! maman, s'il te plaît...

— Tu n'en as pas encore marre de ces histoires de petits hommes verts et de planètes aux noms de marques de lessive ? demanda Jonathan.

— Ça m'intéresse. Je suis sûr qu'un jour on rencontrera des extraterrestres.

— Alors ça... depuis le temps qu'on en parle !

— Ils ont envoyé une sonde vers l'étoile la plus proche, *Marco Polo* elle se nomme la sonde, on devrait bientôt savoir qui sont nos voisins.

— Elle fera chou blanc comme toutes les autres sondes qu'on a déjà envoyées polluer l'espace. C'est trop loin je te dis.

— Peut-être, mais qui te dit alors que ce ne seront pas eux, les extraterrestres, qui viendront nous voir ? Après tout on n'a pas élucidé tous les témoignages parlant d'OVNI.

— Quand bien même. A quoi ça nous servirait de rencontrer d'autres peuples intelligents ? On finirait fatalement un jour par se faire la guerre, tu ne trouves pas qu'on a déjà assez de problèmes entre Terriens ?

— Ce serait exotique. On aurait peut-être de nouveaux endroits pour aller en vacances.

— Ce serait surtout de nouveaux soucis.

Il prit le menton de Nicolas.

— Allons, mon garçon, tu verras quand tu seras plus grand, tu penseras comme moi : le seul animal vraiment passionnant, le seul animal dont l'intelligence est vraiment différente de la nôtre, c'est... la femme !

Lucie protesta pour la forme. Ils rirent ensemble.

Nicolas se renfrogna. Ce devait être ça l'humour des adultes... Sa main partit à la recherche de la fourrure apaisante du chien.

Il n'y avait rien sous la table.

— Où est passé Ouarzazate ?

Il n'était pas dans la salle à manger.

— Ouarzi ! Ouarzi !

Nicolas se mit à siffler entre ses doigts. D'ordinaire l'effet était immédiat : on entendait un aboiement suivi d'un bruit de pattes. Il siffla de nouveau. Aucun résultat. Il alla chercher dans les nombreuses pièces de l'appartement. Ses parents vinrent le rejoindre. Plus de chien. La porte était fermée. Il n'avait pu sortir par ses propres moyens, les chiens ne savent pas encore utiliser les clés.

Machinalement, ils se dirigèrent tous vers la cuisine, et plus précisément vers la porte de la cave. La fente n'avait toujours pas été colmatée. Or elle était juste assez large pour laisser passer un animal de la taille de Ouarzazate.

— Il est là-dedans, je suis sûr qu'il est là-dedans ! gémit Nicolas. Il faut aller le chercher.

Comme pour répondre à cette requête, on entendit des jappements saccadés montant de la cave. Ils semblaient quand même provenir de très loin.

Tous s'approchèrent de la porte taboue. Jonathan s'interposa.

— Papa a dit : on ne va pas à la cave !

— Mais chéri, dit Lucie, il faut bien aller le chercher. Il est peut-être attaqué par des rats. Tu as dit qu'il y avait des rats...

Son visage se ferma.

— Tant pis pour le chien. On ira en acheter un autre demain.

Le gosse était sidéré.

— Mais Papa, ce n'est pas « un autre » que je veux. Ouarzazate c'est mon copain, tu ne peux pas le laisser crever comme ça.

— Qu'est-ce qu'il te prend ? ajouta Lucie, laisse-moi y aller si tu as peur !

— Tu es peureux Papa, tu es un lâche ?

Jonathan ne se contenait plus, il marmonna un « C'est bon je vais jeter un coup d'œil », et alla chercher une torche électrique. Il éclaira la fente. C'était noir, complètement noir, d'un noir qui absorbe tout.

Il frissonna. Il brûlait de s'enfuir. Mais sa femme et son fils le poussaient vers cet abîme. Des pensées acides inondèrent sa tête. Sa phobie du noir prenait le dessus.

Nicolas éclata en sanglots.

— Il est mort ! Je suis sûr qu'il est mort ! C'est ta faute.

— Il est peut-être blessé, tempéra Lucie, il faudrait aller voir.

Jonathan repensa au message d'Edmond. Le ton en était impératif. Mais comment faire ? Un jour, forcément, l'un d'eux craquerait et irait voir. Il devait prendre le taureau par les cornes. Maintenant ou jamais. Il passa sa main sur son front mouillé.

Non, ça ne se passerait pas comme ça. Il avait enfin l'occasion d'affronter ses peurs, de sauter le pas, de faire face au danger. Le noir voulait le gober ? Tant mieux. Il était prêt à aller au fond des choses. Il n'avait de toute façon plus rien à perdre.

— J'y vais !

Il alla chercher ses outils et fit sauter la serrure.

— Quoi qu'il arrive, ne bougez pas d'ici, surtout ne tentez pas de me rejoindre ou d'appeler la police. Attendez-moi !

— Tu parles d'une drôle de façon. Ce n'est qu'une cave après tout, une cave comme il y en a dans tous les immeubles.

— Je n'en suis pas si sûr...

Eclairé par l'ovale orange d'un soleil déclinant, le 327e mâle, dernier survivant de la première expédition de chasse du printemps, court seul. Insupportablement seul.

Depuis longtemps ses pattes pataugent dans les flaques, la boue et les feuilles moisies. Le vent a séché toutes ses lèvres. La poussière a recouvert son corps d'un manteau d'ambre. Il ne sent plus ses muscles. Plusieurs de ses griffes sont cassées.

Mais à l'extrémité du rail olfactif sur lequel il est lancé, il distingue bientôt son objectif. Parmi les monticules que sont les cités belokaniennes, une forme grandit à chacune de ses foulées, l'énorme pyramide de Bel-o-kan, la cité mère, phare odorant qui le magnétise et l'aspire.

327ᵉ parvient enfin au pied de l'imposante fourmilière, lève la tête. Sa ville a encore grandi. On a entamé la construction de la nouvelle couche protectrice du dôme. Le sommet de la montagne de branchettes taquine la lune.

Le jeune mâle cherche un instant, trouve au ras du sol une entrée encore béante, où il s'engouffre.

Il était temps. Toutes les ouvrières et les soldates travaillant à l'extérieur sont déjà revenues. Les gardes s'apprêtaient à boucher les issues afin de préserver la chaleur intérieure. D'ailleurs à peine a-t-il franchi le seuil que les maçonnes s'activent et que le trou se referme derrière lui. Presque dans un claquement.

Voilà, on ne voit plus rien du monde extérieur froid et barbare. Le 327ᵉ mâle est à nouveau plongé dans la civilisation. Il peut désormais se fondre dans la Meute apaisante. Il n'est plus seul, il est multiple.

Des sentinelles s'approchent. Sous son film de poussières, elles ne l'ont pas reconnu. Il émet rapidement ses parfums d'identification, et les autres sont rassérénées.

Une ouvrière remarque ses odeurs de fatigue. Elle lui propose une trophallaxie, le rituel du don de son corps.

Toute fourmi possède dans son abdomen une sorte de poche, en fait un estomac secondaire, qui ne digère pas les aliments. Le jabot social. Elle peut y stocker de la nourriture, qui reste indéfiniment fraîche et intacte. Elle peut ensuite la régurgiter pour l'envoyer dans son estomac « normal digérant ». Ou bien elle la recrache pour l'offrir à une congénère.

Les gestes sont toujours les mêmes. La fourmi offreuse accoste l'objet de son désir de trophallaxie en lui tapotant le crâne. Si celle qui est ainsi pressentie accepte, elle abaisse les antennes. Si elle les dresse bien haut, c'est en signe de refus, elle n'a vraiment pas faim.

Le 327e mâle n'hésite pas. Ses réserves énergétiques sont tellement faibles qu'il est sur le point de tomber en catalepsie. Ils s'emboîtent bouche contre bouche. La nourriture remonte. L'offreuse régurgite d'abord de la salive, puis du miellat et une bouillie de céréales. C'est bon et très reconstituant.

Le don prend fin, le mâle se dégage aussitôt. Tout lui revient. Les morts. L'embuscade. Pas un instant à perdre. Il lève ses antennes et pulvérise l'information en fines gouttelettes alentour.

Alerte. C'est la guerre. Les naines ont détruit notre première expédition. Elles ont une arme nouvelle aux effets destructeurs. Branle-bas de combat. La guerre est déclarée.

La sentinelle se dégage. Ces odeurs d'alerte lui agacent le cerveau. Déjà un attroupement se crée autour du 327e mâle.

Qu'est-ce qu'il y a ?

Qu'est-ce qu'il se passe ?

Il dit que la guerre est déclarée.

A-t-il des preuves ?

Des fourmis accourent de partout.

Il parle d'une arme nouvelle et d'une expédition décimée.

C'est grave.

A-t-il des preuves ?

Le mâle se trouve maintenant au centre d'un caillot de fourmis.

Alerte, alerte, la guerre est déclarée, branle-bas de combat !

A-t-il des preuves ?

Cette phrase odorante est reprise par tous.

Non, il n'a pas de preuves. Il était tellement choqué qu'il n'a pas pensé à en ramener. Mouvements d'antennes. Les têtes remuent, dubitatives.

Où cela s'est-il passé ?

A l'ouest de La-chola-kan, entre le nouveau point de chasse trouvé par les éclaireurs et nos cités. Une zone où patrouillent souvent les naines.

C'est impossible, nos espionnes sont rentrées. Elles sont formelles : les naines ne sont pas encore réveillées !

C'est une antenne anonyme qui vient d'émettre cette phéromone phrase. La foule se disperse. On la croit, elle. On ne le croit pas, lui. Il a certes des accents de vérité, mais son récit est si peu vraisemblable. Les guerres de printemps ne commencent jamais si tôt. Les naines seraient folles d'attaquer alors qu'elles ne sont même pas toutes réveillées. Chacun reprend sa tâche sans tenir compte de l'information transmise par le 327e mâle.

L'unique survivant de la première expédition de chasse est abasourdi. Ces morts, bon sang, il ne les a pas inventés ! Ils finiront bien par s'apercevoir que l'effectif n'est pas au complet dans une caste.

Ses antennes retombent bêtement sur son front. Il éprouve le sentiment dégradant que son existence ne sert plus à rien. Comme s'il ne vivait plus pour les autres, mais rien que pour lui-même.

Il frissonne d'horreur à cette pensée. Se jette en avant, court fébrilement, ameute et prend les ouvrières à témoin. On hésite même à s'arrêter quand il égrène la formule consacrée :

Explorateur j'ai été la patte
Sur place j'ai été l'œil
De retour je suis le stimulus nerveux.

Tout le monde s'en fout. On l'écoute sans lui prêter attention. Puis on repart sans s'affoler. Qu'il cesse donc de stimuler !

Jonathan était descendu depuis quatre heures maintenant. Sa femme et son fils se rongeaient les sangs.

— On appelle la police, Maman ?

— Non, pas encore.

Elle s'approcha de la porte de la cave.

— Papa est mort ? Dis-moi, Maman, Papa est mort de la même façon que Ouarzi ?

— Mais non, mais non, mon chéri, qu'est-ce que tu racontes comme bêtises !

Lucie était dévorée d'angoisse. Elle se pencha pour examiner la fente. Avec la puissante lampe halogène qu'elle venait d'acheter il lui semblait distinguer un peu plus loin un... escalier en colimaçon.

Elle s'assit par terre. Nicolas vint la rejoindre. Elle l'embrassa.

— Il va revenir, il faut être patient. Il nous a demandé d'attendre, attendons encore.

— Et s'il ne revient plus ?

327e est las. Il a l'impression de se débattre dans de l'eau. Ça remue, mais ça n'avance pas.

Il décide de s'adresser à Belo-kiu-kiuni, en personne. Agée de quatorze hivers, Mère possède une expérience incomparable, alors que les fourmis asexuées qui forment le gros de la population vivent trois ans au maximum. Elle seule peut l'aider à trouver un moyen de faire passer l'information.

Le jeune mâle prend la voie express qui mène au cœur de la cité. Plusieurs milliers d'ouvrières encombrées d'œufs trottent dans cette large galerie. Elles remontent leurs fardeaux depuis le quarantième étage en sous-sol jusqu'aux pouponnières du solarium situées au trente-cinquième étage au-dessus du sol. C'est un vaste flux de coquilles blanches portées à bout de pattes qui va de bas en haut et de droite à gauche.

Il lui faut aller en sens inverse. Pas facile. 327e bouscule quelques nourrices qui crient aussitôt au vandale. Il est lui-même heurté, piétiné, repoussé, griffé. Heureusement le couloir n'est pas complètement saturé. Il parvient à se frayer un chemin dans la masse grouillante.

Prenant ensuite par les petits tunnels, itinéraire plus long mais moins pénible, il trotte à bonne allure. Des artères, il passe aux artérioles, des artérioles aux veines et veinules. Il parcourt ainsi des kilomètres, franchit des ponts, des arches, traverse des places vides ou bondées.

Il s'oriente sans peine au milieu des ténèbres, grâce à ses trois ocelles frontaux à vision infrarouge. Au fur et à mesure qu'il approche de la Cité interdite, l'odeur douceâtre de Mère se fait plus pesante, et le nombre de gardes va croissant.

Il y en a de toutes les sous-castes guerrières, de toutes les tailles, de toutes les armes. Des petites aux longues mandibules crantées, des costaudes équipées de plaques thoraciques dures comme du bois, des trapues aux antennes courtes, des artilleuses dont l'abdomen effilé est gorgé de poisons convulsifs.

Muni d'odeurs passeports valables, le 327e mâle traverse sans encombre leurs postes de filtrage. Les soldates sont calmes. On sent que les grandes guerres territoriales n'ont pas encore commencé.

Tout près maintenant de son but, il présente ses identifications aux fourmis concierges puis pénètre dans l'ultime couloir menant à la loge royale.

Sur le seuil il s'arrête, écrasé par la beauté qui se dégage de ce lieu unique. C'est une grande salle circulaire construite selon les règles architecturales et géométriques très précises que les reines mères transmettent à leurs filles d'antenne à antenne.

La voûte principale mesure douze têtes de haut sur trente-six de diamètre (la tête est l'unité de mesure de la Fédération ; une tête équivaut à trois millimètres d'unité de mesure courante humaine). Des pilastres de ciments rares soutiennent ce temple insecte, qui, avec la forme concave de son sol, est conçu pour que les molécules odorantes émises par les individus rebondissent le plus longtemps possible sans imprégner les murs. C'est un remarquable amphithéâtre olfactif.

Au centre repose une grosse dame. Elle est couchée sur le ventre et lance de temps en temps sa patte vers une fleur jaune. La fleur se referme parfois sèchement. Mais la patte est déjà retirée.

Cette dame, c'est Belo-kiu-kiuni.

Belo-kiu-kiuni, dernière reine fourmi rousse de la cité centrale.

Belo-kiu-kiuni, pondeuse unique, génératrice de tous les corps et de tous les esprits de la Meute.

Belo-kiu-kiuni, qui régnait déjà pendant la grande guerre avec les abeilles, pendant la conquête des termitières du Sud, pendant la pacification des territoires à araignées, pendant la terrible guerre d'usure imposée par les guêpes du chêne, et depuis l'année dernière c'était elle qui coordonnait les efforts des cités pour résister à la pression aux frontières nord des fourmis naines.

Belo-kiu-kiuni, qui bat des records de longévité.

Belo-kiu-kiuni, sa maman.

Ce monument vivant est là, tout près de lui, comme autrefois. Sauf qu'elle est humidifiée et caressée par une vingtaine de jeunes ouvrières serviles, alors que jadis c'était lui, le 327e, qui la soignait de ses petites pattes encore malhabiles.

La jeune plante carnivore claque des mâchoires et Mère émet une petite plainte odorante. On ne savait pas d'où lui venait cette passion pour les fauves végétaux.

327e approche. Vue de près, Mère n'est pas très belle. Elle a le crâne allongé vers l'avant, garni de deux énormes yeux globuleux qui semblent regarder partout à la fois. Ses ocelles infrarouges sont resserrés au milieu du front. Ses antennes, en revanche, sont plantées de manière exagérément écartées. Elles sont très longues, très légères et vibrent par à coups brefs qu'on devine parfaitement maîtrisés.

Cela fait plusieurs jours que Belo-kiu-kiuni a

quitté le grand sommeil et, depuis, elle n'a cessé de pondre. Son abdomen, dix fois plus volumineux que la normale, est parcouru de spasmes continus. A l'instant même, elle lâche huit œufs maigrichons, gris clair aux reflets nacrés, la dernière génération de Belokaniens. Le futur tout rond et tout gluant s'échappe de ses entrailles pour rouler dans la pièce, immédiatement pris en charge par des nourrices.

Le jeune mâle reconnaît l'odeur de ces œufs. Ce sont des soldates stériles et des mâles. Il fait encore froid, et la glande à produire des « filles » ne s'est pas encore activée. Dès que la météo le permettra Mère pondra de chaque caste selon les besoins exacts de la Cité. Des ouvrières viendront lui dire que « ça manque de broyeuses de céréales ou d'artilleuses », et elle fournira à la demande. Il arrive aussi que Belo-kiu-kiuni sorte de sa loge et aille humer les couloirs. Elle a l'antenne assez fine pour détecter le moindre déficit au sein de telle ou telle caste. Elle complète sur-le-champ les effectifs.

Mère accouche encore de cinq chétives unités, puis se tourne vers son visiteur. Elle le touche et le lèche. Le contact avec la salive royale est toujours un moment extraordinaire. Cette salive est non seulement un désinfectant universel, mais aussi une véritable panacée guérissant toutes les blessures, sauf toutefois celles de l'intérieur de la tête.

Si Belo-kiu-kiuni n'est pas à même de reconnaître personnellement un seul de ses innombrables petits, elle montre par cet exercice salivaire qu'elle a identifié ses odeurs. Il est sien.

Le dialogue antennaire peut commencer.

Bienvenue dans le sexe de la Meute. Tu m'as quittée mais tu ne peux t'empêcher de revenir.

Phrase rituelle d'une mère à ses enfants. L'ayant communiquée, elle hume les phéromones des onze segments, avec un flegme qui en impose au jeune 327e... Elle a déjà compris les raisons de sa visite... La première expédition envoyée dans l'Ouest a été complètement anéantie. Il y avait aux alentours de la catastrophe des odeurs de fourmis naines. Elles doivent probablement avoir découvert une arme secrète.

Explorateur, il a été la patte.
Sur place, il a été l'œil,
De retour, il est le stimulus nerveux.

Certes. Seulement, le problème est qu'il n'arrive pas à stimuler la Meute. Ses effluves ne convainquent personne. Il estime qu'elle seule, Belo-kiu-kiuni, saura comment faire passer le message et donner l'alerte.

Mère le hume avec une attention redoublée. Elle capte les moindres molécules volatiles de ses articulations et de ses pattes. Oui, il y a là traces de mort, et de mystère. Ce pourrait être la guerre... Et ce pourrait très bien ne pas l'être.

Elle lui signifie que de toute façon elle ne détient aucun pouvoir politique. Dans la Meute, les décisions se prennent par la concertation permanente, à travers la formation de groupes de travail axés sur des projets librement choisis. S'il n'est pas capable de générer l'un de ces centres nerveux, bref de monter un groupe, son expérience ne sert à rien.

Elle ne peut même pas l'aider.

Le 327e mâle insiste. Pour une fois qu'il a une interlocutrice qui semble prête à l'écouter jusqu'au bout, il émet de toutes ses forces ses molécules les plus séduisantes. Selon lui, cette catastrophe devrait être le souci prioritaire. On devrait sur-le-champ envoyer des espionnes pour essayer de savoir quelle est cette arme secrète.

Belo-kiu-kiuni répond que la Meute croule sous les « soucis prioritaires ». Non seulement le réveil printanier n'est pas complètement achevé, mais la peau de la Cité est encore en chantier. Et tant que la dernière couche de branchettes ne sera pas posée, il serait hasardeux de partir en guerre. Par ailleurs, la Meute manque de protéines et de sucres. Enfin, il faut déjà penser à préparer la fête de la Renaissance. Tout cela nécessite les énergies vives de chacun. Même les espionnes sont suremployées. Voilà qui expliquerait que son message d'angoisse ne puisse être entendu.

Un temps. On entend juste les labiales des ouvrières léchant la carapace de Mère, qui, de son côté, s'est remise à tripoter sa plante carnivore. Elle se contorsionne jusqu'à se caler l'abdomen sous le thorax. Ses deux pattes antérieures pendent. Elle retire prestement la patte lorsque les mâchoires végétales se referment, puis le prend à témoin de l'arme formidable que ce pourrait être.

On pourrait dresser un mur de plantes carnivores pour protéger toute la frontière nord-ouest. Le seul problème, c'est que pour le moment ces petits monstres ne savent pas faire la distinction entre les gens de la Cité et les étrangers...

327e revient sur le sujet qui l'obnubile. Belo-kiu-kiuni lui demande combien d'individus sont morts dans l'« accident ». Vingt-huit. Tous de la sous-caste des guerrières exploratrices ? Affirmatif, il était le seul mâle de l'expédition. Elle se concentre alors et pond successivement vingt-huit perles, qui sont autant de sœurs liquides.

Vingt-huit fourmis sont mortes, ces vingt-huit œufs vont les remplacer.

UN JOUR FATALEMENT : *Un jour, fatalement, des doigts se poseront sur ces pages, des yeux lécheront ces mots, des cervelles en interpréteront le sens.*

Je ne veux pas que ce moment arrive trop tôt. Les conséquences pourraient en être terribles. Et à l'heure où j'écris ces phrases, je lutte encore pour préserver mon secret.

Cependant, il faudra bien qu'un jour l'on sache ce qui s'est passé. Même les secrets les plus profondément enfouis finissent par remonter à la surface du lac. Le temps est leur pire ennemi. Qui que vous soyez, tout d'abord je vous salue. Au moment où vous me lisez, je suis probablement mort depuis une dizaine, voire une centaine d'années. Du moins je l'espère.

Je regrette parfois d'avoir accédé à cette connaissance. Mais je suis un humain, et même si ma solidarité d'espèce est en ce moment à

son plus bas échelon, je sais tous les devoirs que me donne le seul fait d'être né un jour parmi vous, hommes de cet univers.
Je dois transmettre mon histoire.
Toutes les histoires se ressemblent, à y voir d'un peu près. Il y a au début un sujet « en devenir » qui dort. Il subit une crise. Cette crise le force à réagir. Selon son comportement, il mourra ou il évoluera.
La première histoire que je vais vous raconter est celle de notre univers. Parce que nous vivons à l'intérieur. Et parce que toutes les choses, petites et grandes, répondent aux mêmes lois et connaissent les mêmes liens d'interdépendance.
Par exemple, vous qui tournez cette page, vous frottez en un point votre index contre la cellulose du papier. De ce contact naît un échauffement infime. Un échauffement toutefois bien réel. Rapporté dans l'infiniment petit, cet échauffement provoque le saut d'un électron qui quitte son atome et vient ensuite percuter une autre particule.
Mais cette particule est en fait, « relativement » à elle-même, immense. Si bien que le choc avec l'électron est pour elle un véritable bouleversement. Avant, elle était inerte, vide, froide. A cause de votre « tournée » de page, la voici en crise. De gigantesques flammèches la zèbrent. Rien que par ce geste, vous avez provoqué quelque chose dont vous ne saurez jamais toutes les conséquences. Des mondes sont peut-être nés, avec des gens dessus, et ces gens vont découvrir la métallurgie, la cuisine provençale et les voyages stellaires. Ils pourront même se révéler plus intelligents que nous. Et ils n'auraient jamais existé si vous n'aviez pas eu ce livre entre les mains et si votre doigt n'avait pas provoqué un échauffement, précisément à cet endroit du papier.
Pareillement, notre univers trouve sûrement sa place lui aussi dans un coin de page de livre, une semelle de chaussure ou la mousse d'une canette de bière de quelque autre civilisation géante. Notre génération n'aura sans doute jamais les moyens de le vérifier. Mais ce que nous savons, c'est qu'il y a bien longtemps notre univers, ou en tout cas la particule qui contient notre univers, était vide, froid, noir, immobile. Et puis quelqu'un ou quelque chose a provoqué la crise. On a tourné une page, on a marché sur une pierre, on a raclé la mousse d'une canette de bière. Toujours est-il qu'il y a eu un traumatisme. Notre particule s'est réveillée. Chez nous, on le sait, ça a été une gigantesque explosion. On l'a nommée Big Bang.
Chaque seconde, dans l'infiniment grand, dans l'infiniment petit, dans l'infiniment lointain, il y a peut-être un univers qui naît comme le nôtre est né il y a plus de quinze milliards d'années. Les autres, on ne les connaît pas. Mais pour le nôtre on sait que ça a commencé par l'explosion de l'atome le plus « petit » et le plus « simple » : l'hydrogène.
Imaginez donc ce vaste espace de silence soudain réveillé par une déflagration titanesque. Pourquoi a-t-on tourné la page, là-haut ? Pourquoi a-t-on raclé la mousse de la bière ? Peu importe. Tou-

jours est-il que l'hydrogène brûle, explose, grille. Une lumière immense raye l'espace immaculé. Crise. Les choses immobiles prennent un mouvement. Les choses froides chauffent. Les choses silencieuses bourdonnent.
Dans le brasier initial l'hydrogène se transforme en hélium, l'atome à peine plus complexe que lui. Mais déjà, de cette transformation on peut déduire la première grande règle du jeu de notre univers : TOUJOURS PLUS COMPLEXE.
Cette règle semble évidente. Mais rien ne prouve que dans les univers voisins elle ne soit pas différente. Ailleurs, c'est peut-être TOUJOURS PLUS CHAUD, *ou* TOUJOURS PLUS DUR *ou* TOUJOURS PLUS DRÔLE .
Chez nous aussi les choses deviennent plus chaudes, ou plus dures ou plus drôles, mais ce n'est pas la loi initiale. Ce ne sont que des à-côtés. Notre loi racine, celle autour de laquelle s'organisent toutes les autres, est : TOUJOURS PLUS COMPLEXE.

Edmond Wells,
Encyclopédie du savoir relatif et absolu.

Le 327e mâle erre dans les couloirs du sud de la ville. Il n'est pas calmé. Il remâche la fameuse phrase :

Explorateur il a été la patte,
Sur place il a été l'œil,
De retour il est le stimulus nerveux.

Pourquoi ça ne marche pas ? Où est l'erreur ? Son corps bouillonne de l'information non traitée. Pour lui, la Meute a été blessée et elle ne s'en est même pas aperçue. Or le stimulus de douleur, c'est lui. C'est donc lui qui doit faire réagir la Cité.

Oh, comme il est dur de détenir un message de souffrance, de le garder en soi, sans trouver aucune antenne qui veuille le recevoir ! Il aimerait tant se décharger de tout ce poids, partager avec d'autres ce terrible savoir.

Une fourmi messagère thermique passe près de lui. Le sentant déprimé, elle croit qu'il est mal réveillé et lui offre ses calories solaires. Cela lui redonne un peu de force, qu'il utilise tout de suite pour essayer de la convaincre.

Alerte, une expédition a été détruite dans une embuscade tendue par des naines, alerte !

Mais il n'a même plus les accents de vérité du début. La messagère thermique repart comme si de rien n'était. Le 327ᵉ ne renonce pas. Il court dans les couloirs en lâchant son message d'alerte.

Parfois des guerrières s'arrêtent, l'écoutent, vont jusqu'à dialoguer avec lui, mais son histoire d'arme ravageuse est si peu crédible. Aucun groupe capable de prendre en charge une mission militaire ne se forme.

Il marche, abattu.

Soudain, alors qu'il parcourt un tunnel désert du quatrième étage en sous-sol, il détecte un bruit derrière lui. Quelqu'un le suit.

Le 327ᵉ mâle se retourne. Avec ses ocelles infrarouges, il inspecte le couloir. Taches rouges et noires. Il n'y a personne. Bizarre. Ce devait être une erreur. Mais le bruit de pas résonne à nouveau derrière lui. *Scritch... tssss, scritch... tssss*. C'est quelqu'un qui doit boiter de deux pattes sur six, et qui se rapproche.

Pour s'assurer du phénomène, il bifurque à chaque carrefour, puis il marque un temps d'arrêt. Le bruit s'interrompt. Dès qu'il repart : *Scritch... tss, scritch... tss, scritch... tss,* le bruit reprend.

Pas de doute : on le suit.

Quelqu'un qui se cache quand il se retourne. Etrange comportement, parfaitement inédit. Pourquoi une cellule de la Meute en suivrait-elle une autre sans se faire connaître ? Ici chacun est avec tout le monde et n'a rien à dissimuler à personne.

La « présence » n'en persiste pas moins. Toujours à distance, toujours cachée. *Scritch... tss, scritch... tss.* Comment réagir ? Quand il était encore larve, les nourrices lui avaient appris qu'il faut toujours faire front au danger. Il stoppe et fait semblant de se laver. La présence n'est plus très loin. Il la sent presque. Tout en mimant les gestes du nettoyage, il remue ses antennes. Ça y est, il perçoit les molécules odorantes du suiveur. C'est une petite guerrière d'un an. Elle dégage un parfum singulier, qui recouvre ses identifications courantes. Pas facile à définir. On dirait une odeur de roche.

La petite guerrière ne se cache plus. *Scritch... tssss... scritch... tssss...* Il la voit maintenant en infrarouge. Elle a en effet deux pattes en moins. Son odeur de roche se fait plus forte.

Il émet.

Qui est là ?

Pas de réponse.

Pourquoi me suivez-vous ?

Pas de réponse.

Voulant oublier l'incident, il reprend sa route, mais bientôt il détecte une seconde présence qui arrive en face. Une grosse guerrière cette fois. La galerie est étroite, il ne passera pas.

Faire demi-tour ? Ce serait affronter la boiteuse, qui se hâte d'ailleurs vers lui.

Il est coincé.

Maintenant il le sent : ce sont deux guerrières. Et elles portent toutes les deux ce parfum de roche. La grosse ouvre ses longues cisailles.

C'est un piège !

Il est impensable qu'une fourmi de la cité veuille en tuer une autre. Serait-ce un détraquement du système immunitaire ? N'ont-elles pas reconnu ses odeurs d'identification ? Le prennent-elles pour un corps étranger ? C'est proprement insensé, c'est comme si son estomac avait décidé d'assassiner son intestin...

Le 327e mâle augmente la force de ses émissions :

Je suis comme vous une cellule de la Meute. Nous sommes du même organisme.

Ce sont de jeunes soldates, elles doivent se tromper. Mais ses émissions n'apaisent point ses vis-à-vis. La petite boiteuse lui saute sur le dos et le retient par les ailes, tandis que la grosse lui serre la tête entre ses mandibules. Elles le traînent, ainsi garroté, dans la direction du dépotoir.

Le 327e mâle se débat. Avec son segment à dialogue sexuel, il émet toutes sortes d'émotions que ne connaissent même pas les asexués. Cela va de l'incompréhension à la panique.

Pour ne pas être salie par ces idées « abstraites », la boiteuse, toujours plaquée sur son mésotonum, lui racle les antennes avec ses mandibules. Elle enlève par ce geste toutes ses phéromones, et notamment ses odeurs passeports. De toute façon, là où il va elles ne lui serviront plus à grand-chose...

Le sinistre trio avance poussivement dans les couloirs les moins fréquentés. La petite boiteuse continue méthodiquement son travail de nettoyage. On dirait qu'elle ne veut laisser aucune information sur cette tête. Le mâle ne se débat plus. Résigné, il se prépare à s'éteindre en ralentissant les battements de son cœur.

« Pourquoi tant de violences, pourquoi tant de haine, mes frères ? Pourquoi ?

Un, nous ne sommes qu'un, tous ensemble nous sommes les enfants de la Terre et de Dieu.

Cessons là nos vaines disputes. Le XXIIe siècle sera spirituel ou ne sera pas. Abandonnons nos vieilles querelles fondées sur l'orgueil et la duplicité.

L'individualisme, voilà notre véritable ennemi ! Un frère dans le besoin, et vous le laissez mourir de faim, vous n'êtes plus dignes de faire partie de la large communauté du monde. Un être perdu qui vous réclame aide et assistance, et vous lui fermez la porte. Vous n'êtes pas des nôtres.

Je vous connais, bonnes consciences calées dans la soie ! Vous ne pensez qu'à votre confort personnel, vous ne désirez que des gloires individuelles, le bonheur oui, mais uniquement le vôtre et celui de votre proche famille.

Je vous connais, vous dis-je. Toi, toi, toi et toi ! Cessez de sourire devant vos écrans, je vous parle de choses graves. Je vous parle de l'avenir de l'humanité. Cela ne pourra plus durer. Ce mode de vie n'a pas de sens. Nous gaspillons tout, nous détruisons tout. Les forêts sont laminées pour faire des mouchoirs jetables. Tout est devenu jetable : les couverts, les stylos, les vêtements, les appareils photo, les voitures, et sans vous en apercevoir vous devenez vous aussi jetables. Renoncez à cette forme de vie superficielle. Vous devez y renoncer aujourd'hui, avant qu'on ne vous force à y renoncer demain.

Venez parmi nous, rejoignez notre armée de fidèles. Nous sommes tous les soldats de Dieu, mes frères. »

Image d'une speakerine. « Voilà. Cette émission évangélique vous était proposée par le père Mac Donald de la nouvelle Eglise adventiste du 45e jour et par la société de surgelés "Sweetmilk". Elle a été diffusée par satellite en mondovision. Et maintenant, avant notre série de science-fiction "Extraterrestre et fier de l'être", voici une page de publicité. »

Lucie n'arrivait pas comme Nicolas à s'arrêter complètement de penser en regardant la télévision. Huit heures déjà que Jonathan était là-dessous et toujours aucune nouvelle !

Sa main s'approcha du téléphone. Il avait dit de ne rien faire, mais s'il était mort, ou s'il était pris sous des éboulis ?

Elle n'avait pas encore le courage de descendre. Sa main décrocha. Elle composa le numéro de police secours.

— Allô, police ?

— Je t'avais demandé de ne pas appeler, fit une voix faible et détimbrée en provenance de la cuisine.

— Papa ! Papa !

Elle raccrocha alors que le combiné continuait à émettre des : « Allô, parlez, donnez-nous une adresse. » Clac.

— Mais oui, mais oui, c'est moi, il ne fallait pas

s'inquiéter. Je vous avais dit de m'attendre tranquillement.

Ne pas s'inquiéter ? Il en avait de bonnes !

Non seulement Jonathan tenait dans ses bras la dépouille de ce qui avait été Ouarzazate et qui n'était plus qu'un tas de viande sanguinolent, mais l'homme lui-même était transfiguré. Il ne semblait pas effrayé ou accablé, il était même plutôt souriant. Non, ce n'était pas ça, comment dire ? On avait l'impression qu'il avait vieilli ou qu'il était malade. Son regard était fiévreux, son teint livide, il tremblait et paraissait essoufflé.

En voyant le corps supplicié de son chien, Nicolas fondit en larmes. On aurait dit que le pauvre caniche avait été lacéré par des centaines de petits coups de rasoir.

On le déposa sur un journal déployé.

Nicolas n'en finissait pas de se lamenter sur la perte de son compagnon. C'était terminé. Plus jamais il ne le verrait sauter contre le mur lorsqu'on prononçait le mot « chat ». Plus jamais il ne verrait ouvrir les poignées de porte d'un bond joyeux. Plus jamais il ne le sauverait des gros bergers allemands homosexuels.

Ouarzazate n'était plus.

— Demain on l'emmènera au cimetière canin du Père-Lachaise, concéda Jonathan. On lui achètera la tombe à quatre mille cinq cents francs, tu sais, celle où on pourra mettre sa photo.

— Oh oui ! oh oui ! dit Nicolas entre deux sanglots, il mérite au moins ça.

— Et puis on ira à la SPA. et tu choisiras un autre animal. Pourquoi ne prendrais-tu pas un bichon maltais cette fois ? C'est très mignon aussi.

Lucie n'en revenait toujours pas. Elle ne savait pas par quelle question commencer. Pourquoi avait-il été si long ? Qu'était-il arrivé au chien ? Que lui était-il arrivé à lui ? Voulait-il manger ? Avait-il pensé à l'angoisse des siens ?

— Qu'y a-t-il là-dessous ? finit-elle par dire d'une voix plate.

— Rien, rien.

— Mais enfin tu as vu dans quel état tu rentres ? Et le chien... On dirait qu'il est tombé dans un hachoir électrique. Que lui est-il arrivé ?

Jonathan se passa une main sale sur le front.

— Le notaire avait raison, c'est plein de rats là-dessous. Ouarzazate a été mis en pièces par des rats furieux.

— Et toi ?

Il ricana.

— Moi je suis une plus grosse bête, je leur fais peur.

— C'est dément ! Qu'as-tu fait en bas pendant huit heures ? Qu'y a-t-il au fond de cette maudite cave ? s'emporta-t-elle.

— Je ne sais pas ce qu'il y a au fond. Je ne suis pas allé jusqu'au bout.

— Tu n'es pas allé jusqu'au bout !

— Non, c'est très très profond.

— En huit heures tu n'es pas arrivé au bout de... de notre cave !

— Non. Je me suis arrêté quand j'ai vu le chien. Il y avait du sang partout. Tu sais, Ouarzazate s'est battu avec acharnement. C'est incroyable qu'un si petit chien ait pu résister si longtemps.

— Mais tu t'es arrêté où ? à mi-chemin ?

— Comment savoir ? De toute façon je ne pouvais plus continuer. J'avais peur moi aussi. Tu sais que je ne supporte pas le noir et la violence. Tout le monde se serait arrêté à ma place. On ne peut pas continuer indéfiniment dans l'inconnu. Et puis j'ai pensé à toi, à vous. Tu ne peux pas savoir comment c'est... C'est si sombre. C'est la mort.

Il eut en achevant cette phrase comme un tic lui remontant le coin gauche de la bouche. Elle ne l'avait jamais vu comme ça. Elle comprit qu'il ne fallait plus l'accabler. Elle lui enlaça la taille et embrassa ses lèvres froides.

— Calme-toi, c'est fini. On va sceller cette porte et on n'en parlera plus.

Il eut un mouvement de recul.

— Non. Non ce n'est pas fini. Là, je me suis laissé arrêter par cette zone rouge. Tout le monde se serait arrêté. On est toujours effrayé par la violence, même quand elle est exercée contre des animaux. Mais je ne peux pas rester comme ça, peut-être tout près du but...

— Tu ne vas pas me dire que tu veux y retourner !

— Si. Edmond est passé, je passerai.

— Edmond, ton oncle Edmond ?

— Il a fait quelque chose là-dessous, et je veux savoir quoi.

Lucie étouffa un gémissement.

— S'il te plaît, par amour pour moi et pour Nicolas, ne redescends plus.

— Je n'ai pas le choix.

Il eut à nouveau ce tic de la bouche.

— J'ai toujours fait les choses à moitié. Je me suis toujours arrêté quand ma raison me disait que le péril était proche. Et regarde ce que je suis devenu. Un homme qui n'a certes pas connu de danger, mais qui n'a pas non plus réussi sa vie. A force de faire la moitié du chemin, je ne suis jamais allé au fond des choses. J'aurais dû rester à la serrurerie, me faire agresser et tant pis pour les bosses. Ç'aurait été un baptême, j'aurais connu la violence et appris à la gérer. Au lieu de quoi, à force d'éviter les ennuis, je suis comme un bébé sans expérience.

— Tu délires.

— Non, je ne délire pas. On ne peut pas vivre éternellement dans un cocon. Avec cette cave, j'ai une occasion unique de franchir le pas. Si je ne le fais pas, je n'oserai plus jamais me regarder dans la glace, je n'y verrais qu'un lâche. D'ailleurs c'est toi-même qui m'as poussé à descendre, rappelle-toi.

Il enleva sa chemise tachée de sang.

— N'insiste pas, ma décision est irrévocable.

— Bon, alors, je viens avec toi ! déclara-t-elle en empoignant la torche électrique.

— Non, tu restes ici !

Il l'avait saisie par les poignets, fermement.

— Lâche-moi, qu'est-ce qui te prend ?

— Excuse-moi, mais tu dois comprendre, cette cave c'est quelque chose qui ne concerne que moi. C'est ma plongée, c'est mon chemin. Et personne ne doit s'en mêler, tu m'entends ?

Derrière eux, Nicolas pleurait toujours sur la dépouille de Ouarzazate. Jonathan libéra les poignets de Lucie et s'approcha de son fils.

— Allons, reprends-toi, garçon !

— J'en ai marre, Ouarzi est mort et vous ne faites que vous disputer.

Jonathan voulut faire diversion. Il prit une boîte d'allumettes, en sortit six et les posa sur la table.

— Tiens, regarde, je vais te montrer une énigme. Il est possible de former quatre triangles équilatéraux avec ces six allumettes. Cherche bien, tu dois pouvoir trouver.

Le garçon, surpris, sécha ses larmes et renifla sa morve. Il commença aussitôt à disposer les allumettes de différentes manières.

— Et j'ai encore un conseil à te donner. Pour trouver la solution, il faut penser différemment. Si on réfléchit comme on en a l'habitude, on n'arrive à rien.

Nicolas parvint à composer trois triangles. Pas quatre. Il leva ses grands yeux bleus, battit des paupières.

— Tu as trouvé la solution, toi Papa ?

— Non, pas encore, mais je sens que je n'en ai plus pour très longtemps.

Jonathan avait momentanément calmé son fils, mais pas sa femme. Lucie lui lançait des regards courroucés. Et le soir ils se disputèrent assez violemment. Mais Jonathan ne voulut rien dire sur la cave et ses mystères.

Le lendemain, il se leva tôt et passa la matinée à

installer à l'entrée de la cave une porte en fer munie d'un gros cadenas. Il en accrocha la clé unique autour de son cou.

Le salut arrive sous la forme inattendue d'un tremblement de terre.

Ce sont tout d'abord les murs qui subissent une grande secousse latérale. Le sable commence à couler en cascade depuis les plafonds. Une seconde secousse suit presque aussitôt, puis une troisième, une quatrième... Les ébranlements sourds se succèdent de plus en plus rapidement, de plus en plus proches du trio insolite. C'est un énorme grondement qui ne s'arrête plus et sous lequel tout vibre.

Ranimé par cette trépidation, le jeune mâle réaccélère son cœur, lance deux coups de mandibules qui surprennent ses bourreaux et détale dans le tunnel éventré. Il agite ses ailes encore embryonnaires pour accélérer sa fuite et prolonger ses bonds par-dessus les gravats.

Chaque secousse plus forte l'oblige à stopper et à attendre, plaqué au sol, la fin des avalanches de sable. Des pans entiers de couloirs s'abattent au milieu d'autres couloirs. Des ponts, des arches et des cryptes s'effondrent, entraînant dans leur chute des millions de silhouettes hébétées.

Les odeurs d'alerte prioritaire fusent et se répandent. Lors de la première phase, les phéromones excitatrices embrument les galeries supérieures. Tous ceux qui hument ce parfum se mettent immédiatement à trembler, à courir en tous sens et à produire des phéromones encore plus piquantes. Si bien que l'affolement fait boule de neige.

Le nuage d'alerte se répand comme un brouillard, glissant dans toutes les veines de la région endolorie, rejoignant les artères principales. L'objet alien infiltré dans le corps de la Meute produit ce que le jeune mâle a vainement tenté de déclencher : des toxines de douleur. Du coup, le sang noir formé par les foules de Belokaniens se met à battre plus vite. La populace évacue les œufs proches de la zone sinistrée. Les soldates se regroupent en unités de combat.

Alors que le 327e mâle se trouve dans un vaste carrefour à demi obstrué par le sable et la foule, les secousses cessent. Il s'ensuit un silence angoissant. Chacun s'immobilise, appréhendant la suite des événements. Les antennes dressées frétillent. Attente.

Soudain, le toc-toc lancinant de tout à l'heure est remplacé par une sorte de feulement sourd. Tous ressentent que la fourrure de branchettes de la Cité vient d'être perforée. Quelque chose d'immense s'introduit dans le dôme, broie les murs, glisse à travers les branchettes.

Un fin tentacule rose jaillit au beau milieu du carrefour. Il fouette l'air et rase le sol à une vitesse folle en quête du plus grand nombre possible de citoyens. Comme les soldates s'élancent sur lui pour tenter de le mordre de leurs mandibules, une grosse grappe noire se forme en son bout. Suffisamment garnie, la langue file vers le haut et disparaît, déversant la foule dans une gorge, puis pointe à nouveau, toujours plus longue, toujours plus goulue, foudroyante.

L'alerte deuxième phase est alors déclenchée. Les ouvrières tambourinent sur le sol avec l'extrémité de leur abdomen pour ameuter les soldates des étages inférieurs, qui n'ont encore rien perçu du drame.

Toute la Cité résonne des coups de ce tam-tam primaire. On dirait que l'« organisme Cité » halète : tac, tac, tac ! Toc... toc... toc, répond l'alien qui s'est remis à marteler le dôme pour s'enfoncer plus profondément. Chacun se plaque contre les parois pour essayer d'échapper à ce serpent rouge déchaîné qui fouaille les galeries. Lorsqu'une lapée est estimée trop pauvre, la langue s'étire encore. Un bec, puis une tête gigantesque suivent.

C'est un picvert ! La terreur du printemps... Ces gourmands oiseaux insectivores creusent dans le toit des cités fourmis des carottes pouvant atteindre soixante centimètres de profondeur et se gavent de leurs populations.

Il n'est que temps de lancer l'alerte troisième phase. Certaines ouvrières, devenues pratiquement folles de surexcitation non exprimée en actes, se mettent à danser la danse de la peur. Les mouvements en sont très saccadés : sauts, claquements de mandibules, crachats... D'autres individus, complètement hystériques, courent dans les couloirs et mordent tout ce qui bouge. Effet pervers de la peur : la Cité n'arrivant pas à détruire l'objet agresseur, finit par s'autodétruire.

Le cataclysme est localisé au quinzième étage supérieur ouest, mais l'alerte ayant connu ses trois phases, toute la Cité se trouve maintenant sur le pied de guerre. Les ouvrières descendent au plus profond des sous-sols pour mettre les œufs à l'abri. Elles croisent des files pressées de soldates, toutes mandibules dressées.

La Cité fourmi a appris, au fil d'innombrables générations, à se défendre contre de tels désagréments. Au milieu des mouvements désordonnés, les fourmis de la caste des artilleuses se forment en commandos et se répartissent les opérations prioritaires.

Elles encerclent le picvert dans sa zone la plus vulnérable : son cou. Puis elles se retournent, en position de tir rapproché. Leurs abdomens pointent le volatile. Feu ! Elles propulsent de toute la force de leurs sphincters des jets d'acide formique hyperconcentré.

L'oiseau a la brusque et pénible impression qu'on lui enserre le cou dans un cache-nez d'épingles. Il se débat, veut se dégager. Mais il est allé trop loin. Ses ailes sont emprisonnées dans la terre et les brindilles du dôme. Il lance à nouveau la langue pour tuer le maximum de ses minuscules adversaires.

Une nouvelle vague de soldates prend le relais. Feu ! Le picvert a un soubresaut. Cette fois, ce ne sont plus des épingles mais des épines. Il cogne nerveusement du bec. Feu ! L'acide gicle derechef. L'oiseau tremble, commence à avoir des difficultés à respirer. Feu ! L'acide lui ronge les nerfs et il est complètement coincé.

Les tirs cessent. Des soldates à larges mandibules accourent de partout, mordent dans les plaies faites par l'acide formique. Par ailleurs, une légion se rend à l'extérieur, sur ce qui reste du dôme, repère la queue de l'animal et se met à forer la partie la plus odorante : l'anus. Ces soldates du génie ont tôt fait d'en élargir l'issue et s'engouffrent dans les tripes de l'oiseau.

La première équipe est parvenue à crever la peau de la gorge. Lorsque le premier sang rouge se met à couler, les émissions de phéromones d'alerte cessent. La partie est considérée comme gagnée. La gorge est largement ouverte, on s'y rue par bataillons entiers. Il y a encore des fourmis vivantes dans le larynx de l'animal. On les sauve.

Puis des soldates pénètrent à l'intérieur de la tête, cherchant les orifices qui leur permettront d'atteindre le cerveau. Une ouvrière trouve un passage : la carotide. Encore faut-il repérer la bonne : celle qui va du cœur au cerveau, et non l'inverse. La voilà ! Quatre soldates fendent le conduit et se jettent dans le liquide rouge. Portées par le courant cardiaque, elles sont bientôt propulsées jusqu'au beau milieu des hémisphères cérébraux. Elles y sont à pied d'œuvre pour piocher la matière grise.

Le picvert, fou de douleur, se roule de droite à gauche, mais il n'a aucun moyen de contrer tous ces envahisseurs qui le découpent de l'intérieur. Un peloton de fourmis s'introduit dans les poumons et y déverse de l'acide. L'oiseau tousse atrocement.

D'autres, tout un corps d'armée, s'enfoncent dans l'œsophage pour réaliser la jonction dans le système digestif avec leurs collègues en provenance de l'anus. Lesquelles remontent rapidement le gros côlon, saccageant en chemin tous les organes vitaux qui passent à portée de mandibules. Elles fouissent la viande vive comme elles ont l'habitude de fouiller la terre, prennent d'assaut, l'un après l'autre, gésier, foie, cœur, rate et pancréas, comme autant de places fortes.

Il arrive que gicle intempestivement du sang ou de la lymphe, noyant quelques individus. Cela n'arrive toutefois qu'aux maladroites qui ignorent où et comment découper proprement.

Les autres progressent méthodiquement au milieu des chairs rouges et noires. Elles savent se dégager avant d'être écrasées par un spasme. Elles évitent de toucher aux zones gorgées de bile ou d'acides digestifs.

Les deux armées se rejoignent finalement au niveau des reins. Le volatile n'est toujours pas mort. Son cœur, zébré de coups de mandibules, continue à envoyer du sang dans sa tuyauterie crevée.

Sans attendre le dernier souffle de leur victime, des chaînes d'ouvrières se sont formées, qui se passent de pattes en pattes les morceaux de viande encore palpitants. Rien ne résiste aux petites chirurgiennes. Lorsqu'elles commencent à débiter les quartiers de cervelle, le picvert a une convulsion, la dernière.

Toute la ville accourt pour équarrir le monstre. Les couloirs grouillent de fourmis serrant, qui sa plume, qui son duvet-souvenir.

Les équipes de maçonnes sont déjà entrées en action. Elles vont reconstruire le dôme et les tunnels endommagés.

De loin, on pourrait croire que la fourmilière est en train de manger un oiseau. Après l'avoir englouti, elle le digère, distribuant ses chairs et ses graisses, ses plumes et son cuir en tous points où ils seront le plus utiles à la Cité.

GENÈSE : *Comment s'est construite la civilisation fourmi ? Pour le comprendre, il faut remonter plusieurs centaines de millions d'années en arrière, au moment où la vie a commencé à se développer sur la Terre.*

Parmi les premiers débarquants, il y eut les insectes.
Ils semblaient mal adaptés à leur monde. Petits, fragiles, ils étaient les victimes idéales de tous les prédateurs. Pour arriver à se maintenir en vie, certains, tels les criquets, choisirent la voie de la reproduction. Ils pondaient tellement de petits qu'il devait forcément rester des survivants.
D'autres, comme les guêpes ou les abeilles, choisirent le venin, se dotant au fil des générations de dards empoisonnés qui les rendaient redoutables.
D'autres, comme les blattes, choisirent de devenir incomestibles. Une glande spéciale donnait un si mauvais goût à leur chair que nul ne voulait la déguster.
D'autres, comme les mantes religieuses ou les papillons de nuit, choisirent le camouflage. Semblables aux herbes ou aux écorces, ils passaient inaperçus dans la nature inhospitalière. Cependant, dans cette jungle des premiers jours, bien des insectes n'avaient pas trouvé de « truc » pour survivre et paraissaient condamnés à disparaître.
Parmi ces « défavorisés », il y eut tout d'abord les termites. Apparue il y a près de cent cinquante millions d'années sur la croûte terrestre, cette espèce brouteuse de bois n'avait aucune chance de pérennité. Trop de prédateurs, pas assez d'atouts naturels pour leur résister...
Qu'allait-il advenir des termites ?
Beaucoup périrent, et les survivants étaient à ce point acculés qu'ils surent dégager à temps une solution originale : « Ne plus combattre seul, créer des groupes de solidarité. Il sera plus difficile à nos prédateurs de s'attaquer à vingt termites faisant front commun qu'à un seul essayant de fuir. » Le termite ouvrait ainsi l'une des voies royales de la complexité : l'organisation sociale.
Ces insectes se mirent à vivre en petites cellules, d'abord familiales : toutes groupées autour de la Mère pondeuse. Puis les familles devinrent des villages, les villages prirent de l'ampleur et se transformèrent en villes. Leurs cités de sable et de ciment se dressèrent bientôt sur toute la surface du globe.
Les termites furent les premiers maîtres intelligents de notre planète, et sa première société.

Edmond Wells,
Encyclopédie du savoir relatif et absolu.

Le 327e mâle ne voit plus ses deux tueuses au parfum de roche. Il les a vraiment lâchées. Avec un peu de chance, elles sont peut-être mortes sous les éboulis...

Faut pas rêver. Et il ne serait pas tiré d'affaire pour autant. Il n'a plus aucune odeur passeport. Maintenant, s'il croise la moindre guerrière son compte est bon. Il sera automatiquement considéré par ses sœurs comme un corps étranger. On ne le laissera même pas s'expliquer. Tir d'acide ou coup de mandibules sans sommation, voilà le traitement réservé à ceux qui ne peuvent émettre les odeurs passeports de la Fédération.

C'est insensé. Comment en est-il arrivé là ? Tout est de la faute de ces deux maudites guerrières aux fragrances de roche. Qu'est-ce qui leur a pris ? Elles doivent être folles. Bien que le cas soit rare, il arrive que des erreurs de programmation génétique entraînent des accidents psychologiques de ce type ; quelque chose d'analogue à ces fourmis hystériques qui frappaient tout le monde lors de la troisième phase d'alerte.

Ces deux-là n'avaient pourtant pas l'air hystériques ou dégénérées. Elles semblaient même très bien savoir ce qu'elles faisaient. On aurait dit... On ne trouve qu'une seule situation où des cellules détruisent consciemment d'autres cellules du même organisme. Les nourrices nomment cela cancer. On aurait dit... des cellules atteintes de cancer.

Cette odeur de roche serait alors une odeur de maladie... Là encore il faudrait donner l'alerte. Le 327ᵉ mâle a désormais deux mystères à résoudre : l'arme secrète des naines et les cellules cancéreuses de Bel-o-kan. Et il ne peut parler à personne. Il faut réfléchir. Il se pourrait bien qu'il possède en lui-même quelque ressource cachée... une solution.

Il entreprend de se laver les antennes. Mouillage (cela lui fait tout drôle de lécher des antennes sans y reconnaître le goût caractéristique des phéromones passeports), brossage, lissage à la brosse de son coude, séchage.

Que faire, bon sang ?

D'abord, rester vivant.

Une seule personne peut se rappeler son image infrarouge sans avoir besoin de la confirmation des odeurs d'identification : Mère. Cependant, la Cité interdite regorge de soldates. Tant pis. Après tout, une vieille sentence de Belo-kiu-kiuni n'énonce-t-elle pas : *C'est souvent au cœur du danger qu'on est le plus en sécurité ?*

— Edmond Wells n'a pas laissé de bons souvenirs ici. Et d'ailleurs quand il est parti, personne ne l'a retenu.

Celui qui parlait ainsi était un vieil homme au visage avenant, l'un des sous-directeurs de « Sweet-milk Corporation ».

— Mais pourtant il paraît qu'il avait découvert une nouvelle bactérie alimentaire, celle qui faisait exhaler des parfums aux yaourts...

— Ça, en chimie, il faut reconnaître qu'il avait de brusques coups de génie. Mais ils ne survenaient pas régulièrement, seulement par saccades.

— Vous avez eu des ennuis avec lui ?

— Honnêtement, non. Disons plutôt qu'il ne s'intégrait pas à l'équipe. Il faisait bande à part. Et même si sa bactérie a rapporté des millions, je crois que jamais personne ici ne l'a vraiment apprécié.

— Vous pouvez être plus explicite ?

— Dans une équipe il y a des chefs. Edmond ne supportait pas les chefs, ni d'ailleurs aucune forme de pouvoir hiérarchique. Il a toujours eu du mépris pour les gestionnaires, qui ne font que « diriger pour diriger sans rien produire », comme il disait. Or nous sommes tous obligés de lécher les bottes de nos supérieurs. Il n'y a pas de mal à cela. C'est le système qui le veut. Lui, il faisait le fier. Je crois que ça nous agaçait encore plus, nous ses pairs, que les chefs eux-mêmes.

— Comment est-il parti ?

— Il s'est disputé avec un de nos sous-directeurs, pour une affaire dans laquelle il avait, je dois le dire... totalement raison. Ce sous-directeur avait fouillé dans son bureau, et Edmond a piqué un coup de sang. Quand il a vu que tout le monde préférait soutenir l'autre, il a bien été obligé de partir.

— Mais vous venez de dire qu'il avait raison...

— Mieux vaut parfois se comporter en lâche au profit de gens connus, même antipathiques, qu'être courageux au profit d'inconnus même sympathiques. Edmond n'avait pas d'amis ici. Il ne mangeait pas avec nous, ne buvait pas avec nous, il semblait toujours dans la lune.

— Pourquoi m'avouez-vous votre « lâcheté », alors ? Vous n'aviez pas besoin de me raconter tout ça.

— Hum, depuis qu'il est mort, je me dis que nous nous sommes quand même mal comportés. Vous êtes son neveu, en vous racontant ça je me soulage un peu...

Au fond du goulet sombre on distingue une forteresse de bois. La Cité interdite.

Cet édifice est en fait une souche de pin autour de laquelle on a construit le dôme. La souche sert de cœur et de colonne vertébrale à Bel-o-kan. Cœur, car elle contient la loge royale et les réserves d'aliments précieux. Colonne vertébrale, car elle permet à la Cité de résister aux tempêtes et aux pluies.

Vue de plus près, la paroi de la Cité interdite est incrustée de motifs complexes. Comme des inscriptions d'une écriture barbare. Ce sont les couloirs jadis creusés par les premiers occupants de la souche : des termites.

Lorsque la Belo-kiu-kiuni fondatrice avait atterri dans la région, cinq mille ans plus tôt, elle s'était tout de suite heurtée à eux. La guerre avait été très longue, plus de mille ans, mais les Belokaniens avaient fini par gagner. Ils avaient alors découvert avec émerveillement une ville « en dur », avec des couloirs de bois qui ne s'effondrent jamais. Cette souche de pin leur ouvrait de nouvelles perspectives urbanistiques et architecturales.

En haut, la table plate et surélevée ; en bas, les racines profondes qui se dispersent dans la Terre. C'était i-dé-al. Cependant, la souche ne suffit bientôt plus à abriter la population croissante des fourmis rousses. On avait alors creusé en sous-sol dans le prolongement des racines. Et on avait entassé des branchettes sur l'arbre décapité pour en élargir le sommet.

A présent, la Cité interdite est presque déserte. En dehors de Mère et de ses sentinelles d'élite, tout le monde vit dans la périphérie.

327e s'approche de la souche à pas prudents et irréguliers. Les vibrations régulières sont perçues comme une présence de marcheur, alors que des sons irréguliers peuvent passer pour de légers éboulis. Il lui faut seulement espérer qu'aucune soldate ne le croise. Il se met à ramper. Il n'est plus qu'à deux cents têtes de la Cité interdite. Il commence à distinguer les dizaines d'issues perçant la souche ; plus précisément, les têtes de fourmis « concierges » qui en bouchent l'accès.

Modelées par on ne sait quelle perversion génétique, celles-ci sont pourvues d'une large tête ronde et plate, qui leur donne l'allure d'un gros clou exactement ajusté au pourtour de l'orifice dont elles ont la surveillance.

Ces portes vivantes avaient déjà prouvé leur efficacité dans le passé. Lors de la guerre des Fraisiers, sept cent quatre-vingts ans plus tôt, la Cité fut envahie par les fourmis jaunes. Tous les Belokaniens survivants s'étaient réfugiés dans la Cité interdite, et les fourmis concierges, entrées à reculons, en avaient fermé les issues hermétiquement.

Il fallut deux jours aux fourmis jaunes pour arriver à forcer ces verrous. Les concierges non seulement bouchaient les trous mais mordaient avec leurs longues mandibules. Les fourmis jaunes se mettaient à cent pour lutter contre une seule concierge. Elles finirent par passer en creusant la chitine des têtes. Mais le sacrifice des « portes vivantes » n'avait pas été vain. Les autres cités fédérées avaient eu le temps de constituer des renforts, et la ville fut libérée quelques heures plus tard.

Le 327e mâle n'a certes pas l'intention d'affronter

seul une concierge, mais il compte profiter de l'ouverture de l'une de ces portes, par exemple pour laisser sortir une nourrice chargée d'œufs maternels. Il pourrait foncer avant qu'elle n'ait pu se refermer.

Voici justement qu'une tête bouge, puis ouvre le passage... à une sentinelle. Raté, il ne peut rien tenter, la sentinelle reviendrait aussitôt et le tuerait.

Nouveau mouvement de la tête de la concierge. Il fléchit ses six pattes, prêt à bondir. Mais non ! fausse alerte, elle ne faisait que changer de position. Ça doit quand même donner des crampes, de garder ainsi le cou plaqué contre un collier de bois.

Tant pis, il n'a plus la patience, il fonce sur l'obstacle. Dès qu'il est à portée d'antenne, la concierge repère son absence de phéromones passeports. Elle recule encore pour mieux boucher l'orifice, puis elle lâche des molécules d'alerte.

Corps étranger à la Cité interdite ! Corps étranger à la Cité interdite ! répète-t-elle comme une sirène.

Elle fait tournoyer ses pinces pour intimider l'indésirable. Elle avancerait bien pour le combattre, mais la consigne est formelle : obstruer d'abord !

Il faut faire vite. Le mâle possède un avantage : il voit dans l'obscurité alors que la concierge est aveugle. Il s'élance, évite les mandibules déchaînées qui frappent au hasard et plonge pour en saisir les racines. Il les cisaille l'une après l'autre. Le sang transparent coule. Deux moignons continuent de s'agiter, inoffensifs.

Cependant, le 327ᵉ ne peut toujours pas passer, le cadavre de son adversaire bloque l'issue. Les pattes tétanisées continuent même d'appuyer sur le bois par réflexe. Comment faire ? Il place son abdomen contre le front de la concierge et tire. Le corps tressaute, la chitine rongée par l'acide formique se met à fondre en lâchant une fumée grise. Mais la tête est épaisse. Il doit s'y prendre à quatre fois avant de pouvoir se frayer un chemin au travers du crâne plat.

Il peut passer. De l'autre côté, il découvre un thorax et un abdomen atrophiés. La fourmi n'était qu'une porte, rien qu'une porte.

CONCURRENTS : *Quand les premières fourmis apparurent, cinquante millions d'années plus tard, elles n'avaient qu'à bien se tenir. Lointaines descendantes d'une guêpe sauvage et solitaire, la tiphiide, elles n'étaient pourvues ni de grosses mandibules ni de dard. Elles étaient petites et chétives, mais pas sottes, et comprirent vite qu'elles avaient intérêt à copier les termites. Il leur fallait s'unir.*
Elles créèrent leurs villages ; elles bâtirent des cités grossières. Les termites s'inquiétèrent bientôt de cette concurrence. Selon eux il n'y avait de place sur Terre que pour une seule espèce d'insectes sociaux.
Les guerres étaient désormais inévitables. Un peu partout dans le monde, sur les îles, les arbres et les montagnes, les armées des cités termites se battirent contre les jeunes armées des cités fourmis.
On n'avait jamais vu ça dans le règne animal. Des millions de mandibules qui ferraillaient côte à côte pour un objectif autre que nutritif. Un objectif « politique » !
Au début les termites, plus expérimentés, gagnaient toutes les batailles. Mais les fourmis s'adaptèrent. Elles copièrent les armes termites et en inventèrent de nouvelles. Les guerres mondiales termite-fourmi embrasèrent la planète, de moins cinquante millions d'années à moins trente millions d'années. C'est à peu près à cette époque que les fourmis, en découvrant les armes à jets d'acide formique, marquèrent un avantage décisif.
Encore de nos jours les batailles se poursuivent entre les deux espèces ennemies, mais il est rare de voir les légions termites vaincre.

Edmond Wells,
Encyclopédie du savoir relatif et absolu.

— Vous l'avez connu en Afrique, c'est bien cela ?
— Oui, répondit le professeur. Edmond avait un chagrin. Je crois me rappeler que sa femme était morte. Il s'est jeté à corps perdu dans l'étude des insectes.
— Pourquoi les insectes ?
— Et pourquoi pas ? Les insectes exercent une fascination ancestrale. Nos aïeux les plus lointains redoutaient déjà les moustiques qui leur transmettaient les fièvres, les puces qui leur donnaient des démangeaisons, les araignées qui les piquaient, les

charançons qui dévoraient leurs réserves alimentaires. Ça a laissé des traces.

Jonathan se trouvait dans le laboratoire n° 326 du centre CNRS entomologie de Fontainebleau, en compagnie du Pr Daniel Rosenfeld, un beau vieillard coiffé d'une queue-de-cheval, souriant et volubile.

— L'insecte déroute, il est plus petit et plus fragile que nous, et pourtant il nous nargue et même nous menace. D'ailleurs, lorsqu'on y réfléchit bien, on finit tous dans l'estomac des insectes. Car ce sont les asticots, donc les larves de mouches, qui se régalent de nos dépouilles...

— Je n'y avais pas pensé.

— L'insecte a longtemps été considéré comme l'incarnation du mal. Belzébuth, l'un des suppôts de Satan, est par exemple représenté avec une tête de mouche. Ce n'est pas un hasard.

— Les fourmis ont meilleure réputation que les mouches.

— Cela dépend. Toutes les cultures en parlent différemment. Dans le Talmud, elles sont le symbole de l'honnêteté. Pour le bouddhisme tibétain, elles représentent le dérisoire de l'activité matérialiste. Pour les Baoulés de Côte-d'Ivoire, une femme enceinte mordue par une fourmi accouchera d'un enfant à tête de fourmi. Certains Polynésiens, en revanche, les tiennent pour de minuscules divinités.

— Edmond travaillait précédemment sur les bactéries, pourquoi les a-t-il laissé tomber ?

— Les bactéries ne le passionnaient pas le millième de ce que l'ont passionné ses recherches sur l'insecte, et tout particulièrement sur les fourmis. Et quand je dis « ses recherches », c'était un engagement total. C'est lui qui a lancé la pétition contre les fourmilières-jouets, ces boîtes en plastique vendues dans les grandes surfaces, avec une reine et six cents ouvrières. Il s'est aussi battu pour utiliser les fourmis comme « insecticide ». Il voulait qu'on installe systématiquement des cités de fourmis rousses dans les forêts, pour les nettoyer des parasites. Ce n'était pas bête. Déjà dans le passé on a utilisé les fourmis pour lutter contre la processionnaire du pin en Italie et contre la pamphiliide des sapins en Pologne, deux insectes qui ravagent les arbres.

— Monter les insectes les uns contre les autres, c'est cela l'idée ?

— Mmmh, lui il appelait cela « s'immiscer dans leur diplomatie ». On a fait tellement de bêtises au siècle dernier, avec les insecticides chimiques. Il ne faut jamais attaquer l'insecte de front, plus encore il ne faut jamais le sous-estimer et vouloir le dompter comme on l'a fait avec les mammifères. L'insecte, c'est une autre philosophie, un autre espace-temps, une autre dimension. L'insecte a par exemple une parade contre tous les poisons chimiques : la mithridatisation. Vous savez, si on n'arrive toujours pas à conjurer les invasions de sauterelles c'est qu'elles s'adaptent à tout, les bougresses. Collez-leur de l'insecticide, 99 pour cent crèvent mais un pour cent survit. Et ces un pour cent de rescapées sont non seulement immunisées, mais donnent naissance à 100 pour cent de petites sauterelles « vaccinées » contre cet insecticide. C'est ainsi qu'il y a deux cents ans, on a fait l'erreur d'augmenter sans cesse la toxicité des produits. Si bien que ceux-ci tuaient plus d'humains que d'insectes. Et nous avons créé des souches hyperrésistantes capables de consommer sans aucun dégât les pires poisons.

— Vous voulez dire qu'on n'a pas de véritable moyen de lutter contre les insectes ?

— Constatez vous-même. Il y a toujours des moustiques, des sauterelles, des charançons, des mouches tsé-tsé — et des fourmis. Elles résistent à tout. En 1945, on s'est aperçu que seuls les fourmis et les scorpions avaient survécu aux déflagrations nucléaires. Elles se sont adaptées même à ça !

Le 327e mâle a fait couler le sang d'une cellule de la Meute. Il a exercé la pire violence contre son propre organisme. Cela lui laisse un goût amer. Mais avait-il d'autre moyen, lui, l'hormone d'information, de survivre afin de poursuivre sa mission ?

S'il a tué, c'est bien parce qu'on a tenté de le tuer. C'est une réaction en chaîne. Comme le cancer. Parce que la Meute se comporte de manière anormale envers lui, il se voit contraint d'agir à l'identique. Il doit se faire à cette idée.

Il a tué une cellule sœur. Il en tuera peut-être d'autres.

— Mais qu'allait-il faire en Afrique ? Puisque, des fourmis, vous le dites vous-même, il y en a partout.

— Certes, mais pas les mêmes fourmis... Je crois qu'Edmond ne tenait plus à rien après la perte de sa femme, je me demande même avec le recul s'il n'attendait pas que les fourmis le « suicident ».

— Pardon ?

— Elles ont failli le bouffer, sacrediou ! Les fourmis magnans d'Afrique... Vous n'avez jamais vu le film *Quand la Marabounta gronde* ?

Jonathan secoua la tête en signe de dénégation.

— La Marabounta c'est la masse des fourmis *magnans dorylines*, ou *annoma nigricans*, qui avance dans la plaine en détruisant tout sur son passage.

Le Pr Rosenfeld se leva, comme pour faire front devant une vague invisible.

— On entend d'abord comme un vaste bruissement composé de tous les cris et piaillements, battements d'ailes et de pattes de toutes les petites bêtes qui tentent de fuir. A ce stade, on ne voit pas encore les magnans, et puis quelques guerrières surgissent de derrière une butte. Après ces éclaireurs, les autres arrivent vite, en colonnes à perte de vue. La colline devient noire. C'est comme une coulée de lave qui fait fondre tout ce qu'elle touche.

Le professeur allait et venait en gesticulant, pris par son sujet.

— C'est le sang vénéneux de l'Afrique. De l'acide vivant. Leur nombre est effrayant. Une colonie de magnans pond en moyenne cinq cent mille œufs tous les jours. Il y a de quoi en remplir des seaux entiers... Donc, cette rigole d'acide sulfurique noir coule, remonte les talus et les arbres, rien ne l'arrête. Les oiseaux, lézards ou mammifères insectivores qui ont le malheur d'approcher se font aussitôt émietter. Vision d'Apocalypse ! Les magnans n'ont peur d'aucune bête. Une fois, j'ai vu un chat trop curieux se faire dissoudre en un clin d'œil. Elles traversent même les ruisseaux en faisant des ponts flottants de leurs propres cadavres !... En Côte-d'Ivoire, dans la région avoisinant le centre écotrope de Lamto où nous les étudiions, la population n'a toujours pas trouvé de parade à leur invasion. Alors quand on annonce que ces minuscules Attila vont traverser le village, les gens fuient en emportant leurs biens les plus précieux. Ils mettent les pieds de tables et de chaises dans des seaux de vinaigre et ils prient leurs dieux. Au retour, tout est lessivé, c'est comme un typhon. Il n'y a plus le moindre bout d'aliment ou de quelque substance organique que ce soit. Plus la moindre vermine non plus. Les magnans sont finalement le meilleur moyen de nettoyer sa case de fond en comble.

— Comment faisiez-vous pour les étudier si elles sont si féroces ?

— On attendait midi. Les insectes n'ont pas de système de régulation de chaleur comme nous. Quand il fait 18° dehors, il fait 18° dans leur corps, et quand c'est la canicule leur sang devient bouillant. C'est insupportable pour elles. Aussi, dès les premiers rayons brûlants, les magnans se creusent un nid bivouac, où elles attendent une météo plus clémente. C'est comme une mini-hibernation, si ce n'est qu'elles sont bloquées par la chaleur, non par le froid.

— Et alors ?

Jonathan ne savait pas vraiment dialoguer. Il considérait que la discussion était faite pour servir de vase communicant. Il y en a un qui sait, le vase plein, et un qui ne sait pas, le vase vide, lui-même en général. Celui qui ne sait pas ouvre grand ses oreilles et relance de temps en temps l'ardeur de son interlocuteur avec des « et alors ? », des « parlez-moi de ça », et des hochements de tête.

S'il existait d'autres moyens de communiquer, il les ignorait. D'ailleurs il lui semblait, à observer ses contemporains, que ceux-ci ne faisaient que se livrer à des monologues parallèles, chacun ne cherchant qu'à utiliser l'autre comme psychanalyste gratuit. Dans ces conditions, il préférait sa propre technique. Il avait peut-être l'air de ne détenir aucun savoir, mais au moins il apprenait sans cesse. Un proverbe chinois ne dit-il pas : Celui qui pose une question est bête cinq minutes, celui qui n'en pose pas l'est toute sa vie ?

— Et alors ? On y est allés, bougrediou ! Et ça a été quelque chose, croyez-moi. On comptait trouver cette satanée reine. La fameuse grosse bébête qui pond cinq cent mille œufs par jour. On voulait juste la voir et la photographier. On a mis des grosses bottes d'égoutiers. Pas de chance, Edmond faisait du 43 et il ne restait qu'une paire en 40. Il y est allé en Pataugas... Je m'en souviens comme si c'était hier. A 12 h 30 on a tracé sur le sol la forme probable du nid bivouac et on a commencé à creuser tout autour une tranchée de un mètre de profondeur. A 13 h 30 nous avons atteint les chambres extérieures. Une sorte de liquide noir et crépitant s'est mis à couler. Des milliers de soldates surexcitées faisaient claquer leurs mandibules qui, chez cette espèce, sont coupantes comme des lames de rasoir. Ça se plantait dans nos bottes tandis que nous continuions de progresser à coups de pelle et de pioche en direction de la cellule nuptiale. Nous avons enfin trouvé notre trésor. La reine. Un insecte dix fois plus volumineux que nos reines européennes. On l'a photographiée sous toutes les coutures alors qu'elle devait sûrement hurler des *God save the Queen* dans son langage odorant... L'effet n'a pas tardé. De partout les guerrières ont convergé pour former des mottes sur nos pieds. Certaines arrivaient à grimper en escaladant leurs consœurs déjà plantées dans le caoutchouc. De là, elles passaient sous le pantalon puis la chemise. On devenait tous des Gulliver, mais nos Lilliputiens ne rêvaient que de nous mettre en lambeaux comestibles ! Il fallait surtout faire attention à ce qu'elles ne pénètrent dans aucun de nos orifices naturels : nez, bouche, anus, tympan. Sinon c'est foutu, elles creusent du dedans !

Jonathan se tenait coi, plutôt impressionné. Quant au professeur, il paraissait revivre la scène qu'il mimait avec la puissance de l'homme jeune qu'il n'était plus.

— On se donnait de grandes tapes pour les chasser. Elles, elles étaient guidées par notre souffle et notre transpiration. Nous avions tous fait des exercices de yoga pour respirer lentement et contrôler notre peur. On essayait de ne pas penser, d'oublier ces grappes de guerrières qui voulaient nous tuer. Et on a pris deux pellicules de photos dont certaines au flash. Quand on a eu fini, on a tous bondi hors de la tranchée. Sauf Edmond. Les fourmis l'avaient recouvert jusqu'à la tête, elles s'apprêtaient à le bouffer ! On l'a vite dégagé par les bras, on l'a déshabillé et l'on a raclé à la machette toutes les mâchoires et les têtes qui étaient plantées dans son corps. On avait tous morflé, mais pas au même degré que lui, sans bottes. Et surtout, il avait paniqué, il avait émis des phéromones de peur.

— C'est horrible.

— Non, c'est chouette qu'il s'en soit tiré vivant. Ça ne l'a d'ailleurs pas dégoûté des fourmis. Au contraire, il les a étudiées avec encore plus d'acharnement.

— Et ensuite ?

— Il est rentré à Paris. Et on n'a plus eu de nouvelles. Il n'a même pas téléphoné une fois à son vieux Rosenfeld, le bougre. Enfin j'ai vu dans les journaux qu'il était mort. Paix à son âme.

Il alla écarter le rideau de la fenêtre pour examiner un vieux thermomètre serti dans de la tôle émaillée.

— Hum, 30° en plein mois d'avril, c'est incroyable. Il fait de plus en plus chaud chaque année. Si ça continue, dans dix ans, la France va devenir un pays tropical.

— C'est à ce point ?

— On ne s'en aperçoit pas parce que c'est progressif. Mais nous, les entomologistes, on s'en rend compte à des détails bien précis : on trouve des espèces d'insectes typiques des régions équatoriales dans le Bassin parisien. Vous n'avez jamais remarqué que les papillons devenaient de plus en plus chatoyants ?

— En effet, j'en ai même trouvé un hier, rouge et noir fluo posé sur une voiture...

— Sans doute une zygène à cinq taches. C'est un papillon venimeux qu'on ne trouvait jusqu'alors qu'à Madagascar. Si ça continue... Vous vous imaginez des magnans dans Paris ? Bonjour la panique. Ce serait amusant à voir...

Après s'être nettoyé les antennes et avoir mangé quelques morceaux tièdes de la concierge « défoncée », le mâle sans odeur trotte dans les couloirs de bois. La loge maternelle est par là, il la sent. Par chance, il est 25°-temps, et il n'y a pas trop de monde à cette température dans la Cité interdite. Il devrait pouvoir se faufiler à l'aise.

Soudain, il perçoit l'odeur de deux guerrières qui arrivent en sens inverse. Il y a une grosse et une petite. Et la petite a des pattes en moins...

Ils hument mutuellement leurs effluves à distance.

Incroyable c'est lui !

Incroyable c'est elles !

Le 327e détale avec vigueur dans l'espoir de les semer. Il tourne et tourne dans ce labyrinthe à trois dimensions. Il sort de la Cité interdite. Les concierges ne le ralentissent pas, n'étant programmées que pour filtrer de l'extérieur vers l'intérieur. Ses pattes foulent maintenant la terre meuble. Il prend virage sur virage.

Mais les autres sont aussi très rapides et ne se laissent pas distancer. C'est alors que le mâle bouscule et jette à terre une ouvrière chargée d'une brindille ; il ne l'a pas fait exprès, mais la course des tueuses aux odeurs de roche s'en trouve freinée.

Il faut profiter de ce répit. Vite, il se cache dans une anfractuosité. La boiteuse approche. Il s'enfonce un peu plus dans sa cachette.

— Où est-il passé ?

— Il est redescendu.

— Comment ça redescendu ?

Lucie prit le bras d'Augusta et la conduisit vers la porte de la cave.

— Il est là-dedans depuis hier soir.

— Et il n'est toujours pas remonté ?

— Non, je ne sais pas ce qu'il se passe là-dessous, mais il m'a formellement interdit d'appeler la police... Il est déjà descendu plusieurs fois et il est revenu.

Augusta était abasourdie.

— Mais c'est insensé ! Son oncle lui avait pourtant formellement interdit...

— Il y va maintenant en emportant des tas d'outils, des pièces d'acier, des grosses plaques de béton. Quant à ce qu'il bricole là-dessous...

Lucie se prit la tête dans les mains. Elle était à bout, elle sentait qu'elle allait refaire une dépression.

— Et on ne peut pas descendre le chercher ?

— Non. Il a mis une serrure qu'il referme de l'intérieur.

Augusta s'assit, déconfite.

— Eh bien, eh bien. Si j'avais pu m'attendre à ce que l'évocation d'Edmond fasse autant d'histoires...

SPÉCIALISTE : Dans les grandes cités fourmis modernes, la répartition des tâches, répétée sur des millions d'années, a généré des mutations génétiques.

Ainsi certaines fourmis naissent avec d'énormes mandibules cisailles pour être soldats, d'autres possèdent des mandibules broyantes pour produire de la farine de céréales, d'autres sont équipées de glandes salivaires surdéveloppées pour mouiller et désinfecter les jeunes larves.
Un peu comme si chez nous les soldats naissaient avec des doigts en forme de couteau, les paysans avec des pieds en pince pour grimper cueillir les fruits aux arbres, les nourrices avec une dizaine de paires de tétons.
Mais de toutes les mutations « professionnelles », la plus spectaculaire est celle de l'amour.
En effet, pour que la masse des besogneuses ouvrières ne soient pas distraites par des pulsions érotiques, elles naissent asexuées. Toutes les énergies reproductrices sont concentrées sur des spécialistes : les mâles et les femelles, princes et princesses de cette civilisation parallèle.
Ceux-ci sont nés et sont équipés uniquement pour l'amour. Ils bénéficient de multiples gadgets censés les aider dans leur copulation. Cela va des ailes aux ocelles infrarouges, en passant par les antennes émettrices-réceptrices d'émotions abstraites.

Edmond Wells,
Encyclopédie du savoir relatif et absolu.

Sa cachette n'est pas en cul-de-sac, elle mène à une petite grotte. 327ᵉ s'y calfeutre. Les guerrières au parfum de roche passent sans le détecter. Seulement, la grotte n'est pas vide. Il y a quelqu'un de chaud et d'odorant là-dedans. Ça émet.

Qui êtes-vous ?

Le message olfactif est net, précis, impératif. Grâce à ses ocelles infrarouges, il distingue le gros animal qui le questionne. A vue d'œil son poids doit être d'au moins quatre-vingt-dix grains de sable. Ce n'est pourtant pas une soldate. C'est quelque chose qu'il n'a jusqu'alors jamais senti, jamais vu.

Une femelle.

Et quelle femelle ! Il prend le temps de l'examiner. Ses pattes graciles au galbe parfait sont décorées de petits poils délicieusement poisseux d'hormones sexuelles. Ses antennes épaisses pétillent d'odeurs fortes. Ses yeux aux reflets rouges sont comme deux myrtilles. Elle a un abdomen massif, lisse et fuselé. Un large bouclier thoracique, surmonté d'un mésotonum adorablement granuleux. Et enfin de longues ailes, deux fois plus grandes que les siennes.

La femelle écarte ses mignonnes petites mandibules et... lui saute à la gorge pour le décapiter.

Il a du mal à déglutir, il étouffe. Etant donné son absence de passeports, la femelle n'est pas près de relâcher son étreinte. Il est un corps étranger qu'il faut détruire.

Profitant de sa taille réduite, le 327e mâle parvient pourtant à se dégager. Il lui grimpe sur les épaules, lui serre la tête. La roue tourne. A chacun son tour d'avoir des soucis. Elle se débat.

Quand elle est bien affaiblie, il lance ses antennes en avant. Il ne veut pas la tuer, seulement qu'elle l'écoute. Les choses ne sont pas simples. Il veut avoir une CA avec elle. Oui, une communication absolue.

La femelle (il identifie son numéro de ponte, elle est la 56e) écarte ses antennes, fuyant le contact. Puis elle se cabre pour se débarrasser de lui. Mais il reste fermement arrimé à son mésotonum et renforce la pression de ses mandibules. S'il continue, la tête de la femelle va être arrachée comme une mauvaise herbe.

Elle s'immobilise. Lui aussi.

Avec ses ocelles couvrant un champ d'angle de 180°, elle voit nettement son agresseur, juché sur son thorax. Il est tout petit.

Un mâle !

Elle se rappelle les leçons des nourrices :

Les mâles sont des demi-êtres. Contrairement à toutes les autres cellules de la Cité, ils ne sont équipés que de la moitié des chromosomes de l'espèce. Ils sont conçus à partir d'œufs non fécondés. Ce sont donc de grosses ovules, ou plutôt de gros spermatozoïdes, vivant à l'air libre.

Elle a sur le dos un spermatozoïde qui est en train de l'étrangler. Cette idée l'amuse presque. Pourquoi certains œufs sont-ils fécondés et d'autres non ? Probablement à cause de la température. En dessous de 20°, la spermathèque ne peut être activée et Mère pond des œufs non fécondés. Les mâles sont donc issus du froid. Comme la mort.

C'est la première fois qu'elle en voit un en chair et en chitine. Que peut-il bien chercher ici, dans le gynécée des vierges ? Ce territoire est tabou, réservé aux cellules sexuelles femelles. Si n'importe quelle cellule étrangère peut pénétrer dans leur fragile sanctuaire, la porte est ouverte à toutes les infections !

Le 327e mâle tente à nouveau de trouver la communication antennaire. Mais la femelle ne se laisse pas faire. Lui écarte-t-il les antennes qu'elle les rabat aussitôt sur sa tête ; s'il effleure le deuxième segment, elle ramène les antennes en arrière. Elle ne veut pas.

Il augmente encore la pression de ses mâchoires et arrive à mettre en contact son septième segment antennaire avec son septième segment à elle. La 56e femelle n'a jamais communiqué de la sorte. On lui a appris à éviter tout contact, à juste lancer et recevoir des effluves dans l'air. Mais elle sait que ce mode de communication éthéré est trompeur. Mère avait un jour émis une phéromone sur ce sujet :

Entre deux cerveaux il y aura toujours toutes les incompréhensions et tous les mensonges générés par les odeurs parasites, les courants d'air, la mauvaise qualité de l'émission et de la réception.

Le seul moyen de pallier ces désagréments c'est ça : la communication absolue. Le contact direct des antennes. Le passage sans aucune entrave des neuromédiateurs d'un cerveau aux neuromédiateurs de l'autre cerveau.

Pour elle c'est comme une défloration de son esprit. En tout cas, quelque chose de dur et d'inconnu.

Mais elle n'a plus le choix, s'il continue à serrer il va la tuer. Elle ramène ses tiges frontales sur les épaules en signe de soumission.

La CA peut commencer. Les deux paires d'antennes se rapprochent franchement. Petite décharge électrique. C'est la nervosité. Lentement, puis de plus en plus vite, les deux insectes se caressent mutuellement leurs onze segments crénelés. Une mousse remplie d'expressions confuses se met à buller peu à peu. Cette substance grasse lubrifie les antennes et permet d'accélérer encore le rythme de frottement. Les deux têtes insectes vibrent sans contrôle, un temps, après quoi les tiges antennaires stoppent leur danse et se collent l'une contre l'autre sur toute leur longueur. Il n'y a plus maintenant qu'un seul être avec deux têtes, deux corps et une seule paire d'antennes.

Le miracle naturel s'accomplit. Les phéromones transitent d'un corps à l'autre à travers les milliers de petits pores et capillaires de leurs segments. Les deux pensées se marient. Les idées ne sont plus codées et décodées. Elles sont livrées à leur état de simplicité originelle : images, musiques, émotions, parfums.

C'est dans ce langage parfaitement immédiat que le 327e mâle raconte tout de son aventure à la 56e femelle : le massacre de l'expédition, les traces olfactives des soldates naines, sa rencontre avec Mère, comment on a tenté de l'éliminer, sa perte des passeports, sa lutte contre la concierge, les tueuses au parfum de roche toujours à sa poursuite.

La CA terminée, elle ramène en arrière ses antennes en signe de bonnes dispositions à son égard. Il descend de son dos. Maintenant il est à sa merci, elle pourrait l'éliminer facilement. Elle s'approche, mandibules largement écartées et... lui donne quelques-unes de ses phéromones passeports. Avec ça, il est temporairement tiré d'affaire. Elle lui propose une trophallaxie, il accepte. Puis elle fait vrombir ses ailes pour disperser toutes les vapeurs de leur conversation.

Ça y est, il a réussi à convaincre quelqu'un. L'information est passée, a été comprise, acceptée par une autre cellule.

Il vient de créer son groupe de travail.

TEMPS : La perception de l'écoulement du temps est très différente chez les humains et chez les fourmis. Pour les humains, le temps est absolu. Périodicité et durée des secondes seront égales, quoi qu'il arrive.

Chez les fourmis, en revanche, le temps est relatif. Quand il fait chaud, les secondes sont très courtes. Quand il fait froid, elles se tordent et s'allongent à l'infini, jusqu'à la perte de conscience hibernative.

Ce temps élastique leur donne une perception de la vitesse des choses très différente de la nôtre. Pour définir un mouvement, les insectes n'utilisent pas seulement l'espace et la durée, elles ajoutent une troisième dimension : la température.

Edmond Wells,
Encyclopédie du savoir relatif et absolu.

Désormais ils sont deux, soucieux de convaincre un maximum de sœurs de la gravité de l'« Affaire de l'arme secrète destructrice ». Il n'est pas trop tard. Ils doivent cependant prendre en compte deux éléments. D'une part, ils n'arriveront jamais à convertir assez d'ouvrières à leur cause avant la fête de la Renaissance, qui va accaparer toutes les énergies, il leur faut donc un troisième complice. D'autre part, il faut prévoir le cas où les guerrières au parfum de roche referaient apparition, une planque est nécessaire.

56e propose sa loge. Elle y a creusé un passage secret qui leur permettra de fuir en cas de pépin. Le 327e mâle n'en est qu'à moitié étonné, c'est la grande mode de creuser des passages secrets. Ça a démarré il y a cent ans, pendant la guerre contre les fourmis cracheuses de colle. Une reine de cité fédérée, Ha-yekte-douni, avait cultivé un délire sécuritaire. Elle s'était fait construire une cité interdite « blindée ». Les flancs en étaient armés de gros cailloux, eux-mêmes soudés par des ciments termites !

Le problème c'est qu'il n'y avait qu'une seule issue. Si bien que lorsque sa cité fut encerclée par les légions de fourmis cracheuses de colle, elle se retrouva coincée dans son propre palais. Les cracheuses de colle n'eurent alors aucune difficulté à la capturer et à l'étouffer dans leur ignoble glu à séchage rapide. La reine Ha-yekte-douni fut par la suite vengée, et sa cité libérée, mais cette horrible et stupide fin marqua longtemps les esprits belokaniens.

Les fourmis ayant cette formidable chance de pouvoir modifier d'un coup de mandibule la forme de leur habitacle, chacun se mit à forer son couloir secret. Une fourmi qui creuse son trou, passe encore, mais s'il y en a un million, c'est la catastrophe. Les couloirs « officiels » s'écroulaient à force d'être sapés par les couloirs « privés ». On empruntait son passage secret, et l'on débouchait dans un véritable labyrinthe formé par « ceux des autres ». Au point que des quartiers entiers étaient devenus friables, compromettant l'avenir même de Bel-o-kan.

Mère avait mit le holà. Plus personne n'était censé creuser pour son compte personnel. Mais comment contrôler toutes les loges ?

La 56e femelle fait basculer un gravier, dévoilant un orifice sombre. C'est là. 327e examine la cache, il la juge parfaite. Reste à trouver un troisième complice. Ils sortent, referment avec soin. La 56e femelle émet :

Le premier venu sera le bon. Laisse-moi faire.

Ils croisent bientôt quelqu'un, une grande soldate asexuée qui traîne un morceau de papillon. La femelle l'interpelle à distance avec des messages émotifs parlant d'une grande menace pour la Meute. Elle manie le langage des émotions avec une délicatesse virtuose qui laisse le mâle pantois. Quant à la soldate, elle abandonne immédiatement son gibier pour venir discuter.

Une grande menace pour la Meute ? Où, qui, comment, pourquoi ?

La femelle lui explique succinctement la catastrophe qui a frappé la première expédition du printemps. Sa manière de s'exprimer exhale de délicieux effluves. Elle a déjà la grâce et le charisme d'une reine. La guerrière est vite conquise.

Quand partons-nous ? Combien de soldates faut-il pour attaquer les naines ?

Elle se présente. Elle est la 103 683ᵉ asexuée de la ponte d'été. Gros crâne luisant, longues mandibules, yeux pratiquement inexistants, courtes pattes, c'est une alliée de poids. C'est aussi une enthousiaste de naissance. La 56ᵉ femelle doit même réfréner ses ardeurs.

Elle lui déclare qu'il existe des espionnes au sein même de la Meute, peut-être bien des mercenaires vendues aux naines pour empêcher les Belokaniennes d'élucider le mystère de l'arme secrète.

On les reconnaît à leur odeur de roche caractéristique. Il faut faire vite.

Comptez sur moi.

Ils se répartissent alors les zones d'influence. 327ᵉ va s'efforcer de convaincre les nourrices du solarium. Elles sont en général assez naïves.

103 683ᵉ va essayer de ramener des soldates. Si elle parvient à constituer une légion, ce sera déjà formidable.

Je pourrai aussi questionner les éclaireurs, tenter de recueillir d'autres témoignages sur cette arme secrète des naines.

Quant à 56ᵉ, elle visitera les champignonnières et les étables pour y rechercher des soutiens stratégiques.

Retour ici pour bilan à 23°-temps.

La télévision montrait cette fois, dans le cadre de la série « Cultures du monde », un reportage sur les coutumes japonaises :

« Les Japonais, peuple insulaire, sont habitués à vivre en autarcie depuis des siècles. Pour eux, le monde est divisé en deux : les Japonais et les autres, les étrangers aux mœurs incompréhensibles, les barbares, nommés chez eux *Gai jin*. Les Japonais ont eu de tout temps un sens national très pointilleux. Lorsqu'un Japonais vient s'installer par exemple en Europe, il est automatiquement exclu du groupe. S'il revient un an plus tard, ses parents, sa famille ne le reconnaîtront plus comme l'un des leurs. Vivre chez les *Gai jin* c'est s'imprégner de l'esprit des "autres", c'est donc devenir un *Gai jin*. Même ses amis d'enfance s'adresseront à lui comme à un quelconque touriste. »

On voyait défiler sur l'écran différents temples et lieux sacrés du Shinto. La voix off reprit :

« Leur vision de la vie et de la mort est différente de la nôtre. Ici la mort d'un individu n'a pas beaucoup d'importance. Ce qui est inquiétant, c'est la disparition d'une cellule productrice. Pour apprivoiser la mort, les Japonais aiment cultiver l'art de la lutte. Le kendo est enseigné aux jeunes dès la petite école... »

Deux combattants surgirent au centre de l'écran, vêtus comme d'anciens samouraïs. Leurs torses étaient recouverts de plaques noires articulées. Leurs têtes étaient coiffées d'un casque ovale orné de deux longues plumes au niveau des oreilles. Ils s'élancèrent l'un contre l'autre en poussant un cri guerrier, puis se mirent à ferrailler avec leurs longs sabres.

Nouvelles images, un homme assis sur les talons pointe à deux mains un sabre court sur son ventre.

« Le suicide rituel, *Seppuku*, est une autre caractéristique de la culture japonaise. Il nous est certes difficile de comprendre ce... »

— La télé, toujours la télé ! Ça abrutit ! Ça nous fourre à tous les mêmes images dans la tête. De toute façon, ils racontent n'importe quoi. Vous n'en avez pas marre, encore ? s'exclama Jonathan qui était rentré depuis quelques heures.

— Laisse-le. Ça le calme. Depuis la mort du chien, il n'est plus très bien..., fit Lucie d'une voix mécanique.

Il caressa le menton de son fils.

— Ça ne va pas, mon grand ?

— Chut, j'écoute.

— Holà ! comment il nous parle maintenant !

— Comment il *te* parle. Il faut dire que tu ne le vois pas très souvent, ne t'étonne pas qu'il te batte un peu froid.

— Eh ! Nicolas, tu es arrivé à faire les quatre triangles avec les allumettes ?

— Non, ça m'énerve. J'écoute.

— Bon alors si ça t'énerve...

Jonathan, l'air réfléchi, entreprit de manipuler les allumettes qui traînaient sur la table.

— Dommage. C'est... instructif.

Nicolas n'entendait pas, son cerveau était directement branché sur la télévision. Jonathan partit dans sa chambre.

— Qu'est-ce que tu fais ? demanda Lucie.

— Tu le vois bien, je me prépare, j'y retourne.

— Quoi ? Oh non !

— Je n'ai pas le choix.

— Jonathan, dis-le-moi maintenant, qu'y a-t-il là-dessous qui te fascine tant ? Je suis ta femme après tout !

Il ne répondit rien. Ses yeux étaient fuyants. Et toujours ce tic disgracieux. De guerre lasse, elle soupira :

— Tu as tué les rats ?

— Ma seule présence suffit, ils gardent leurs distances. Sinon je leur sors ce truc.

Il brandit un gros couteau de cuisine qu'il avait longuement aiguisé. Il empoigna de l'autre main sa torche halogène et se dirigea vers la porte de la cave, sac au dos, un sac qui renfermait de copieuses provisions ainsi que ses outils de serrurier de choc. Il lança à peine :

— Au revoir, Nicolas. Au revoir, Lucie.

Lucie ne savait que faire. Elle saisit le bras de Jonathan.

— Tu ne peux pas partir comme ça ! C'est trop facile. Tu dois me parler !

— Ah, je t'en prie !

— Mais comment faut-il te le dire ? Depuis que tu es descendu dans cette maudite cave, tu n'es plus le même. Nous n'avons plus d'argent et tu as acheté pour au moins cinq mille francs de matériel et de livres sur les fourmis.

— Je m'intéresse à la serrurerie et aux fourmis. C'est mon droit.

— Non, ce n'est pas ton droit. Pas quand tu as un fils et une femme à nourrir. Si tout l'argent du chômage passe dans l'achat de livres sur les fourmis, je vais finir...

— Par divorcer ? C'est cela que tu veux dire ?

Elle lui lâcha le bras, abattue.

— Non.

Lui la prit par les épaules. Tic de la bouche.

— Il faut me faire confiance. Il faut que j'aille jusqu'au bout. Je ne suis pas fou.

— Tu n'es pas fou ? Mais regarde-toi un peu ! Tu as une mine de déterré, on dirait que tu as toujours de la fièvre.

— Mon corps vieillit, ma tête rajeunit.

— Jonathan ! Dis-moi ce qui se passe en bas !

— Des choses passionnantes. Il faut aller plus bas, toujours plus bas, si on veut pouvoir remonter un jour... Tu sais, c'est comme la piscine, c'est au fond qu'on trouve l'appui pour remonter.

Et il éclata d'un rire dément, qui, trente secondes plus tard, résonnait encore de sinistres éclats dans l'escalier en colimaçon.

Etage + 35. La fine couverture de branchettes produit un effet de vitrail. Les rayons solaires étincellent en passant à travers ce filtre puis tombent comme une pluie d'étoiles sur le sol. Nous sommes dans le solarium de la cité, l'« usine » à produire des citoyens belokaniens.

Il y règne une chaleur torride. 38°. C'est normal, le solarium est exposé plein sud pour bénéficier le plus longtemps possible des ardeurs de l'astre blanc. Parfois, sous l'effet catalyseur des branchettes, la température monte jusqu'à 50° !

Des centaines de pattes s'agitent. La caste la plus

nombreuse ici est celle des nourrices. Elles empilent les œufs que Mère vient de pondre. Vingt-quatre piles forment un tas, douze tas constituent une rangée. Les rangées se perdent au loin. Quand un nuage fait de l'ombre, les nourrices déplacent les piles d'œufs. Il faut que les plus jeunes soient toujours bien chauffés. « Chaleur humide pour les œufs, chaleur sèche pour les cocons » : voilà une vieille recette myrmécéenne pour faire de beaux petits.

A gauche, on voit des ouvrières chargées de la thermie. Elles entassent des morceaux de bois noirs qui accumulent la chaleur et des morceaux d'humus fermenté qui en produisent. Grâce à ces deux « radiateurs », le solarium arrive à rester en permanence à une température comprise entre 25° et 40° même lorsqu'à l'extérieur il ne fait que 15°.

Des artilleuses circulent. Si un picvert vient s'y frotter...

A droite, on distingue des œufs plus âgés. Longue métamorphose : sous les léchages des nourrices et du temps, les petits œufs grossissent et jaunissent. Ils se transforment en larves aux poils dorés au bout de une à sept semaines. Cela dépend là encore de la météo.

Les nourrices sont extrêmement concentrées. Elles ne ménagent ni leur salive antibiotique ni leur attention. Il ne faut pas que la moindre saleté vienne souiller les larves. Elles sont si fragiles. Même les phéromones de dialogues sont réduites à leur strict minimum.

Aide-moi à les porter vers ce coin... Attention ta pile risque de s'effondrer...

Une nourrice transporte une larve deux fois plus longue qu'elle. Sûrement une artilleuse. Elle dépose l' « arme » dans un coin et la lèche.

Au centre de cette vaste couveuse, des larves en tas, dont les dix segments du corps commencent à se marquer, hurlent pour recevoir la becquée. Elles agitent leur tête dans tous les sens, étirent leur cou et gesticulent jusqu'à ce que les nourrices consentent à leur délivrer un peu de miellat ou à leur abandonner de la viande d'insecte.

Au bout de trois semaines, quand elles ont bien « mûri », les larves cessent de manger et de bouger. Phase de léthargie où l'on se prépare à l'effort. Elles rassemblent leurs énergies pour sécréter le cocon qui les transformera en nymphes.

Les nourrices trimbalent ces gros paquets jaunes dans une salle voisine remplie de sable sec qui absorbe l'humidité de l'air. « Chaleur humide pour les œufs, chaleur sèche pour les cocons », on ne le répétera jamais assez.

Dans cette étuve le cocon blanc aux reflets bleutés devient jaune, puis gris, puis brun. Pierre philosophale à rebours. Sous la coque s'accomplit le miracle naturel. On change tout. Système nerveux, appareil respiratoire et digestif, organes sensoriels, carapace...

La nymphe placée dans l'étuve va enfler en quelques jours. L'œuf est en train de cuire, le grand moment approche. La nymphe sur le point d'éclore est tirée à l'écart, en compagnie de celles qui partagent le même état. Des nourrices crèvent précautionneusement le voile du cocon, dégageant une antenne, une patte, jusqu'à libérer une sorte de fourmi blanche qui tremble et vacille. Sa chitine, encore molle et claire, sera rousse dans quelques jours, comme celles de tous les Belokaniens.

327ᵉ, planté au milieu de ce tourbillon d'activité, ne sait pas trop bien à qui s'adresser. Il lance une petite odeur vers une nourrice qui aide un nouveau-né à faire ses premiers pas.

Il se passe quelque chose de grave. La nourrice ne tourne même pas la tête dans sa direction. Elle lâche une phrase odorante à peine perceptible :

Chut. Rien n'est plus grave que la naissance d'un être.

Une artilleuse le bouscule en lui donnant des petits coups avec les massues placées au bout de ses antennes. *Tip, tip, tip.*

Il ne faut pas déranger. Circulez.

Il n'a pas le bon niveau d'énergie, il ne sait pas émettre et être convaincant. Ah ! s'il avait le don de communication de 56e ! Il récidive pourtant auprès d'autres nourrices ; elles ne lui prêtent pas la moindre attention. Il en vient à se demander si sa mission est vraiment aussi importante qu'il se le figure. Mère a peut-être raison. Il y a des tâches prioritaires. Perpétuer la vie au lieu de vouloir engendrer la guerre, par exemple.

Alors qu'il en est à cette étrange pensée, un jet d'acide formique rase ses antennes ! C'est une nourrice qui vient de lui tirer dessus. Elle a laissé tomber le cocon dont elle avait la charge et l'a mis en joue. Par chance elle n'a pas assez bien visé.

Il fonce pour rattraper la terroriste, mais elle a déjà filé dans la première pouponnière, renversant une pile d'œufs pour lui barrer le passage. Les coquilles se brisent en libérant un liquide transparent.

Elle a détruit des œufs ! Qu'est-ce qui lui a pris ? C'est l'affolement, les nourrices courent en tous sens, soucieuses de protéger la génération en gestation.

Le 327e mâle, comprenant qu'il ne pourra rattraper la fugitive, fait passer son abdomen sous son thorax et met en joue. Mais avant qu'il ait pu tirer, elle tombe foudroyée par une artilleuse qui l'avait vue renverser les œufs.

Un attroupement se crée autour du corps calciné par l'acide formique. 327e penche ses antennes au-dessus du cadavre. Pas de doute, il y a comme un petit relent. Une odeur de roche.

SOCIABILITÉ : *Chez les fourmis comme chez les hommes, la sociabilité est prédéterminée. Le nouveau-né fourmi est trop faible pour briser seul le cocon qui l'emprisonne. Le bébé humain n'est pas même capable de marcher ou de se nourrir seul.*

Les fourmis et les hommes sont deux espèces formées à être assistées par leur entourage, et ne savent ou ne peuvent apprendre seuls.

Cette dépendance par rapport aux adultes est certes une faiblesse, mais elle lance un autre processus, celui de la quête du savoir. Si les adultes peuvent survivre alors que les jeunes en sont incapables, ces derniers sont dès le début obligés de réclamer des connaissances aux plus anciens.

Edmond Wells,
Encyclopédie du savoir relatif et absolu.

Etage – 20. La 56e femelle n'en est pas encore à discuter de l'arme secrète des naines avec les agricultrices, ce qu'elle voit la passionne trop pour qu'elle puisse émettre quoi que ce soit.

La caste des femelles étant particulièrement précieuse, ces dernières vivent toute leur enfance enfermées dans le gynécée des princesses. Elles ne connaissent bien souvent du monde qu'une centaine de couloirs, et peu d'entre elles se sont déjà aventurées au-dessous du dixième étage en sous-sol et au-dessus du dixième étage en sur-sol...

Une fois, 56e avait essayé de sortir pour voir le grand Extérieur dont lui avaient parlé ses nourrices, mais des sentinelles l'avaient refoulée. On pouvait camoufler peu ou prou ses odeurs, mais pas ses longues ailes. Les gardes l'avaient alors avertie qu'il existait dehors des monstres gigantesques ; ils mangeaient les petites princesses qui voulaient sortir avant la fête de la Renaissance. 56e était partagée depuis entre la curiosité et l'effroi.

Descendue à l'étage – 20, elle se rend compte qu'avant de parcourir le grand Extérieur sauvage elle a encore beaucoup de merveilles à découvrir dans sa propre cité. Ici, elle voit pour la première fois les champignonnières.

Dans la mythologie belokanienne, il est dit que les premières champignonnières furent découvertes pendant la guerre des Céréales, au cinquante millième millénaire. Un commando d'artilleuses venait d'investir une cité termite. Elles tombèrent soudain sur une salle de proportions colossales. Au centre s'élevait une énorme galette blanche qu'une centaine d'ouvrières termites n'arrêtaient pas de polir.

Elles goûtèrent et trouvèrent ça délicieux. C'était... comme un village entièrement comestible ! Des prisonnières avouèrent qu'il s'agissait de champignons. De fait, les termites ne vivent que de cellulose mais, ne pouvant la digérer, ils recourent à ces champignons pour la rendre assimilable.

Les fourmis, elles, digèrent fort bien la cellulose et n'ont nul besoin de ce gadget. Elles n'en comprirent pas moins l'avantage d'avoir des cultures à l'intérieur même de leur cité : cela permettait de résister aux sièges et aux disettes.

Aujourd'hui, dans les grandes salles de l'étage – 20 de Bel-o-kan, on sélectionne les souches. Cependant les fourmis n'utilisent plus les mêmes champignons que les termites. à Bel-o-kan on fait surtout pousser de l'agaric. Et toute une technologie s'est développée à partir des activités agricoles.

La 56e femelle circule entre les parterres de ce blanc jardin. D'un côté, des ouvrières préparent le « lit » sur lequel poussera le champignon. Elles coupent des feuilles en petits carrés, qui sont ensuite raclés, triturés, malaxés, transformés en pâtés. Les pâtés de feuilles sont rangés sur un compost formé d'excréments (les fourmis réunissent leurs excréments dans des bassins réservés à cet usage). Puis ils sont humidifiés de salive et on laisse au temps le soin de faire germer la préparation.

Les pâtés déjà fermentés s'entourent d'une pelote de filaments blancs comestibles. On en voit, là à gauche. Des ouvrières les arrosent alors de leur salive désinfectante et coupent tout ce qui dépasse du petit cône blanc. Si on laissait les champignons pousser, ils auraient tôt fait de faire exploser la salle. Des filaments moissonnés par des ouvrières à mandibules plates, on obtient une farine aussi goûteuse que reconstituante.

Là encore, la concentration des ouvrières est poussée à son comble. Il ne faut pas que la moindre mauvaise herbe, le moindre champignon parasite se mêle de profiter de leurs soins.

C'est dans ce contexte, peu favorable en somme, que 56e essaie d'établir le contact antennaire avec une jardinière occupée à découper avec minutie l'un des cônes blancs.

Un grave danger menace la Cité. Nous avons besoin d'aide. Voulez-vous vous joindre à notre cellule de travail ?

Quel danger ?

Les naines ont découvert une arme secrète aux effets ravageurs, il faudrait réagir au plus tôt.

La jardinière lui demande placidement ce qu'elle pense de son champignon, un bel agaric. 56e lui en fait compliment. L'autre lui propose de goûter. La femelle mord dans la pâte blanche et ressent aussitôt une chaleur vive dans son œsophage. Du poison ! L'agaric a été imprégné de myrmicacine, un acide foudroyant habituellement utilisé sous forme diluée pour servir d'herbicide. 56e tousse et recrache à temps l'aliment toxique. La jardinière a lâché son champignon pour lui sauter au thorax, toutes mandibules dehors.

Elles roulent dans le compost, se frappent sur le crâne, repliant par à-coups secs leurs antennes massues. *Tchak ! Tchak ! Tchak !* Les coups sont donnés avec la ferme intention d'assommer. Des agricultrices les séparent.

Qu'est-ce qui vous prend à vous deux ?

La jardinière s'échappe. Ouvrant ses ailes, 56e fait un bond prodigieux et la plaque au sol. C'est alors qu'elle identifie une infime odeur de roche. Pas de doute, elle est tombée à son tour sur un membre de cette incroyable bande d'assassins.

Elle lui pince les antennes.

Qui es-tu ? Pourquoi as-tu tenté de me tuer ? Qu'est-ce que c'est que cette odeur de roche ?

Mutisme. Elle lui tord les antennes. C'est très douloureux, l'autre donne des ruades mais ne répond pas. 56e n'est pas du genre à faire du mal à une cellule sœur, pourtant elle accentue la torsion.

L'autre ne bouge plus. Elle est entrée en catalepsie

volontaire. Son cœur ne bat presque plus, elle ne va pas tarder à mourir. De dépit, 56ᵉ lui coupe les deux antennes, mais elle ne fait que s'acharner sur un cadavre.

Les agricultrices l'entourent à nouveau.

Que se passe-t-il ? Que lui avez-vous fait ?

56ᵉ pense que ce n'est pas le moment de se justifier, il vaut mieux se sauver, ce qu'elle fait d'un coup d'aile. 327ᵉ a raison. Il se passe quelque chose d'ahurissant, des cellules sont devenues folles dans la Meute.

2

TOUJOURS PLUS BAS

Etage – 45 : la 103 683e asexuée pénètre dans les salles de lutte, des pièces aux plafonds bas où les soldats s'exercent en vue des guerres de printemps.

Partout des guerrières se battent en duel. Les adversaires se palpent d'abord, pour évaluer leur carrure et leur taille de pattes. Elles tournent, se tâtent les flancs, se tirent les poils, se lancent des défis odorants, se titillent avec le bout massue de leurs antennes.

Elles s'élancent enfin l'une contre l'autre. Choc des carapaces. Chacune s'efforce d'attraper les articulations thoraciques. Dès que l'une des deux y est parvenue, l'autre tente de lui mordre les genoux. Les gestes sont saccadés. Elles se dressent sur leurs deux pattes arrière, s'effondrent, roulent, furieuses.

En général elles s'immobilisent sur leur prise, puis tout d'un coup frappent un autre membre. Attention, ce n'est qu'un exercice d'entraînement, on ne casse rien, le sang ne coule pas. Le combat s'interrompt dès qu'une fourmi est mise sur le dos. Elle ramène alors ses antennes en arrière, en signe d'abandon. Les duels sont quand même assez réalistes. Les griffes se plantent volontiers dans les yeux pour trouver une prise. Les mandibules claquent dans le vide.

A quelque distance, des artilleuses assises sur leur abdomen visent et tirent sur des graviers placés à cinq cents têtes de distance. Les jets d'acide touchent souvent leur cible.

Une vieille guerrière enseigne à une novice que tout se joue avant le contact. La mandibule ou le jet d'acide ne font qu'entériner une situation de dominance déjà reconnue par les deux belligérants. Avant la mêlée, il y en a forcément un qui a décidé de vaincre et un qui consent à être vaincu. Ce n'est qu'une question de répartition des rôles. Une fois que chacun a choisi le sien, le vainqueur pourra tirer un jet d'acide sans viser, il mettra dans le mille ; le vaincu pourra donner le meilleur de ses coups de mandibules, il n'arrivera même pas à blesser son adversaire. Un seul conseil : il faut accepter la victoire. Tout est dans la tête. Il faut accepter la victoire et rien ne résiste.

Deux duellistes bousculent la 103 683e soldate. Elle les repousse vigoureusement et poursuit son chemin. Elle cherche le quartier des mercenaires, établi en dessous de l'arène des combats. Voilà le passage.

Leur salle est encore plus vaste que celle des légionnaires. Il est vrai que les mercenaires vivent en permanence sur leur lieu d'exercice. Ils ne sont là que pour la guerre, eux. Toutes les peuplades de la région se côtoient, peuplades alliées ou peuplades soumises : fourmis jaunes, fourmis rouges, fourmis noires, fourmis cracheuses de colle, fourmis primitives à aiguillon venimeux et, même, fourmis naines.

Ce sont encore les termites qui se trouvèrent à l'origine de l'idée consistant à nourrir des populations étrangères pour les amener à se battre à leurs côtés lors d'invasions.

Quant aux cités fourmis, il leur était arrivé, à force de subtilités diplomatiques, de s'allier aux termites contre d'autres fourmis.

Cela avait suscité cette forte réflexion : pourquoi ne pas engager carrément des légions fourmis qui séjourneraient en permanence dans la termitière ? L'idée était révolutionnaire. Et la surprise fut de taille lorsque des armées myrmécéennes eurent à affronter des sœurs de même espèce combattant pour les termites. La civilisation myrmécéenne, si prompte à s'adapter, avait cette fois un peu forcé son talent.

Les fourmis auraient volontiers réagi en imitant leurs ennemies, en stipendiant des légions termites pour lutter contre les termites. Mais un obstacle majeur fit capoter le projet : les termites sont des royalistes absolus. Leur loyauté est sans faille, ils sont incapables de lutter contre les leurs. Il n'y a que les fourmis, dont les régimes politiques sont aussi variés que leurs physiologies, pour être capables d'assumer toutes les implications perverses du mercenariat.

Qu'à cela ne tienne ! Les grandes fédérations de fourmis rousses s'étaient contentées de renforcer leur armée avec de nombreuses légions de fourmis étrangères, toutes réunies sous la seule banière odorante belokanienne.

103 683e s'approche des mercenaires naines. Elle leur demande si elles ont entendu parler de la mise au point d'une arme secrète à Shi-gae-pou, une arme capable d'annihiler en un éclair toute une expédition de vingt-huit fourmis rousses. Elles répondent n'avoir jamais vu ou entendu parler de quoi que ce soit d'aussi efficace.

103 683e questionne d'autres mercenaires. Une jaune prétend avoir assisté à un tel prodige. Ce n'était cependant pas une attaque de naines... mais une poire pourrie qui était inopinément tombée d'un arbre. Tout le monde émet de pétillantes phéromones de rires. C'est de l'humour fourmi jaune.

103 683e remonte dans une salle où s'entraînent de proches collègues. Elle les connaît toutes individuellement. On l'écoute avec attention, on lui fait confiance. Le groupe « recherche de l'arme secrète des naines » comprend bientôt plus de trente guerrières décidées. Ah ! si 327e voyait ça !

Attention, une bande organisée cherche à détruire

celles et ceux qui veulent savoir. Sûrement des mercenaires rousses au service des naines. On peut les identifier, elles sentent toutes la roche.

Par mesure de sécurité, elles décident de tenir leur première réunion tout au fond de la cité, dans l'une des salles les plus basses du cinquantième étage. Personne ne descend jamais par là. Elles devraient y être tranquilles pour organiser leur offensive.

Mais le corps de 103 683ᵉ lui signale une brusque accélération du temps. Il est 23°. Elle prend congé et se hâte vers son rendez-vous avec 327ᵉ et 56ᵉ.

ESTHÉTIQUE : Qu'y a-t-il de plus beau qu'une fourmi ? Ses lignes sont courbes et épurées, son aérodynamisme parfait. Toute la carrosserie de l'insecte est étudiée pour que chaque membre s'emboîte parfaitement dans l'encoche prévue à cet effet. Chaque articulation est une merveille mécanique. Les plaques s'encastrent comme si elles avaient été conçues par un designer *assisté par ordinateur. Jamais ça ne grince, jamais ça ne frotte. La tête triangulaire creuse l'air, les pattes longues et fléchies donnent au corps une suspension confortable au ras du sol. On dirait une voiture de sport italienne.*

Les griffes lui permettent de marcher au plafond. Les yeux ont une vision panoramique à 180°. Les antennes saisissent des milliers d'informations qui nous sont invisibles, et leur extrémité peut servir de marteau. L'abdomen est rempli de poches, de sas, de compartiments où l'insecte peut stocker des produits chimiques. Les mandibules coupent, pincent, attrapent. Un formidable réseau de tuyauterie interne lui permet de déposer des messages odorants.

Edmond Wells,
Encyclopédie du savoir relatif et absolu.

Nicolas ne voulait pas dormir. Il était encore devant la télé. Les informations venaient de se terminer en annonçant le retour de la sonde *Marco Polo*. Conclusion : il n'y avait pas la moindre trace de vie dans les systèmes solaires voisins. Toutes les planètes visitées par la sonde n'avaient offert que des images de déserts rocailleux ou de surfaces liquides ammoniaquées. Pas la moindre mousse, pas la moindre amibe, pas le moindre microbe.

« Et si Papa avait raison ? se dit Nicolas. Et si on était la seule forme de vie intelligente de tout l'univers ?... » Evidemment c'était décevant mais cela risquait d'être vrai.

Après les informations, on donnait un grand reportage de la série « Cultures du monde », aujourd'hui consacré au problème des castes en Inde.

« Les hindous appartiennent pour la vie à leur caste de naissance. Chaque caste fonctionne selon son propre ensemble de règles, un code rigide que nul ne saurait transgresser sans être mis au ban de sa caste d'origine comme de toutes les autres. Pour comprendre de tels comportements il nous faut nous rappeler que... »

— Il est une heure du matin, intervint Lucie.

Nicolas était surgavé d'images. Depuis les problèmes avec la cave, il se faisait bien ses quatre heures de télévision par jour. C'était son moyen de ne plus penser et de ne plus être lui-même. La voix de sa mère le ramena aux pénibles réalités.

— Allons, tu n'es pas fatigué ?

— Où est Papa ?

— Il est encore dans la cave. Il faut dormir maintenant.

— Je ne peux pas dormir.

— Tu veux que je te raconte une histoire ?

— Oh oui ! une histoire ! Une belle histoire !

Lucie l'accompagna dans sa chambre et s'assit au bord du lit en dénouant ses longs cheveux roux. Elle choisit un vieux conte hébreux.

— Il était une fois un tailleur de pierre qui en avait assez de s'épuiser à creuser la montagne sous les rayons de soleil brûlants. « J'en ai marre de cette vie. Tailler, tailler la pierre, c'est éreintant... et ce soleil, toujours ce soleil ! Ah ! comme j'aimerais être à sa place, je serais là-haut tout-puissant, tout chaud en train d'inonder le monde de mes rayons », se dit le tailleur de pierre. Or, par miracle, son appel fut entendu. Et aussitôt le tailleur se transforma en soleil. Il était heureux de voir son désir réalisé. Mais, comme il se régalait à envoyer partout ses rayons, il s'aperçut que ceux-ci étaient arrêtés par les nuages. « A quoi ça me sert d'être soleil si de simples nuages peuvent stopper mes rayons ! s'exclama-t-il, si les nuages sont plus forts que le soleil je préfère être nuage. » Alors il devient nuage. Il survole le monde, court, répand la pluie, mais soudain le vent se lève et disperse ce nuage. « Ah, le vent arrive à disperser les nuages, c'est donc lui le plus fort, je veux être le vent », décide-t-il.

— Alors, il devient le vent ?

— Oui, et il souffle de par le monde. Il fait des tempêtes, des bourrasques, des typhons. Mais tout d'un coup il s'aperçoit qu'il y a un mur qui lui barre le passage. Un mur très haut et très dur. Une montagne. « A quoi ça me sert d'être le vent si une simple montagne peut m'arrêter ? C'est elle qui est la plus forte ! » dit-il.

— Alors il devient la montagne !

— Exact. Et à ce moment il sent quelque chose qui le tape. Quelque chose de plus fort que lui, qui le creuse de l'intérieur. C'est... un petit tailleur de pierre...

— Aaaaah !

— Ça te plaît comme histoire ?

— Oh oui, Maman !

— Tu es sûr que tu n'en as pas vu des plus jolies à la télé ?

— Oh non, Maman.

Elle rit et le serra dans ses bras.

— Dis Maman, tu crois que Papa creuse lui aussi ?

— Peut-être, qui sait ? En tout cas il a l'air de penser qu'il va se transformer en autre chose à force de descendre là-dessous.

— Il n'est pas bien ici ?

— Non, mon fils, il a honte d'être chômeur. Il croit qu'il vaut mieux être soleil. Soleil souterrain.

— Papa se prend pour le roi des fourmis.

Lucie sourit.

— Ça lui passera. Tu sais, lui aussi c'est un enfant.

Et les enfants sont toujours fascinés par les fourmilières. Tu n'as jamais joué avec les fourmis, toi ?

— Oh si ! Maman.

Lucie lui arrangea son oreiller et l'embrassa.

— Il faut te coucher maintenant. Allez, bonne nuit.

— Bonne nuit, Maman.

Lucie vit les allumettes posées sur la table de chevet. Il avait dû encore essayer de faire les quatre triangles. Elle revint dans le salon et reprit le livre d'architecture qui racontait l'histoire de la maison.

De nombreux scientifiques avaient vécu ici. Surtout des protestants. Michel Servais, par exemple, y avait séjourné pendant quelques années.

Un passage retint tout particulièrement son attention. Selon celui-ci, un souterrain avait été creusé pendant les guerres de Religion pour permettre aux protestants de fuir hors de la ville. Un souterrain d'une profondeur et d'une longueur peu courantes...

Les trois insectes s'installent en triangle pour opérer une communication absolue. Ainsi ils n'auront pas besoin de narrer leurs aventures, ils sauront instantanément tout ce qui leur est arrivé comme s'ils n'étaient qu'un seul corps qui se serait divisé en trois pour mieux enquêter.

Ils joignent leurs antennes. Les pensées commencent à circuler, à fusionner. Cela tourne. Chaque cervelle agit comme un transistor qui conduit en l'enrichissant le message électrique qu'elle-même reçoit. Trois esprits fourmis réunis de la sorte transcendent la simple somme de leurs talents.

Mais soudain le charme est rompu. 103 683e a repéré une odeur parasite. Les murs ont des antennes. Plus précisément deux antennes qui dépassent de l'orifice d'entrée de la loge de 56e. Quelqu'un les écoute...

Minuit. Cela faisait maintenant deux jours que Jonathan n'était pas remonté. Lucie faisait nerveusement les cent pas dans le salon. Elle passa voir Nicolas qui dormait profondément, quand soudain son regard fut accroché par quelque chose. Les allumettes. Elle eut à ce moment-là l'intuition qu'il pouvait y avoir un commencement de réponse à l'énigme de la cave dans l'énigme des allumettes. Quatre triangles équilatéraux avec six bâtonnets...

« Il faut penser différemment, si on réfléchit comme on en a l'habitude on n'arrive à rien », répétait Jonathan. Elle prit les allumettes et revint dans le salon où elle joua avec, longtemps. Enfin, épuisée par l'angoisse, elle alla se coucher.

Elle fit cette nuit-là un drôle de rêve. Elle vit tout d'abord l'oncle Edmond, ou du moins un personnage qui correspondait à la description que lui en avait faite son mari. Il était dans une sorte de longue file de cinéma, s'étirant en plein désert, au milieu de la caillasse. Des soldats mexicains encadraient la file et veillaient à ce que « tout se passe bien ». On voyait au loin une dizaine de potences où l'on pendait les gens. Quand ils étaient bien raides morts, on les décrochait et on en installait d'autres. Et la file avançait...

Derrière Edmond se tenaient Jonathan, elle, et puis un gros monsieur avec de toutes petites lunettes. Tous ces condamnés à mort discouraient tranquillement, comme si de rien n'était.

Lorsque enfin on leur passa la corde au cou et les pendit, tous les quatre rangés côte à côte, ils ne firent rien qu'attendre bêtement. L'oncle Edmond se décida le premier à parler, d'une voix enrouée — et pour cause :

— Qu'est-ce qu'on fait là ?

— Je ne sais pas... on vit. On est nés, alors on vit le plus longtemps possible. Mais là, je crois que ça arrive à sa fin, répondit Jonathan.

— Mon cher neveu, tu es un pessimiste. On est certes pendus et entourés de soldats mexicains, mais ce n'est qu'un aléa de la vie, pas une fin, juste un aléa.

D'ailleurs cette situation a forcément une solution. Vous êtes bien ligotés, derrière, vous ?

Ils se démenèrent dans leurs liens.

— Ah non, dit le gros monsieur. Moi je sais me défaire de ces cordes !

Et il le fit.

— Bon libérez-nous, alors.

— Comment donc ?

— Faites balancier jusqu'à a ce que vous atteigniez mes mains.

Il se contorsionna et parvint à se transformer en pendule vivant. Après qu'il eut défait les liens d'Edmond, tous purent être libérés, de proche en proche, selon la même technique.

Puis l'oncle dit : « Faites comme moi ! » et à petits sauts de cou, il avança de corde en corde vers la dernière potence de la rangée. Les autres l'imitèrent.

— Mais on ne peut plus continuer ! Il n'y a plus rien au-delà de cette poutre, ils vont nous repérer.

— Regardez, il y a un petit trou dans la poutre. Allons-y.

Edmond sauta alors contre la poutre, devint minuscule et disparut à l'intérieur. Jonathan puis le gros monsieur firent de même. Lucie se dit qu'elle n'y arriverait jamais, pourtant elle s'élança contre la pièce de bois et entra dans le trou !

A l'intérieur, il y avait un escalier en colimaçon. Ils en gravirent les marches quatre à quatre. Déjà ils entendaient les cris des militaires qui s'étaient aperçus de leur fuite. *Los gringos, los gringos, cuidado !* Bruits de bottes, coups de fusils. Ils étaient pris en chasse.

L'escalier débouchait dans une chambre d'hôtel moderne avec vue sur la mer. Ils entrèrent et fermèrent la porte. Chambre 8. Sous le claquage de la porte, le 8 vertical se transforma en 8 horizontal, symbole de l'infini. La chambre était luxueuse et l'on s'y sentait à l'abri des soudards.

Alors que tout le monde soupirait d'aise, Lucie sauta brusquement à la gorge de son mari. « Il faut penser à Nicolas, criait-elle, il faut penser à Nicolas ! » Elle l'assomma avec un vase ancien dont la peinture représentait Hercule enfant étranglant le Serpent. Jonathan tomba sur le tapis où il se transforma en... crevette décortiquée qui se tortillait de façon ridicule.

L'oncle Edmond s'avança.

— Vous regrettez, hein ?

— Je ne comprends pas.

— Vous allez comprendre, dit-il en souriant. Suivez-moi.

Il la guida vers le balcon, face à la mer, et claqua des doigts. Six allumettes enflammées descendirent aussitôt des nuages et s'alignèrent au-dessus de sa main.

— Ecoutez-moi bien, articula-t-il, on pense toujours pareil. On appréhende le monde toujours de la même manière banale. C'est comme si l'on ne prenait de photographies qu'avec un objectif grand angle. C'est une vision de la réalité, mais ce n'est pas la seule. IL... FAUT... PENSER... AUTREMENT ! Regardez.

Les allumettes virevoltèrent un instant dans l'espace, puis se réunirent au sol. Elles rampaient, comme vivantes, pour former...

Le lendemain, passablement enfiévrée, Lucie achetait un chalumeau. Elle finit par venir à bout de la serrure. Comme elle s'apprêtait à franchir le seuil de la cave, Nicolas, encore à moitié endormi, fit son apparition dans la cuisine.

— Maman ! Où vas-tu ?

— Je vais chercher ton père. Il se prend pour un nuage capable de traverser les montagnes. Je vais voir s'il n'exagère pas un peu. Je te raconterai...

— Non Maman, ne pars pas, ne pars pas... je vais rester seul.

— Ne t'en fais pas, Nicolas, je vais remonter, je ne serai pas longue, attends-moi.

Elle éclaira l'orifice de la cave. Le lieu était sombre, si sombre...

Qui est là ?

Les deux antennes avancent, dévoilant une tête, puis un thorax et un abdomen. C'est la petite boiteuse au parfum de roche.

Ils veulent lui sauter dessus, mais derrière elle se profilent les mandibules d'une centaine de soldates surarmées. Elles sentent toutes la roche.

Fuyons par le passage secret ! lance la 56e femelle.

Elle dégage le gravier et dévoile son souterrain. Puis, battant des ailes, elle s'élève jusqu'à frôler le plafond, d'où elle tire à l'acide sur les premiers intrus. Ses deux acolytes s'enfuient, tandis qu'une suggestion brutale fuse de la troupe des guerrières.

Tuez-les !

56e plonge à son tour dans le trou, des jets d'acide la ratent de peu. *Vite ! rattrapez-les !* Des centaines de pattes se ruent à sa suite. Ces espionnes sont rudement nombreuses ! Elles se démènent bruyamment dans le goulet pour rattraper le trio.

Ventre à terre, antennes couchées en arrière, le mâle, la femelle et la soldate foncent dans le passage qui n'a plus rien de secret. Ils sortent ainsi de la zone du gynécée et descendent dans les étages inférieurs. Le couloir étroit rejoint bientôt une fourche. A partir de là les carrefours se multiplient mais 327e arrive à se repérer et entraîne ses compagnes de mésaventure.

Soudain, à l'angle d'un tunnel, ils tombent sur une troupe de soldates qui se précipitent dans leur direction. Incroyable : la boiteuse les a déjà rejoints. Le machiavélique insecte connaît décidément tous les raccourcis !

Les trois fuyards battent en retraite et détalent. Lorsqu'ils peuvent enfin se reposer un peu, 103 683e avance qu'il vaudrait mieux ne pas se battre sur le terrain des autres, qui circulent un peu trop à l'aise dans cet enchevêtrement de couloirs.

Quand l'ennemi semble plus fort que toi, agis de manière à échapper à son mode de compréhension. Cette vieille sentence de la première Mère s'applique parfaitement à leur situation. 56e a une idée ; elle propose de se camoufler à l'intérieur d'un mur !

Avant que les guerrières aux odeurs de roche ne les aient débusqués, ils creusent de toutes leurs forces dans une paroi latérale, attaquant et soulevant la terre à pleines mandibules. Ils en ont plein les yeux, plein les antennes. Parfois, pour aller plus vite, ils en avalent de grosses bouchées bien grasses. Lorsque la cavité est assez profonde, ils s'y pelotonnent, reconstituent le mur et attendent. Leurs poursuivants arrivent, ils passent au galop. Mais ils ne tardent guère à revenir, à pas cette fois bien plus lents. Ça fouine derrière la fine cloison...

Non, ils ne se sont aperçus de rien. Il est pourtant impossible de rester là. Les autres finiront bien par détecter quelques-unes de leurs molécules. Alors ils creusent. 103 683e, équipée des plus grosses mandibules, pioche devant ; les deux sexués dégagent le sable en colmatant derrière eux.

Les tueuses ont compris la manœuvre. Elles sondent les murs, retrouvent leur trace et se mettent à fouiller frénétiquement. Les trois fourmis prennent un virage descendant. De toute façon, dans cette mélasse noire, il n'est pas facile de suivre qui que ce soit. A chaque seconde, trois couloirs naissent et deux se bouchent. Allez dresser dans ces conditions une carte de la Cité qui soit fiable ! Les seuls repères fixes sont le dôme et la souche.

Les trois fourmis s'enfoncent lentement dans la chair de la Cité. Elles tombent parfois sur une longue liane, ce sont en fait des lierres plantés par les fourmis agricoles pour que la Cité ne s'effondre pas lors des pluies. Il arrive que la terre se fasse plus dure et qu'ils se cognent les mandibules à de la pierre ; un détour s'impose alors.

Les deux sexués ne perçoivent plus les vibrations de leurs poursuivants ; le trio décide de s'arrêter. Ils se trouvent dans une poche d'air perdue au cœur de Bel-o-kan. Une pilule imperméable, inodore, inconnue de tous. Une île déserte en creux. Qui viendrait les dénicher dans cette caverne minuscule ? Ils se sentent ici comme dans l'ovale sombre de l'abdomen de leur génitrice.

56ᵉ tambourine du bout des antennes sur le crâne de son vis-à-vis, un appel à la trophallaxie. 327ᵉ replie les antennes en signe d'acceptation puis colle sa bouche contre celle de la femelle. Il régurgite un peu du miellat de puceron que lui avait offert la première garde. 56ᵉ se sent aussitôt ragaillardie. 103 683ᵉ lui tambourine à son tour sur le crâne. Ils se ventousent les labiales et 56ᵉ fait remonter de la nourriture qu'elle vient à peine d'engranger. Ensuite, tous trois se caressent et se frictionnent mutuellement. Ah ! qu'il est agréable de donner, pour une fourmi...

S'ils ont repris des forces, ils savent qu'ils ne pourront rester là indéfiniment. L'oxygène va s'épuiser, et même si les fourmis arrivent à survivre assez longtemps sans nourriture, sans eau, sans air ni chaleur, l'absence de ces éléments vitaux finit par leur provoquer un sommeil mortel.

Contact antennaire.

Qu'est-ce qu'on fait maintenant ?

La cohorte de trente guerrières acquises à notre projet nous attend dans une salle du cinquantième étage en sous-sol.

Allons-y.

Ils reprennent leur travail de sape, s'orientant grâce à leur organe de Johnston sensible aux champs magnétiques terrestres. En toute logique, ils pensent être entre les greniers à céréales de l'étage – 18 et les champignonnières de l'étage – 20. Cependant, plus ils descendent, plus il fait froid. La nuit tombant, le gel pénètre le sol en profondeur. Leurs gestes ralentissent. Ils s'immobilisent finalement dans des postures de creusée et s'endorment en attendant le redoux.

— Jonathan, Jonathan, c'est moi Lucie !

Comme elle s'enfonçait de plus en plus loin dans

cet univers de ténèbres, elle sentit la peur la gagner. Cette interminable descente le long du pas de vis de l'escalier avait fini par la plonger dans un état second, où il lui semblait s'engouffrer de plus en plus profondément à l'intérieur d'elle-même. Elle ressentait maintenant une douleur diffuse dans le ventre, après avoir d'abord éprouvé un brutal assèchement de la gorge, puis un nouage angoissant de son plexus solaire, suivi de vives piqûres à l'estomac.

Ses genoux, ses pieds continuaient de fonctionner automatiquement ; est-ce qu'ils allaient bientôt se détraquer, est-ce qu'elle aurait mal là aussi, est-ce qu'elle allait s'arrêter de descendre ?

Des images de son enfance resurgirent. Sa mère autoritaire qui n'arrêtait pas de la culpabiliser, qui commettait mille injustices en faveur de ses frères chouchous... Et son père, un type éteint, qui tremblait devant sa femme, qui passait son temps à fuir les plus petites discussions et qui disait « amen » aux moindres desiderata de la reine mère. Son père, le lâche...

Ces pénibles réminiscences firent place au sentiment d'avoir été injuste avec Jonathan. En fait, elle lui avait reproché tout ce qui pouvait lui rappeler son père. Et c'est justement parce qu'elle le couvrait en permanence de reproches qu'elle l'inhibait, qu'elle le cassait, le faisant petit à petit ressembler à son père. Ainsi le cycle avait recommencé. Elle avait recréé sans même s'en apercevoir ce qu'elle détestait le plus : le couple de ses parents.

Il fallait rompre le cycle. Elle s'en voulait de toutes les engueulades dont elle avait gratifié son mari. Il fallait réparer.

Elle continuait de tourner, de descendre. D'avoir reconnu sa propre culpabilité avait libéré son corps de sa peur et de ses douleurs oppressives. Elle tournait et descendait encore quand elle se heurta presque à une porte. Une porte banale, en partie couverte d'inscriptions qu'elle ne prit pas le temps de lire. Il y avait une poignée, la porte s'ouvrit sans un grincement.

Au-delà, l'escalier se poursuivait. La seule différence notable tenait aux veinules de roche ferreuse qui apparaissaient au milieu de la pierre. Mélangé à des infiltrations d'eau, probablement issue d'une rivière souterraine, le fer prenait des tonalités ocre-rouge.

Elle avait pourtant l'impression d'avoir abordé une nouvelle étape. Et tout à coup, sa torche éclaira des taches de sang à ses pieds. Ce devait être celui de Ouarzazate. Le vaillant petit caniche était donc arrivé jusqu'ici... Il y avait des éclaboussures partout, mais il était difficile de distinguer, sur les parois, les traces de sang de celles de fer rouillé.

Soudain elle décela un bruit. Un crépitement. On aurait dit qu'il y avait des êtres qui marchaient dans sa direction. Les pas étaient nerveux, comme si ces êtres étaient timides, comme s'ils n'osaient pas approcher. Elle s'arrêta pour fouiller l'obscurité du bout de sa torche. Lorsqu'elle vit l'origine du bruit, elle poussa un hurlement inhumain. Mais, là où elle était, personne ne pouvait l'entendre.

Le matin se lève pour toutes les créatures de la Terre. Ils reprennent leur descente. Etage – 36. 103 683e connaît bien le coin, elle pense qu'on peut sortir sans danger. Les guerrières de roche n'ont pu les suivre jusque-là.

Ils débouchent sur des galeries basses complètement désertes. Par endroits, on voit des trous, à gauche ou à droite, de vieux greniers abandonnés depuis au moins dix hibernations. Le sol est gluant. Il doit y avoir des infiltrations d'humidité. Voilà pourquoi cette zone, considérée comme insalubre, s'est transformée en l'un des quartiers les plus mal famés de Bel-o-kan.

Ça pue.

Le mâle et la femelle ne sont pas très rassurés. Ils perçoivent des présences hostiles, des antennes qui les épient. Le coin doit être bourré d'insectes parasites et squatters.

Ils progressent, mandibules grandes ouvertes, dans les salles et les tunnels lugubres. Un grincement aigu les fait sursauter tout à coup. *Ruich, ruich, ruich...*Ces sons ne varient pas de tonalité. Ils s'agencent en une mélopée hypnotique qui résonne dans les cavernes de boue.

Selon la soldate, il s'agit de grillons. Ce sont leurs chants d'amour. Les deux sexués ne sont tranquillisés qu'à moitié. Il est quand même incroyable que des grillons parviennent à narguer les troupes fédérales à l'intérieur même de la Cité !

103 683e, elle, n'est pas surprise. Une sentence de la dernière Mère ne dit-elle pas : *Mieux vaut consolider ses points forts que vouloir tout contrôler ?* Voilà le résultat...

Bruits différents. Comme si on creusait très vite. Les guerrières aux odeurs de roche les ont-elles retrouvés ? Non... Deux mains jaillissent devant eux. Leur tranchant forme une sorte de rateau. Les mains agrippent et ramènent la terre en arrière, propulsant un énorme corps noir.

Pourvu que ce ne soit pas une taupe !

Ils se figent tous trois, béant des mandibules.

C'est une taupe.

Vortex de sable. Boule de poils noirs et de griffes blanches. L'animal semble nager entre les couches sédimentaires comme une grenouille dans un lac. Ils sont giflés, brassés, soudés aux galettes de glaise. Mais ils s'en tirent indemnes. L'engin fouisseur est passé. La taupe ne cherchait que des vers. Son grand plaisir est de les mordre sur les ganglions nerveux pour les paralyser, puis de les stocker vivants dans son terrier.

Les trois fourmis se désincrustent et reprennent la route après s'être une fois encore méthodiquement lavées.

Ils viennent d'entrer dans un passage très étroit et très haut. La soldate-guide lance une odeur de mise en garde en désignant le plafond. Celui-ci est en effet tapissé de punaises rouges tachetées de noir. Des diables cherche-midi !

Ces insectes de trois têtes de long (neuf millimètres) semblent avoir dans le dos le dessin d'un regard courroucé. Ils se nourrissent en général de la chair moite des insectes morts et, parfois, d'insectes bien vivants.

Un diable cherche-midi se laisse tout de suite tomber sur le trio. Avant qu'il n'ait atteint le sol, 103 683e bascule son abdomen sous son thorax et tire un jet d'acide formique. Lorsque le diable cherche-midi atterrit il s'est métamorphosé en confiture chaude.

Ils le mangent hâtivement puis traversent la pièce avant qu'un autre de ces monstres ne s'abatte.

INTELLIGENCE : *J'ai commencé les expériences proprement dites en janvier 58. Premier thème : l'intelligence. Les fourmis sont-elles intelligentes ?*
Pour le savoir, j'ai confronté un individu fourmi rousse (formica rufa), *de taille moyenne et de type asexué, au problème suivant.*
Au fond d'un trou, j'ai mis un morceau de miel durci. Mais le trou est obstrué par une brindille, peu lourde mais très longue et bien enfoncée. Normalement la fourmi agrandit le trou pour passer, mais, ici, le support étant en plastique rigide, elle ne peut le percer.
Premier jour : la fourmi tire par à-coups la brindille, elle la soulève un peu, puis la relâche, puis la resoulève.
Deuxième jour : la fourmi fait toujours la même chose. Elle tente aussi de taillader la brindille à la base. Sans résultat.
Troisième jour : idem. *On dirait que l'insecte s'est fourvoyé dans un mauvais mode de raisonnement et qu'il persiste parce qu'il est incapable d'en imaginer un autre. Ce qui serait une preuve de sa non-intelligence.*
Quatrième jour : idem.
Cinquième jour : idem.
Sixième jour : en me réveillant ce matin, j'ai trouvé la brindille dégagée du trou. Ça a dû se passer pendant la nuit.

Edmond Wells,
Encyclopédie du savoir relatif et absolu.

Les galeries qui suivent sont à demi obstruées. Là-haut, la terre froide et sèche, retenue par des racines blanches, forme des grappes. Parfois des morceaux dégringolent. On appelle cela des « grêles intérieures ». Le seul moyen connu de s'en protéger est de redoubler de vigilance et de sauter de côté à la moindre odeur d'éboulis.

Les trois fourmis avancent, le ventre collé au sol, les antennes plaquées en arrière, les pattes largement étalées. 103 683e a l'air de savoir précisément où elle les entraîne. Le sol devient à nouveau humide. Un effluve nauséabond circule par là. Une odeur de vie. Une odeur de bête.

Le 327e mâle s'arrête. Il n'en est pas tout à fait sûr, mais il lui a semblé qu'une paroi avait bougé subrepticement. Il s'approche de la zone suspecte, le mur frémit derechef. On dirait qu'une bouche s'y dessine. Il recule. Cette fois c'est trop petit pour être une taupe. La bouche se transforme en spirale, une protubérance pousse en son centre et jaillit pour se jeter sur lui.

Le mâle pousse un cri olfactif.

Un ver de terre ! Il le tranche d'un coup de mandibule. Mais autour d'eux les parois se mettent à dégouliner de ces tortillants bestiaux. Il y en a bientôt tellement qu'on se croirait dans un intestin d'oiseau.

Un lombric se mêle d'encercler le thorax de la femelle, celle-ci claque aussi sec des mandibules et le coupe en plusieurs tronçons qui s'en vont onduler chacun de son côté. D'autres vers se mettent de la partie et s'enroulent autour de leurs pattes, de leurs têtes. Le contact avec les antennes est particulièrement insupportable. Ils dégainent tous les trois de concert et tirent à l'acide sur les inoffensifs ascarides. A la fin le sol est jonché de reliefs de chair ocre qui sautillent comme pour les défier.

Ils galopent.

Lorsqu'ils reprennent leurs esprits, 103 683e leur indique une nouvelle enfilade de couloirs à prendre. Plus ils avancent, plus cela sent mauvais, plus ils commencent à s'y habituer. On s'habitue à tout. La soldate désigne un mur et explique qu'il faut creuser ici.

Ce sont les anciens sanitaires à compost, le lieu de réunion est juste à côté. On aime bien se réunir ici, c'est tranquille.

Ils jouent les passe-muraille. De l'autre côté ils débouchent dans une grande salle qui sent les excréments.

Les trente soldates ralliées à leur cause sont en effet là à les attendre. Mais pour discuter avec elles, il faudrait connaître les rudiments du jeu de puzzle car elles sont toutes en pièces détachées. La tête souvent fort éloignée du thorax...

Effarés, ils inspectent la salle macabre. Qui peut bien les avoir tuées ici, juste sous les pieds de Bel-o-kan ?

Sûrement quelque chose qui provient du dessous, émet le 327e mâle.

Je n'y crois guère, réplique la 56e femelle, qui lui propose néanmoins de creuser le sol.

Il plante la mandibule. Douleur. Dessous, c'est du rocher.

Un énorme rocher de granite, précise un peu tard 103 683e, *c'est le fond, le dur plancher de la ville. Et c'est épais. Très épais. Et c'est large. Très large. On n'en a jamais trouvé les limites.*

Après tout, c'est peut-être même le fond du monde. Une odeur étrange se manifeste alors. Quelque chose vient d'entrer dans la pièce. Une chose qui leur est tout de suite sympathique. Non, pas une fourmi de la Meute, mais un coléoptère lomechuse.

Encore toute larve, 56e avait entendu Mère parler de cet insecte :

Aucune sensation ne peut égaler celle qui accompagne l'absorption du nectar de la lomechuse, une fois qu'on y a goûté. Fruit de tous les désirs physiques, sa sécrétion annihile les volontés les plus farouches.

La prise de cette substance, de fait, suspend la douleur, la peur, l'intelligence. Les fourmis qui ont la chance de survivre à leur pourvoyeuse de poison quittent irrésistiblement la Cité à la recherche de nouvelles doses. Elles ne mangent plus, ne se reposent plus et marchent jusqu'à l'épuisement. Puis, si elles ne retrouvent pas de lomechuse, elles se collent à un brin d'herbe et se laissent mourir, parcourues par les mille morsures du manque.

L'enfant 56e avait un jour demandé pourquoi on tolérait l'entrée de tels fléaux dans la Cité, que termites et abeilles massacraient pour leur part sans ménagements. Mère lui avait répondu qu'il existe deux manières d'affronter un problème ; soit on l'empêche d'approcher, soit on se laisse traverser par lui. La seconde n'est pas forcément la plus mauvaise. Les sécrétions de lomechuse, bien dosées ou mélangées à d'autres substances, deviennent en effet d'excellentes médecines.

Le 327e mâle s'avance le premier. Subjugué par la beauté des arômes émanant de la lomechuse, il lui lèche les poils de l'abdomen. Ceux-ci suppurent des liqueurs hallucinogènes. Fait troublant : l'abdomen de l'empoisonneuse, avec ses deux longs poils, a exactement la même configuration qu'une tête de fourmi avec ses deux antennes !

La 56e femelle se précipite elle aussi, mais elle n'a pas le temps de commencer à se régaler. Un jet d'acide siffle. 103 683e a dégainé et tiré. La lomechuse brûlée se tord de douleur.

Sobrement, la soldate commente son intervention :

Il est anormal de trouver cet insecte à une telle profondeur. Les lomechuses ne savent pas creuser la terre. Quelqu'un l'a amené volontairement pour nous empêcher d'aller plus loin ! Il y a quelque chose à découvrir par ici.

Les deux autres, penauds, ne peuvent qu'admirer la lucidité de leur camarade. Tous trois cherchent longtemps. Ils déplacent les graviers, hument les moindres recoins de la pièce. Les indices sont rares. Ils finissent cependant par déceler un remugle connu. La petite odeur de roche des assassins. A peine perceptible, juste deux ou trois molécules, mais cela suffit. Elle provient de là. Juste sous ce petit rocher. Ils le font basculer et dévoilent un passage secret. Encore un.

Seulement, celui-ci a une caractéristique de taille : il n'est creusé ni dans la terre ni dans le bois. Il est carrément excavé dans de la roche granitique ! Aucune mandibule n'a pu s'attaquer à un tel matériau.

Le couloir est assez large, mais ils descendent prudemment. Après un bref trajet, ils tombent sur une vaste salle remplie de nourriture. Farines, miel, graines, viandes diverses... Il y en a des quantités surprenantes, de quoi nourrir la Cité pendant cinq hibernations ! Et tout ça dégage la même odeur de roche que les guerrières qui les poursuivent.

Comment est-il possible qu'un grenier aussi bien fourni ait été secrètement aménagé ici ? Avec une lomechuse pour en bloquer l'accès, qui plus est ! Cette information n'a jamais circulé entre les antennes de la Meute...

Ils se restaurent copieusement puis réunissent leurs antennes pour faire le point. Cette affaire devient de plus en plus ténébreuse. L'arme secrète qui décime l'expédition numéro un, les guerrières à l'odeur spéciale qui les attaquent partout, la lomechuse, une cachette de nourriture sous le plancher de la Cité... Cela dépasse l'hypothèse d'un groupe d'espions mercenaires au service des naines. Ou alors ils sont sacrément bien organisés !

327e et ses partenaires n'ont pas le loisir d'approfondir leur réflexion. Des vibrations sourdes se répercutent en profondeur. *Pan pan panpan, pan pan panpan !* Là-haut, les ouvrières tambourinent du bout de leur abdomen sur le sol. C'est grave. On en est à l'alerte deuxième phase. Ils ne peuvent ignorer cet appel. Leurs pattes font automatiquement demi-tour. Leurs corps, mus par une force irrépressible, sont déjà en route pour rejoindre le reste de la Meute.

La boiteuse qui les suivait à bonne distance se sent soulagée. Ouf ! Ils n'ont rien découvert...

Finalement, comme ni sa mère ni son père ne remontaient de la cave, Nicolas se résolut à prévenir la police. Et c'est un enfant affamé et aux yeux rouges qui débarqua dans le commissariat pour expliquer que « ses parents avaient disparu dans la cave », probablement dévorés par des rats ou des fourmis. Deux policiers éberlués lui emboîtèrent le pas jusqu'au sous-sol du 3 de la rue des Sybarites.

INTELLIGENCE *(suite) : L'expérience est recommencée, mais avec une caméra vidéo.*

Sujet : une autre fourmi de même espèce et de même nid.

— Premier jour : elle tire, pousse et mord la brindille sans aucun résultat.

— Deuxième jour : idem.

— Troisième jour : ça y est ! elle a trouvé quelque chose, elle tire un peu, bloque en mettant son abdomen dans le trou et en le gonflant, puis descend sa prise et recommence. Ainsi, par petits à-coups, elle sort lentement la brindille.

C'était donc ça...

Edmond Wells,
Encyclopédie du savoir relatif et absolu.

L'alerte est causée par un événement extraordinaire. La-chola-kan, la cité fille située le plus à l'ouest, a été attaquée par des légions de fourmis naines.

Elles se sont donc décidées à remettre ça...

Maintenant la guerre est inévitable.

Les survivants, qui sont arrivés à passer le blocus imposé par les Shigaepouyennes, racontent des choses incroyables. Selon eux, voilà ce qui s'est passé :

A 17°-temps, une longue branche d'acacia s'est approchée de l'entrée principale de La-chola-kan. Une branche anormalement mobile. Elle s'est enfoncée d'un seul coup et a dévasté l'orifice... en tournant !

Les sentinelles sont alors sorties pour attaquer cet objet creuseur non identifié, mais toutes ont été anéanties. Ensuite, tout le monde est resté calfeutré à attendre que la branche arrête ses ravages. Mais ça n'en finissait pas.

La branche a fait sauter le dôme comme s'il s'agissait d'un bouton de rose, elle a fouillé dans les couloirs. Les soldates avaient beau mitrailler à tout-va, l'acide ne pouvait rien contre ce végétal destructeur.

Et les Lacholakaniennes n'en pouvaient plus de terreur. Ça a quand même cessé. Il y a eu 2°-temps de répit, puis les légions naines sont arrivées au pas de charge.

La cité fille éventrée a eu du mal à résister à la première attaque. Les pertes se comptent par dizaines de milliers. Les rescapés se sont finalement réfugiés dans leur souche de pin et ils arrivent à soutenir le siège. Cependant, ils ne pourront survivre très longtemps, ils n'ont plus aucune réserve alimentaire et l'on se bat déjà jusque dans les artères de bois de la Cité interdite.

La-chola-kan faisant partie de la Fédération, Bel-o-kan et toutes les cités filles voisines se doivent de lui porter secours. Le branle-bas de combat est décrété avant même que les antennes aient reçu la fin des premiers récits du drame. Qui parle encore de repos et de reconstructions ? La première guerre de printemps vient de commencer.

Tandis que le 327e mâle, la 56e femelle et la 103 683e soldate remontent les étages au plus vite, partout autour d'eux ça grouille.

Les nourrices descendent les œufs, les larves et les nymphes au – 43e étage. Les trayeuses de pucerons cachent leur bétail vert au fin fond de la Cité. Les agricultrices préparent des stocks d'aliments hachés pouvant servir de rations de combat. Dans les salles des castes militaires les artilleuses gorgent leur abdomen à ras bord d'acide formique. Les cisailleuses aiguisent leurs mandibules. Les mercenaires se regroupent en légions compactes. Les sexués se calfeutrent dans leurs quartiers.

On ne peut attaquer tout de suite, il fait trop froid. Mais dès demain matin au premier soleil, la guerre va faire rage.

Là-haut, sur le dôme, on ferme les issues de régulation de thermie. La cité de Bel-o-kan contracte ses pores, rentre ses griffes et serre les dents. Elle est prête à mordre.

Le plus gros des deux flics entoura de son bras les épaules du garçon.

— Alors tu en es bien sûr ? Ils sont là-dedans ?

L'enfant, l'air excédé, se dégagea sans répondre. L'inspecteur Galin se pencha au-dessus de l'escalier et lança un « ohé ! » aussi puissant que ridicule. L'écho lui répondit.

— Ça a l'air vraiment très profond, fit-il. On ne peut pas descendre comme ça, il faudrait du matériel.

Le commissaire Bilsheim se posa un doigt pulpeux sur la bouche, la mine soucieuse.

— Evidemment. Evidemment.

— Je vais aller chercher les pompiers, dit l'inspecteur Galin.

— D'accord, pendant ce temps, moi je vais interroger le petit.

Le commissaire désigna la serrure fondue.

— C'est ta maman qui a fait ça ?

— Oui.

— Dis donc, elle est dégourdie ta maman. Je connais peu de femmes qui savent se servir d'un chalumeau pour faire sauter une porte blindée... Et je n'en connais aucune qui sache déboucher un évier.

Nicolas n'avait pas le cœur à blaguer.

— Elle voulait aller chercher Papa.

— C'est vrai, excuse-moi... Ils sont là-dessous depuis combien de temps déjà ?

— Depuis deux jours.

Bilsheim se gratta le nez.

— Et pourquoi ton père est-il descendu, tu le sais ?

— Au début c'était pour aller chercher le chien. Après on ne sait pas. Il a acheté des tas de plaques de métal et il les a emmenées en bas. Et puis il a acheté plein de livres sur les fourmis.

— Les fourmis ? Evidemment, évidemment.

Le commissaire Bilsheim, passablement dérouté, se borna à hocher la tête en murmurant quelques autres « évidemment ». L'affaire s'annonçait mal. Il ne la sentait pas. Ce n'était pas la première fois qu'il avait affaire à des cas « spéciaux ». On pouvait même dire qu'on lui refilait systématiquement tous les coups pourris. Cela tenait sans doute à l'une de ses principales qualités : il donnait l'impression aux fous qu'ils avaient enfin trouvé avec lui une oreille compréhensive.

C'était un don de naissance. Tout petit déjà, ses camarades de classe venaient le voir pour lui confier leurs délires. Il branlait alors la tête d'un air entendu tout en fixant son interlocuteur, et ne disant qu'« évidemment ». Cela marchait à tous les coups. On se complique la vie à vouloir mettre au point des phrases sophistiquées et des compliments pour impressionner ou séduire ses vis-à-vis ; or Bilsheim s'était aperçu que le simple mot « évidemment » était amplement suffisant. Encore un mystère de la communication interhumaine élucidé.

Le phénomène était d'autant plus curieux que le jeune Bilsheim, qui ne parlait pratiquement jamais, avait obtenu la réputation d'un grand orateur dans son école. On venait même lui demander de faire les discours de fin d'année.

Bilsheim aurait pu devenir psychiatre mais l'uniforme exerçait un véritable pouvoir de fascination sur lui. Et à cet égard, la blouse blanche ne faisait pas le poids à ses yeux. Dans un monde de cinglés, la police et l'armée étaient en somme les porte-drapeaux de « ceux qui ne se laissent pas aller ». Car même s'il pensait les comprendre, Bilsheim détestait tous ces gens qui causent à tort et à travers. Des écervelés ! Le summum de l'agacement était provoqué chez lui par les gens qui parlent à haute voix dans le métro, mimant une scène d'échec qu'ils viennent justement de vivre et qu'ils veulent rejouer.

Quand Bilsheim s'était engagé dans la police, son don avait vite été repéré par ses supérieurs. On lui fourguait systématiquement tous les « cas incompréhensibles ». La plupart du temps, il ne résolvait rien du tout, mais en tout cas il s'en occupait, et c'était déjà beaucoup.

— Ah, et puis il y a les allumettes !

— Qu'est-ce qu'elles ont les allumettes ?

— Avec six allumettes il faut former quatre triangles si on veut trouver la solution.

— Quelle solution ?

— La « nouvelle manière de penser ». L'autre « logique » dont parlait Papa.

— Evidemment.

Cette fois-ci le garçon se révolta :

— Non, pas « évidemment » ! Il faut chercher la forme géométrique qui permet de faire quatre triangles. Les fourmis, l'oncle Edmond, les allumettes, tout est lié.

— L'oncle Edmond ? Qui est cet oncle Edmond ?

Nicolas s'anima.

— C'est lui qui a rédigé l'*Encyclopédie du savoir relatif et absolu*. Mais il est mort. Peut-être à cause des rats. Ce sont les rats qui ont tué Ouarzazate.

Le commissaire Bilsheim soupira. Atterrant ! Qu'est-ce que ça va donner ce bout de gamin-là quand ça aura sa majorité ? Au minimum un alcoolique. L'inspecteur Galin arriva enfin avec les pompiers. Bilsheim le regarda avec fierté. Un crack, ce Galin. Et même un pervers. Les histoires de fous, ça l'excitait. Plus c'était tordu, plus il y allait.

Bilsheim le compréhensif et Galin l'enthousiaste formaient à eux deux l'officieuse brigade des « affaires-de-cinglés-dont-personne-ne-veut-s'occuper ». On les avait déjà envoyés sur le cas de la « petite vieille bouffée par ses chats », sur celui de la « prostituée qui étouffait les clients avec sa langue », sans oublier le « réducteur de têtes de charcutiers ».

— C'est bon, dit Galin, restez ici chef, on plonge et on vous les ramène dans les civières gonflables.

Dans sa loge nuptiale, Mère s'est arrêtée de pondre. Elle lève une seule antenne et demande à rester seule. Ses servantes disparaissent.

Belo-kiu-kiuni, le sexe vivant de la Cité, n'est pas calme.

Non, elle n'a pas peur de la guerre. Elle en a déjà gagné et perdu une bonne cinquantaine. Ce qui l'inquiète, c'est autre chose. Cette histoire d'arme secrète. Cette branche d'acacia qui tourne et qui arrache le dôme. Elle n'a pas non plus oublié le témoignage du 327e mâle, vingt-huit guerrières mortes sans même avoir pu se mettre en position de combat... Peut-on prendre le risque de ne pas tenir compte de ces données extraordinaires ?

Plus maintenant.

Mais que faire ?

Belo-kiu-kiuni se souvient de la fois où elle a déjà dû affronter une « arme secrète incompréhensible ». C'était pendant les guerres contre les termitières du Sud. Un beau jour on lui avait annoncé qu'une escouade de cent vingt soldates se trouvait, non pas détruite, mais « immobilisée » !

L'affolement était à son comble. On pensait qu'on ne pourrait plus jamais vaincre les termites et qu'ils avaient pris une avance technologique décisive.

On dépêcha des espions. Les termites venaient en fait de mettre au point une caste d'artilleuses lanceuses de glu. Les nasutitermes. Elles en arrivaient à projeter à deux cents têtes de distance une colle qui bloquait les pattes et les mâchoires des soldates.

La Fédération avait longtemps réfléchi puis avait trouvé une parade : avancer en se protégeant avec des feuilles mortes. Cela donna d'ailleurs lieu à la fameuse bataille des Feuilles mortes, gagnée par les troupes belokaniennes...

Cette fois-ci, toutefois, les adversaires n'étaient plus des patauds termites, mais des naines dont la vivacité et l'intelligence les avaient déjà plusieurs fois prises de court. En outre, l'arme secrète semblait particulièrement destructrice.

Elle se tripota nerveusement les antennes.

Que savait-elle exactement des naines ?

Beaucoup et peu de chose.

Celles-ci avaient débarqué il y a cent ans dans la région. Au début, il y avait eu juste quelques éclaireuses. Comme elles étaient de taille réduite, on ne s'était pas méfié. Les caravanes de naines étaient arrivées ensuite, portant à bout de pattes leurs œufs et leurs réserves alimentaires. Elles passèrent leur première nuit sous la racine du grand pin.

Au matin, la moitié d'entre elles avait été décimée par un hérisson affamé. Les survivantes s'éloignèrent vers le nord où elles établirent un bivouac, pas loin des fourmis noires.

A la Fédération, on s'était dit : « c'est une affaire entre elles et les fourmis noires ». Et il y en avait même qui avaient mauvaise conscience de laisser ces êtres malingres en pâture aux grosses fourmis noires.

Cependant les fourmis naines ne furent pas massacrées. On les voyait tous les jours là-haut, qui transportaient des brindilles et des petits coléoptères. En revanche, celles qu'on ne voyait plus c'étaient... les grosses fourmis noires.

On ne sait toujours pas ce qui s'était passé, mais les éclaireuses belokaniennes rapportèrent que désormais les naines occupaient l'ensemble du nid des fourmis noires. On prit l'événement avec fatalisme, voire humour. *Bien fait pour ces prétentieuses fourmis noires,* humait-on dans les couloirs. Et puis ce n'étaient pas ces petites fourmis de rien du tout qui allaient inquiéter la puissante Fédération.

Seulement, après les fourmis noires, ce fut l'une

des ruches à abeilles de l'églantier qui fut occupée par les naines... Puis la dernière termitière du Nord et le nid des fourmis rouges à venin passèrent à leur tour sous la bannière des naines !

Les réfugiés qui affluaient à Bel-o-kan et qui venaient gonfler la masse des mercenaires racontaient que les naines avaient des stratégies de combat avant-gardistes. Par exemple, elles infectaient les points d'eau en y déversant des poisons issus de fleurs rares.

Pourtant on ne s'alarmait pas encore sérieusement. Et il fallut que la cité de Niziu-ni-kan tombe l'année dernière en 2°-temps pour qu'enfin on s'aperçoive qu'on avait affaire à de redoutables adversaires.

Mais si les rousses avaient sous-estimé les naines, les naines n'avaient pas jugé les rousses à leur juste valeur. Niziu-ni-kan était une cité de taille très réduite, mais liée à toute la Fédération. Le lendemain de la victoire naine, deux cent quarante légions de mille deux cents soldates chacune vinrent les réveiller en fanfare. L'issue du combat était certaine, ce qui n'empêcha pas les naines de se battre avec acharnement. De sorte qu'il fallut aux troupes fédérées un jour plein avant de pénétrer dans la cité libérée.

On découvrit alors que les naines avaient installé dans Niziu-ni-kan non pas une mais... deux cents reines. Cela fit un choc.

ARMÉE OFFENSIVE : *Les fourmis sont les seuls insectes sociaux à entretenir une armée offensive.*
Les termites et les abeilles, espèces royalistes et loyalistes moins raffinées, n'utilisent leurs soldats que pour la défense de la cité ou la protection des ouvrières sorties loin du nid. Il est relativement rare de voir une termitière ou une ruche mener une campagne de conquête de territoire. Mais cela s'est quand même vu.

Edmond Wells,
Encyclopédie du savoir relatif et absolu.

Les reines naines prisonnières racontèrent l'histoire et les mœurs des naines. Une histoire extravagante.

Selon elles, il y a longtemps, les naines vivaient dans un autre pays, séparé par des milliards de têtes de distance.

Ce pays était bien différent de la forêt de la Fédération. Il y poussait des fruits volumineux, très colorés et très sucrés. En outre, il n'y avait pas d'hiver et pas d'hibernation. Sur cette terre de cocagne les naines avaient construit Shi-gae-pou l'« ancienne », cité elle-même issue d'une très vieille dynastie. Ce nid était aménagé au pied d'un laurier-rose.

Or, il advint que le laurier-rose et le sable qui l'entourait furent un jour arrachés du sol pour être déposés dans une boîte de bois. Les naines tentèrent de fuir de la boîte mais celle-ci fut déposée à l'intérieur d'une structure gigantesque et très dure. Et quand elles parvinrent aux frontières de cette structure, elles tombèrent sur de l'eau. De l'eau salée à perte de vue.

Beaucoup de naines se noyèrent en essayant de retrouver la terre de leurs ancêtres, puis la majorité décida que, tant pis, il fallait survivre dans cette structure immense et dure entourée d'eau salée. Cela dura des jours et des jours.

Elles percevaient, grâce à leur organe de Johnston, qu'elles se déplaçaient très vite, sur une distance phénoménale.

Nous avons traversé une centaine de barrières magnétiques terrestres. Où cela allait-il nous mener ? Ici. On nous a débarquées avec le laurier-rose. Nous avons découvert ce monde, sa faune et sa flore exotiques.

Le dépaysement s'avéra décevant. Les fruits, les fleurs, les insectes étaient plus petits, moins colorés. Elles avaient quitté un pays rouge, jaune, bleu pour tomber sur du vert, du noir et du marron. Un monde fluo contre un monde pastel.

Et puis il y avait l'hiver et le froid qui bloquaient

tout. Là-bas, elles ne savaient même pas que le froid existait, et la seule chose qui les obligeait à se reposer c'était la chaleur !

Les naines mirent d'abord au point différentes solutions pour lutter contre le froid. Leurs deux méthodes les plus efficaces : se gaver de sucres et s'enduire de bave d'escargot.

Pour le sucre, elles recueillaient le fructose des fraises, des mûres et des cerises. Pour les graisses, elles se livrèrent à une véritable extermination des escargots de la région.

Elles avaient par ailleurs des pratiques vraiment surprenantes : ainsi n'avaient-elles ni sexués ailés ni vol nuptial. Les femelles faisaient l'amour et pondaient chez elles, sous terre. Si bien que chaque cité de naines possédait, non pas une pondeuse unique, mais plusieurs centaines. Cela leur donnait un sérieux avantage : outre une natalité très supérieure à celle des rousses, une bien moindre vulnérabilité. Car s'il suffisait de tuer la reine pour décapiter une cité rousse, la cité naine pouvait renaître tant qu'il restait la moindre tête sexuée.

Et il n'y avait pas que ça. Les naines avaient une autre philosophie de conquête des territoires. Alors que les rousses, à la faveur des vols nuptiaux, atterrissaient le plus loin possible pour ensuite se relier par des pistes à l'empire éclaté de la Fédération, les naines, elles, progressaient centimètre par centimètre à partir de leurs cités centrales.

Même leur petite taille constituait un atout. Il leur fallait très peu de calories pour atteindre une vivacité d'esprit et un niveau d'action assez élevés. On avait pu mesurer leur rapidité de réaction à l'occasion d'une grande pluie. Alors que les rousses en étaient encore à sortir, non sans mal, leurs troupeaux de pucerons et leurs derniers œufs des couloirs inondés, les naines avaient depuis plusieurs heures construit un nid dans une anfractuosité de l'écorce du grand pin et y avaient déménagé tous leurs trésors...

Belo-kiu-kiuni s'agite, comme pour chasser ses pensées inquiètes. Elle pond deux œufs, des œufs de guerrières. Les nourrices ne sont pas là pour les recueillir, et elle a faim. Alors, elle les mange goulûment. Ce sont d'excellentes protéines.

Elle taquine sa plante carnivore. Ses préoccupations ont déjà repris le dessus. Le seul moyen de contrer cette arme secrète serait d'en inventer une autre, encore plus performante et terrible. Les fourmis rousses ont découvert successivement l'acide formique, la feuille bouclier, les pièges à glu. Il suffit de trouver autre chose. Une arme qui frapperait les naines de stupeur, encore pire que leur branche destructrice !

Elle sort de sa loge, rencontre des soldates et leur parle. Elle suggère de réunir des groupes de réflexion sur le thème « trouver une arme secrète contre leur arme secrète ». La Meute répond favorablement à son stimulus. Partout se forment de petits groupes de soldates, mais aussi d'ouvrières, par trois ou par cinq. En connectant leurs antennes en triangle ou en pentagone, elles opèrent des centaines de communications absolues.

— Attention, je vais m'arrêter ! dit Galin, peu désireux de recevoir dans le dos la poussée de huit sapeurs-pompiers.

— Qu'est-ce qu'il fait sombre là-dedans ! Passez-moi une lampe plus puissante.

Il se retourna et on lui tendit une grosse torche. Les pompiers n'avaient pas l'air très rassurés. Pourtant, eux, ils avaient leurs vestes en cuir et leurs casques. Que n'avait-il pensé à se mettre quelque chose de plus adapté à ce genre d'expédition qu'un veston de ville !

Ils descendaient prudemment.. L'inspecteur, l'œil du groupe, s'appliquait à éclairer chaque recoin avant de faire un pas. C'était plus lent mais c'était plus sûr.

Le pinceau de la torche balaya une inscription gravée sur la voûte, à hauteur de regard.

Examine-toi toi-même,
Si tu ne t'es pas purifié assidûment
Les noces chimiques te feront dommage
Malheur à qui s'attarde là-bas.
Que celui qui est trop léger s'abstienne.

Ars Magna.

— Vous avez vu ça ? demanda un pompier.
— C'est une vieille inscription, voilà tout..., tempéra l'inspecteur Galin.
— On dirait un truc de sorciers.
— En tout cas, ça a l'air sacrément profond.
— Le sens de la phrase ?
— Non, l'escalier. On dirait qu'il y a des kilomètres de marches là-dessous.

Ils reprirent leur descente. Ils devaient bien se trouver à cent cinquante mètres sous le niveau de la ville. Et ça tournait toujours en colimaçon. Comme une hélice d'ADN. Ils en avaient presque le vertige. Profond, toujours plus profond.

— Ça peut continuer indéfiniment comme ça, grogna un pompier. Nous ne sommes pas préparés pour faire de la spéléologie.

— Moi je croyais qu'il fallait juste sortir quelqu'un d'une cave, dit un autre qui portait la civière gonflable. Ma femme m'attendait pour dîner à 8 heures, elle doit être contente, il est déjà 10 heures !

Galin reprit ses troupes en main.

— Ecoutez les gars, maintenant on est plus proches du fond que de la surface, alors encore un petit effort. On ne va pas renoncer à mi-parcours.

Or, ils n'avaient pas fait le dixième du chemin.

Au bout de plusieurs heures de CA à une température proche de 15°, un groupe de fourmis mercenaires jaunes dégage une idée, bientôt reconnue comme la meilleure par tous les autres centres nerveux.

Il se trouve que Bel-o-kan possède de nombreuses soldates mercenaires d'une espèce un peu spéciale, les « casse-graines ». Elles ont pour caractéristique d'être pourvues d'une tête volumineuse et de longues mandibules coupantes qui leur permettent de casser des graines même très dures. Dans les combats, elles ne sont pas bien efficaces, car leurs pattes sont trop courtes sous leur corps trop lourd.

Alors, à quoi bon se traîner péniblement jusqu'au lieu de l'affrontement pour n'y faire que peu de dégâts ? Les rousses avaient fini par les cantonner dans des tâches ménagères, comme par exemple couper les grosses brindilles.

Selon les fourmis jaunes, il existe pourtant un moyen de transformer ces grosses lourdaudes en foudres de guerre. Il suffit de les faire porter par six petites ouvrières agiles !

Ainsi, les casse-graines, guidant par odeurs leurs « pattes vivantes », peuvent fondre à grande vitesse sur leurs adversaires et les tailler en pièces avec leurs longues mandibules.

Quelques soldates gavées de sucre font des essais dans le solarium. Six fourmis soulèvent une casse-graines et courent en essayant de synchroniser leurs pas. Ça a l'air de très bien fonctionner.

La cité de Bel-o-kan vient d'inventer le tank.

On ne les vit jamais remonter.

Le lendemain, les journaux titrèrent : « Fontainebleau — Huit pompiers et un inspecteur de police disparaissent mystérieusement dans une cave. »

Dès l'aube violacée, les fourmis naines qui encerclent la Cité interdite de La-chola-kan s'apprêtent à livrer bataille. Les rousses isolées dans leur souche sont affamées et épuisées. Elles ne devraient plus tenir bien longtemps.

Les combats reprennent. Les naines conquièrent

deux carrefours supplémentaires après de longs duels d'artillerie à l'acide. Le bois rongé par les tirs vomit les cadavres des soldates assiégées.

Les dernières survivantes rousses sont à bout. Les naines progressent dans la Cité. Les francs-tireurs cachés dans les anfractuosités des plafonds les ralentissent à peine.

La loge nuptiale ne doit plus être très loin. A l'intérieur de celle-ci, la reine Lacho-la-kiuni commence à ralentir les battements de son cœur. Tout est fichu maintenant.

Mais les troupes naines les plus avancées perçoivent soudain une odeur d'alerte. Il se passe quelque chose dehors. Elles rebroussent chemin.

Là-haut, sur la colline des Coquelicots qui domine la Cité, on distingue des milliers de points noirs au milieu des fleurs rouges.

Les Belokaniens se sont donc finalement décidés à attaquer. Tant pis pour eux. Les naines envoient des moucherons-messagers mercenaires avertir la Cité centrale.

Tous les moucherons portent la même phéromone :

Ils attaquent. Envoyez des renforts par l'est pour les prendre en étau. Préparez l'arme secrète.

La chaleur du premier rayon de soleil filtrant à travers un nuage a précipité la décision de passer à l'attaque. Il est 8 h 03. Les légions belokaniennes dévalent en trombe la pente, contournent les herbes, bondissent par-dessus les gravillons. Elles sont des millions de soldates, à courir toutes mandibules écartées. C'est assez impressionnant.

Mais les naines n'ont pas peur. Elles avaient prévu ce choix tactique. La veille, elles ont creusé des trous espacés en quinconce dans le sol. Elles s'y calfeutrent, ne laissant dépasser que leurs mandibules ; leur corps est ainsi protégé par le sable.

Cette ligne de naines brise tout de suite l'assaut des rousses. Les fédérées s'escriment à vide contre ces adversaires qui ne leur présentent que des points forts. Pas moyen de leur couper les pattes ou de leur arracher l'abdomen.

C'est alors que le gros de l'infanterie de Shi-gae-pou, cantonné non loin sous le couvert d'un cercle de bolets Satan, lance une contre-offensive qui prend les rousses en étau.

Si les Belokaniennes sont des millions, les Shigae-pouyennes se comptent par dizaines de millions. Il y a au moins cinq soldates naines pour une rousse, sans parler des guerrières tapies dans les trous individuels, qui raccourcissent tout ce qui leur passe à portée de mandibules.

Le combat tourne rapidement au désavantage des moins nombreux. Enfoncées par des naines qui surgissent de partout, les lignes fédérées se disloquent.

A 9 h 36, elles battent carrément en retraite. Les naines poussent déjà les parfums de la victoire. Leur stratagème a parfaitement fonctionné. Même pas besoin d'utiliser l'arme secrète ! Elles pourchassent cette armée de fuyards, considèrent le siège de La-chola-kan comme une affaire réglée.

Mais avec leurs petites pattes, les naines font dix pas là où une rousse ne fait qu'un bond. Elles s'essoufflent à remonter la colline des Coquelicots. C'est bien ce qu'avaient prévu les stratèges de la Fédération. Car cette première charge n'a servi qu'à ça : faire sortir les troupes naines de leur cuvette pour les affronter dans la pente.

Les rousses parviennent à la crête, les légions naines continuent de les poursuivre dans un désordre total. Là-haut, on voit d'un seul coup se dresser une forêt d'épines. Ce sont les pinces géantes des casse-graines. Elles les brandissent, les font scintiller au soleil, puis les abaissent parallèlement au sol et fondent sur les naines. Casse-graines, casse-naines !

L'effet de surprise est total. Les Shigaepouyennes, hébétées, antennes raidies par l'effroi, se font tondre comme une pelouse. Les casse-graines crèvent les lignes ennemies à vive allure, profitant de la dénivellation. Sous chacune, six ouvrières s'en donnent à cœur joie. Elles sont les chenilles de ces machines de guerre. Grâce à une communication antennaire parfaitement synchrone entre la tourelle et les roues, l'animal à trente-six pattes et deux mandibules géantes se meut avec aisance dans la masse de ses adversaires.

Les naines n'ont que le temps d'entrevoir ces mastodontes qui leur tombent dessus par centaines, les défoncent, les aplatissent, les broient. Les mandibules hypertrophiées plongent dans le tas, broutent et remontent, chargées de pattes et de têtes sanguinolentes qu'elles font craquer comme de la paille.

Panique totale. Les naines terrorisées se heurtent et se piétinent, certaines s'entretuent.

Les tanks belokaniens, ayant ainsi « peigné » la piétaille naine, l'ont dépassée dans leur élan. Stop. Ils remontent déjà la pente, toujours impeccablement alignés, pour un nouveau laminage. Les survivantes voudraient prendre les devants, mais là-haut se dessine un deuxième front de tanks... qui part à la descente !

Les deux colonnes se croisent, bien parallèles. Devant chaque tank les cadavres s'empilent. C'est l'hécatombe.

Les Lacholakaniennes qui suivaient de loin la bataille sortent pour encourager leurs sœurs. L'étonnement du début a fait place à l'enthousiasme. Elles lancent des phéromones de joie. C'est une victoire de la technologie et de l'intelligence ! Jamais le génie de la Fédération ne s'était exprimé de manière aussi nette.

Shi-gae-pou, cependant, n'a pas abattu toutes ses cartes. Elle a encore son arme secrète. Normalement, cette arme avait été conçue pour déloger les assiégés récalcitrants, mais devant la vilaine tournure prise par les combats, les naines décident de jouer leur va-tout.

L'arme secrète se présente sous forme de crânes de fourmis rousses transpercés d'une plante brune.

Quelques jours plus tôt, les fourmis naines ont découvert le cadavre d'une exploratrice de la Fédération. Son corps avait éclaté sous la pression d'un champignon parasite, l'*alternaria*. Les chercheuses naines ont analysé le phénomène et se sont aperçues que ce champignon parasite produisait des spores volatiles. Celles-ci se collent à la cuirasse, la rongent, pénètrent dans la bête puis poussent jusqu'à faire exploser sa carcasse.

Quelle arme !

Et d'une sûreté d'utilisation garantie. Car si les spores adhèrent à la chitine des rousses, elles n'ont aucune prise sur la chitine des naines. Tout simplement parce que ces dernières, frileuses, ont pris l'habitude de se badigeonner de bave d'escargot ! Or cette substance a un effet protecteur contre l'*alternaria*.

Les Belokaniennes ont peut-être inventé le tank, mais les Shigaepouyennes ont découvert la guerre bactériologique.

Un bataillon d'infanterie s'ébranle, porteur de trois cents crânes de rousses infectés, récupérés après la première bataille de La-chola-kan.

Elles les lancent au beau milieu des ennemies. Les casse-graines et leurs porteuses éternuent sous les poussières mortelles. Quand elles voient que leurs cuirasses en sont enduites, elles s'affolent. Les porteuses abandonnent leur fardeau. Les casse-graines, rendues à leur impotence, paniquent et s'en prennent violemment à d'autres casse-graines. C'est la débandade.

Vers 10 heures, un brusque coup de froid sépare les belligérants. On ne peut pas se battre dans les courants d'air glacés. Les troupes naines en profitent pour se dégager. Les tanks des rousses remontent péniblement la pente.

Dans les deux camps, on fait le compte des blessures, on mesure l'étendue des pertes. Bilan provisoire très lourd. On aimerait infléchir le sort de la bataille.

Chez les Belokaniennes, on a reconnu les spores d'*alternaria*. On décide de sacrifier toutes les soldates qui ont été touchées par le champignon, afin de leur éviter des souffrances futures.

Des espionnes arrivent au pas de course : il existe un moyen de se protéger de cette arme bactériologique, il faut s'enduire de bave d'escargot. Aussitôt dit, aussitôt fait. On sacrifie trois de ces mollusques (de plus en plus difficiles à trouver) et chacun se prémunit contre le fléau.

Contacts antennaires. Les stratèges rousses jugent qu'on ne peut plus attaquer avec les seuls tanks. Dans le nouveau dispositif, les tanks occuperont le centre ; mais cent vingt légions d'infanterie courante et soixante légions d'infanterie étrangère se déploieront sur les ailes.

On retrouve le moral.

FOURMIS D'ARGENTINE : *Les fourmis d'Argentine* (Iridomyrmex humilis) *ont débarqué en France en 1920. Elles ont selon toute vraisemblance été transportées dans des bacs de lauriers-roses destinés à égayer les routes de la Côte d'Azur.*

On signale pour la première fois leur existence en 1866, à Buenos Aires (d'où leur surnom). En 1891, on les repère aux Etats-Unis, à La Nouvelle-Orléans.

Cachées dans les litières de chevaux argentins exportés, elles arrivent ensuite en Afrique du Sud en 1908, au Chili en 1910, en Australie en 1917 et en France en 1920.

Cette espèce se signale, non seulement par sa taille infime, qui la met en position de Pygmée au regard des autres fourmis, mais aussi par une intelligence et une agressivité guerrière qui sont au demeurant ses principales caractéristiques.

A peine établies dans le sud de la France, les fourmis d'Argentine ont mené la guerre contre toutes les espèces autochtones... et les ont vaincues !

En 1960, elles ont franchi les Pyrénées et sont allées jusqu'à Barcelone. En 1967, elles ont passé les Alpes et se sont déversées jusqu'à Rome. Puis, dès les années 70, les Iridomyrmex *ont commencé à remonter vers le nord. On pense qu'elles ont traversé la Loire lors d'un été chaud de la fin des années 90. Ces envahisseurs, dont les stratégies de combat n'ont rien à envier à un César ou à un Napoléon, se sont alors trouvés face à deux espèces un peu plus coriaces : les fourmis rousses (au sud et à l'est de la région parisienne) et les fourmis pharaons (au nord et à l'ouest de Paris).*

Edmond Wells,
Encyclopédie du savoir relatif et absolu.

La bataille des Coquelicots n'est pas gagnée. Shigae-pou décide, à 10 h 13, de dépêcher des renforts. Deux cent quarante légions de l'armée de réserve vont partir rejoindre les survivants de la première charge. On leur explique le coup des « tanks ». Les antennes se réunissent pour des CA. Il doit bien exister un moyen de faire pièce à ces drôles de machines...

Vers 10 h 30 une ouvrière fait une suggestion :

Les fourmis casse-graines trouvent leur mobilité dans les six fourmis qui les portent. Il suffit de leur couper ces « pattes vivantes ».

Une autre idée fuse :

Le point faible de leurs machines est leur difficulté à faire demi-tour rapidement. On peut utiliser ce handicap. On n'a qu'à se former en carrés compacts. Lorsque les machines chargent, on s'écarte pour les laisser passer sans résistance. Puis, alors qu'elles sont encore prises dans leur élan, on les frappe par l'arrière. Elles n'auront pas le temps de se retourner.

Et une troisième :

La synchronisation du mouvement des pattes se fait par contact antennaire, on l'a vu. Il suffit de couper en sautant les antennes des casse-graines pour qu'elles ne puissent plus diriger leurs porteuses.

Toutes les idées sont retenues. Et les naines commencent à bâtir leur nouveau plan de bataille.

SOUFFRANCE : *Les fourmis sont-elles capables de souffrir ?* A priori *non. Elles n'ont pas de système nerveux adapté pour cet usage. Et s'il n'y a pas de nerf, il n'y a pas de message de douleur. Cela peut expliquer que des tronçons de fourmis continuent à « vivre » parfois très longtemps indépendamment du reste du corps.*
L'absence de douleur induit un nouveau monde de science-fiction. Sans douleur : pas de peur, peut-être même pas de conscience du « soi ». Longtemps les entomologistes ont penché pour cette théorie : les fourmis ne souffrent pas, c'est de là que part la cohésion de

leur société. Cela explique tout et cela n'explique rien. Cette idée présente un autre avantage : elle nous enlève tout scrupule à les tuer.
Moi, un animal qui ne souffrirait pas... me ferait très peur.
Mais ce concept est faux. Car la fourmi décapitée émet une odeur particulière. L'odeur de la douleur. Il se passe donc quelque chose. La fourmi n'a pas d'influx nerveux électrique mais elle a un influx chimique. Elle sait quand il lui manque un morceau, et elle souffre. Elle souffre à sa manière, qui est sûrement fort différente de la nôtre, mais elle souffre.

Edmond Wells,
Encyclopédie du savoir relatif et absolu.

Les combats reprennent à 11 h 47. Une longue ligne compacte de soldates naines monte lentement à l'assaut de la colline des Coquelicots.

Les tanks apparaissent entre les fleurs. A un signal donné, ils dévalent la pente. Les légions des rousses et de leurs mercenaires caracolent sur les flancs, prêtes à terminer le travail des mastodontes.

Les deux armées ne sont plus qu'à cent têtes de distance... Cinquante... Vingt... Dix ! A peine la première casse-graines arrive-t-elle au contact qu'il se passe quelque chose de très inattendu. La ligne dense des Shigaepouyennes s'ouvre soudain en larges pointillés. Les soldates forment les carrés.

Chaque tank voit s'évaporer l'adversaire et ne trouve plus en face qu'un couloir désert. Aucun n'a le réflexe de zigzaguer pour accrocher les naines. Les mandibules claquent dans le vide, les trente-six pattes s'emballent stupidement.

Un effluve âcre se répand :

Coupez-leur les pattes !

Des naines plongent aussitôt sous les tanks et tuent les porteuses. Elles s'en retirent alors dare-dare pour ne pas être écrasées par la masse de la casse-graines qui s'affale.

D'autres se jettent hardiment entre la double rangée de trois porteuses et crèvent d'une mandibule unique le ventre offert. Un liquide coule, le réservoir de vie des casse-graines se déverse sur le sol.

D'autres encore escaladent les mastodontes, leur coupent les antennes et sautent en marche.

Les tanks s'effondrent les uns après les autres. Les casse-graines sans porteuses se traînent comme des grabataires et sont achevées sans problème.

Vision de terreur ! des cadavres de casse-graines éventrés sont dérisoirement transportés par leurs six ouvrières qui ne se sont encore aperçues de rien... Des casse-graines privées d'antennes voient leurs « roues » partir dans des directions différentes et les écarteler...

Une telle débâcle sonne le glas de la technologie des tanks. Combien de grandes inventions ont ainsi disparu de l'histoire des fourmis parce que la parade avait été trouvée trop vite !

Les légions des rousses et de leurs mercenaires qui flanquaient le front des tanks se retrouvent toutes nues. Elles qu'on avait placées là pour ramasser les miettes en sont réduites à charger désespérément. Mais les carrés de naines se sont déjà refermés, tant le massacre des casse-graines a été rondement mené. A peine les Belokaniennes en touchent-elles un bord qu'elles se retrouvent aspirées et démontées par des milliers de mandibules gloutonnes.

Les rousses et leurs reîtres n'ont plus qu'à battre en retraite. Regroupées sur la crête, elles observent les naines qui remontent lentement à l'assaut, toujours en carrés compacts. C'est une vision affolante !

Dans l'espoir de gagner du temps, les plus grosses soldates charrient des graviers qu'elles font rouler du haut de la colline. L'avalanche ne ralentit guère l'avance des naines. Vigilantes, elles s'écartent sur le passage des blocs et reprennent aussitôt leur place. Peu se font écraser.

Les légions belokaniennes recherchent éperdument la combinaison qui les sortirait de ce pétrin. Quelques guerrières proposent d'en revenir aux vieilles techniques de combat. Pourquoi ne pas donner tout simplement de l'artillerie ? Car s'il est vrai que depuis le début des hostilités on a peu utilisé l'acide, qui, dans les mêlées, tue autant d'amis que d'ennemis, celui-ci devrait fournir de très bons résultats contre les carrés denses des naines.

Les artilleuses se hâtent de prendre position, bien calées sur leurs quatre pattes postérieures, l'abdomen dardé en avant. Elles peuvent ainsi pivoter de droite à gauche et de haut en bas pour choisir le meilleur angle de visée.

Les naines, à présent juste en contrebas, voient les bouts des milliers d'abdomens dépasser de la crête mais elles ne font pas tout de suite le rapprochement. Elles ont accéléré, prenant leur élan pour franchir les derniers centimètres du talus.

A l'attaque ! Serrez les rangs !

Un seul mot d'ordre claque dans le camp adverse :

Feu !

Les ventres braqués pulvérisent leur brûlant venin sur les carrés de naines. *Pfout, pfout, pfout.* Les jets jaunes sifflent dans les airs, cinglent de plein fouet la première ligne d'assaillantes.

Ce sont les antennes qui fondent d'abord. Elles dégoulinent sur les crânes. Puis le poison se répand sur les cuirasses, les liquéfiant comme si elles n'étaient qu'en plastique.

Les corps martyrisés s'affaissent et forment un mince barrage qui fait trébucher les naines. Elles se ressaisissent, enragées, se jettent de plus belle à l'assaut de la crête.

En haut, une ligne d'artilleuses rousses a pris le relais de la précédente.

Feu !

Les carrés se disloquent, mais les naines continuent d'avancer, piétinant les morts mous.

Troisième ligne d'artilleuses. Les cracheuses de colle se joignent à elles.

Feu !

Cette fois, les carrés de naines explosent franchement. Des groupes entiers se débattent dans les flaques de glu. Les naines tentent de contre-attaquer en alignant elles aussi une rangée d'artilleuses. Celles-ci avancent vers le sommet en marche arrière et tirent sans pouvoir viser. A contre-pente elles ne peuvent se caler.

Feu ! émettent les naines.

Mais leurs abdomens courts ne tirent que des gouttelettes d'acide. Même en atteignant leur objectif, leurs jets ne font qu'irriter sans percer les carapaces.

Feu !

Les gouttes d'acide des deux camps se croisent, s'annulent parfois. Devant le peu de résultats obtenus, les Shigaepiennes renoncent à utiliser leur artillerie. Elles pensent pouvoir gagner en gardant la tactique des carrés compacts d'infanterie.

Serrez les rangs.

Feu ! répondent les rousses dont leur artillerie fait toujours merveille. Nouvelle giclée d'acide et de glu.

Malgré l'efficacité des tirs, les naines parviennent en haut de la colline des coquelicots. Leurs silhouettes forment une frise noire assoiffée de vengeance.

Charge. Rage. Saccage.

Désormais il n'y a plus de « gadgets ». Les artilleuses rousses ne peuvent plus faire gicler leur abdomen, les carrés de naines ne peuvent plus rester compacts.

Nuée. Ruée. Coulée.

Tout le monde se mélange, se dérange, se range, court, tourne, fuit, fonce, se disperse, se réunit, fomente de petites attaques, pousse, entraîne, bondit, s'effondre, rassure, crache, soutient, hurle de l'air chaud. Partout la mort est désirée. On se mesure, on s'escrime, on ferraille. On court sur les corps vivants et sur ceux qui déjà ne bougent plus. Chaque rousse se retrouve coiffée d'au moins trois naines furieuses. Mais comme les rousses sont trois fois plus grosses, les duels se déroulent à peu près à armes égales.

Corps à corps. Cris odorants. Phéromones amères en brumes.

Les millions de mandibules pointues, crénelées, en dents de scie, en sabre, en pince plate, à simple tranchant, à double tranchant, enduites de salive empoisonnée, de glu, de sang s'emboîtent. Le sol tremble.

Corps à corps.

Les antennes plombées de leurs petites flèches fouettent l'air pour maintenir l'adversaire à distance. Les pattes griffues les frappent comme s'il s'agissait de petits roseaux agaçants.

Prise. Surprise. Méprise.

On attrape l'autre par les mandibules, les antennes, la tête, le thorax, l'abdomen, les pattes, les genoux, les coudes, les brosses articulaires, une brèche dans la carapace, un créneau dans la chitine, un œil.

Puis les corps basculent, roulent dans la terre moite. Des naines escaladent un coquelicot indolent et de là-haut se laissent choir toutes griffes tendues sur une rousse carrossée. Elles lui perforent le dos puis la trouent jusqu'au cœur.

Corps à corps.

Les mandibules rayent les armures lisses.

Une rousse utilise habilement ses antennes comme deux javelots qu'elle propulse simultanément. Elle transperce ainsi le crâne d'une dizaine d'adversaires, ne prenant même pas le temps de nettoyer ses tiges enduites de sang transparent.

Corps à corps. A mort.

Il y a bientôt tellement d'antennes et de pattes coupées par terre qu'on croirait marcher sur un tapis d'aiguilles de pin.

Les survivantes de La-chola-kan accourent et plongent dans la mêlée comme s'il n'y avait pas assez de décédés.

Subjuguée par le nombre de ses minuscules assaillantes, une rousse panique, recourbe son abdomen, s'arrose d'acide formique, tue ses adversaires et se tue en même temps. Ils fondent tous comme de la cire.

Plus loin, une autre guerrière déracine d'un coup sec la tête de son adversaire juste au moment où on lui arrache la sienne.

La 103 683e soldate a vu déferler sur elle les premières lignes de naines. Avec quelques dizaines de collègues de sa sous-caste, elle est arrivée à former un triangle qui a semé la terreur dans les grumeaux de naines. Le triangle a éclaté, maintenant elle est seule à affronter cinq Shigaepiennes déjà enduites du sang de sœurs aimées.

Elles la mordent partout. Tandis qu'elle leur répond de son mieux, les conseils lancés dans la salle de combat par la vieille guerrière lui reviennent automatiquement :

Tout se joue avant le contact. La mandibule ou le jet d'acide ne font qu'entériner une situation de dominance déjà reconnue par les deux adversaires... Tout est un jeu d'esprit. Il faut accepter la victoire et rien ne résiste.

Cela fonctionne peut-être pour un ennemi. Mais que faire lorsqu'il y en a cinq ? Là, elle sent qu'il y en a au moins deux qui veulent à tout prix gagner. La naine qui lui cisaille méthodiquement l'articulation du thorax et celle qui est en train de lui arracher la patte arrière gauche. Une vague d'énergie la submerge. Elle se débat, plante son antenne comme un stylet juste sous le cou de l'une, fait lâcher prise à l'autre en l'assommant d'un coup du plat de la mandibule.

Pendant ce temps des naines sont revenues lancer au beau milieu du champ de bataille des dizaines de têtes infectées à l'*alternaria*. Mais comme chacun est protégé par la bave d'escargot, les spores volettent, glissent sur les cuirasses avant de retomber mollement sur le sol fertile. Décidément ce n'est pas un jour faste pour les nouvelles armes. Elles ont toutes trouvé leur réplique.

A trois heures de l'après-midi, les combats sont à leur paroxysme. Les bouffées d'acide oléique, effluves caractéristiques émises par les cadavres myrmécéens en train de sécher, remplissent l'air. A quatre heures et demie, les rousses et les naines qui tiennent encore debout sur au moins deux pattes continuent d'en découdre sous les coquelicots. Les duels ne cessent qu'à cinq heures à cause d'un coup d'orage annonciateur d'une pluie imminente. On dirait que le ciel en a assez de tant de violence. A moins que ce ne soit tout bêtement les giboulées de mars qui arrivent avec retard.

Survivants et blessés se retirent. Bilan : 5 millions de morts dont 4 millions de naines. La-chola-kan est libérée.

A perte de vue, le sol est jonché de corps désarticulés, de cuirasses crevées, de sinistres tronçons qu'agite parfois un dernier souffle de vie. Partout du sang transparent comme une laque, des flaques d'acide jaunâtre.

Quelques naines, encore embourbées dans une mare de glu, se débattent en pensant pouvoir rejoindre leur Cité. Les oiseaux viennent les picorer rapidement avant que la pluie ne tombe.

Les éclairs illuminent les nuages anthracite et font étinceler quelques carcasses de tanks dont les mandibules arrogantes restent dressées. Comme si ces pointes sombres voulaient encore crever le ciel lointain. Les acteurs rentrés, la pluie nettoie la scène.

Elle parlait la bouche pleine.

— Bilsheim ?

— Allô ?

— *Groumf, groumf...* Vous vous foutez de ma gueule, Bilsheim ? Vous avez vu les journaux ? L'inspecteur Galin, c'est de chez vous ça ? C'est bien le petit jeune agaçant qui voulait me tutoyer les premiers jours ?

C'était Solange Doumeng, la directrice de la PJ.

— Euh oui, je crois.

— Je vous avais dit de le lourder, et maintenant je le découvre en vedette posthume. Vous êtes complètement givré ! Qu'est-ce qui vous a pris d'envoyer quelqu'un d'aussi peu expérimenté sur une affaire aussi grave ?

— Galin n'est pas inexpérimenté, c'est même un excellent élément. Mais je crois que nous avons sous-estimé l'affaire...

— Les bons éléments sont ceux qui trouvent les solutions, les mauvais sont ceux qui trouvent les excuses.

— Il existe des affaires où même les meilleurs d'entre nous...

— Il existe des affaires où même les plus mauvais d'entre vous ont un devoir de réussite. Aller repêcher un couple dans une cave fait partie de cette catégorie.

— Je m'excuse mais...

— Vos excuses vous savez où vous pouvez vous les mettre, mon beau ? Vous allez me faire le plaisir de retourner au fond de cette cave et de m'en sortir tout le monde. Votre héros Galin mérite une sépulture chrétienne. Et je veux un article élogieux sur notre service avant la fin du mois.

— Et pour...

— Et pour toute cette histoire ! Et je veux que vous teniez votre bec ! Vous ne ferez tout le foin avec la presse qu'une fois cette affaire bouclée. Vous prenez si vous le voulez six gendarmes et du matériel de pointe. C'est tout.

— Et si...

— Et si vous vous plantez, comptez sur moi pour vous gâcher votre retraite !

Elle raccrocha.

Le commissaire Bilsheim savait prendre tous les fous, sauf elle. Il se résigna donc à mettre au point un plan de descente.

LORSQUE L'HOMME : *Lorsque l'homme a peur, est heureux ou en rage, ses glandes endocrines produisent des hormones qui n'influent que sur son propre corps. Elles tournent en vase clos. Son cœur va accélérer, il va suer, ou faire des grimaces, ou crier, ou pleurer. Ce sera son affaire. Les autres le regarderont sans compatir, ou en compatissant parce que leur intellect l'aura décidé.*

Lorsque la fourmi a peur, est heureuse ou en rage, ses hormones circulent dans son corps, sortent de son corps et pénètrent dans le corps des autres. Grâce aux phéro-hormones, ou phéromones, ce sont des millions de personnes qui vont crier et pleurer en même temps. Ce doit être une sensation incroyable de ressentir les choses vécues par les autres, et de leur faire ressentir tout ce que l'on ressent soi-même...

Edmond Wells,
Encyclopédie du savoir relatif et absolu.

Dans toutes les cités de la Fédération, c'est la liesse. Les trophallaxies sucrées sont abondamment offertes aux combattantes épuisées. Cependant, ici il n'y a pas de héros. Chacun a accompli sa tâche ; bien ou mal, peu importe, tout repart de zéro à la fin des missions.

On panse les blessures à grandes lapées de salive. Quelques jeunes naïves tiennent dans leurs mandibules une, deux ou trois de leurs pattes arrachées au combat, qu'elles ont récupérées par miracle. On leur explique que ça ne se recolle pas.

Dans la grande salle de lutte de l'étage – 45, des soldates reconstituent pour ceux qui n'y étaient pas les épisodes successifs de la bataille des Coquelicots. Une moitié joue les naines, l'autre les rousses.

Elles miment l'attaque de la Cité interdite de La-chola-kan, la charge rousse, la lutte contre les têtes enterrées, la fausse fuite, l'entrée des tanks, leur déroute face aux carrés des naines, l'assaut de la colline, les lignes d'artilleuses, la mêlée finale...

Les ouvrières sont venues nombreuses. Elles commentent chaque tableau de cette évocation. Un point retient particulièrement leur attention : la technique des tanks. Il est vrai que leur caste y tient sa place ; à leur avis, il ne faut pas y renoncer, il faut apprendre à l'utiliser plus intelligemment, pas seulement en charge frontale.

Entre tous les rescapés de la bataille, 103 683e s'en est bien tirée. Elle n'a perdu qu'une patte. Une broutille quand on en a six à sa disposition. Cela mérite à peine d'être signalé. La 56e femelle et le 327e mâle, qui en tant que sexués n'ont pu participer à la guerre, l'attirent dans un coin. Contact antennaire.

Il n'y a pas eu de problème ici ?

Non, les guerrières au parfum de roche étaient toutes dans la bagarre. On est restés enfermés dans la Cité interdite, au cas où les naines arriveraient jusqu'ici. Et là-bas ? Tu as vu l'arme secrète ?

Non.

Comment ça, non ? On a parlé d'une branche d'acacia mobile...

103 683ᵉ explique que la seule arme nouvelle à laquelle elles ont été confrontées a été l'atroce *alternaria,* mais qu'elles ont trouvé la parade.

Ce ne peut être ça qui a tué la première expédition-,constate le mâle. *L'alternaria* met beaucoup de temps à tuer. En outre, il en est certain : aucun des cadavres qu'il a examinés n'avait la moindre trace de ces spores mortelles. *Alors ?*

Déroutés, ils décident de prolonger leur CA. Ils aimeraient vraiment y voir plus clair. Nouveau bouillon d'idées et d'avis :

Pourquoi les naines n'ont-elles pas recouru à l'arme qui avait si radicalement détruit les vingt-huit exploratrices ? Elles ont pourtant tout tenté pour gagner. Si une telle arme était entre leurs pattes, elles ne se seraient pas gênées pour s'en servir ! Et si elles ne la possédaient pas ? Elles arrivent toujours avant ou après que l'arme secrète ne frappe, c'est peut-être par pur hasard...

Cette hypothèse cadrerait assez bien avec l'attaque de La-chola-kan. Quant à la première expédition, on a très bien pu laisser des traces de passeports de naines pour lancer la Meute sur une mauvaise piste. Et qui aurait intérêt à faire ça ? Si les naines ne sont pas responsables de tous les mauvais coups, vers qui se tourner ? Vers les autres ! Le second adversaire implacable, l'ennemi héréditaire : les termites !

Le soupçon n'a rien de fantaisiste. Depuis quelque temps, des soldates isolées de la grande termitière de l'Est passent le fleuve et multiplient les incursions dans les zones de chasse fédérées. Oui, c'est sûrement les termites. Ils se sont arrangés pour monter naines et rousses les unes contre les autres. Comme ça, ils se débarrassent des deux sans coup férir. Leurs ennemis bien affaiblis, ils n'ont plus qu'à cueillir les fourmilières.

Et les guerrières aux odeurs de roche ? Ce seraient des espionnes mercenaires au service des termites, voilà tout.

Plus leur commune pensée s'affine à force de tourner dans leurs trois cerveaux, et plus il leur paraît acquis que ce sont les termites de l'Est qui possèdent la mystérieuse « arme secrète ».

Mais ils sont dérangés et arrachés à leur colloque par les odeurs générales de la Meute. La Cité a décidé de mettre à profit l'entre-deux-guerres en avançant la fête de la Renaissance : elle aura lieu demain.

Toutes les castes en place ! Les femelles et les mâles, aux salles des gourdes pour faire le plein de sucre ! Les artilleuses, rechargez vos abdomens aux salles de chimie organique !

Avant de quitter ses compagnons, la 103 683e soldate lâche une phéromone :

Bonne copulation ! Ne vous en faites pas, je poursuis l'enquête de mon côté. Quand vous serez dans le ciel, je prendrai le chemin de la grande termitière de l'Est.

A peine se sont-ils séparés que les deux tueuses, la grosse brute et la petite boiteuse, apparaissent. Elles raclent les murs et récupèrent les phéromones volatiles de leur conversation.

Après l'échec tragique de l'inspecteur Galin et des pompiers, Nicolas avait été placé dans un orphelinat situé à quelques centaines de mètres seulement de la rue des Sybarites.

Outre les purs orphelins, on y entassait les enfants rejetés ou battus par leurs parents. Les humains sont en effet l'une des rares espèces à être capables d'abandonner ou de maltraiter leur progéniture. Les petits humains passaient là des années éprouvantes, éduqués à grands coups de pied aux fesses. Ils grandissaient, s'endurcissaient. La plupart entraient ensuite dans l'armée de métier.

Le premier jour, Nicolas resta prostré sur le balcon à regarder la forêt. Il retrouva dès le lendemain la salutaire routine de la télévision. Le poste était installé dans le réfectoire, et les pions, satisfaits de se débarrasser des « merdeux », les y laissaient s'abrutir pendant des heures. Le soir, Jean et Philippe, deux autres orphelins, le questionnèrent dans le dortoir :

— Qu'est-ce qu'il t'est arrivé à toi ?

— Rien.

— Allez raconte. On ne vient pas ici comme ça à ton âge. D'abord t'as quel âge ?

— Moi je sais. Il paraît que ses parents se sont fait bouffer par des fourmis.

— Qui c'est qui vous a raconté cette connerie ?

— Quelqu'un, nanananère, et on te dira qui si tu nous racontes ce qui est arrivé à tes parents.

— Vous pouvez crever.

Jean, le plus costaud, saisit Nicolas par les épaules tandis que Philippe lui tordait le bras en arrière.

Nicolas se dégagea d'une ruade et frappa Jean au cou du tranchant de la main (il avait vu faire ça à la télé dans un film chinois). L'autre se mit à tousser. Philippe revint à la charge en tentant d'étrangler Nicolas, qui lui lança alors la pointe de son coude dans l'estomac. Débarrassé de son agresseur, à genoux et plié en deux, Nicolas fit de nouveau face à Jean en lui crachant au visage. Celui-ci plongea et lui mordit le mollet jusqu'au sang. Les trois jeunes humains roulèrent sous les lits, continuant de se battre comme des chiffonniers. Nicolas eut finalement le dessous.

— Dis-nous ce qui est arrivé à tes parents ou on te fait bouffer des fourmis !

Jean avait trouvé ça dans l'action. Il n'était pas

mécontent de sa phrase. Pendant qu'il maintenait le nouveau plaqué contre le plancher, Philippe courut chercher quelques hyménoptères, pas du tout rares en ces lieux, et revint les lui brandir devant le visage :

— Tiens, en voilà des bien grasses !

(Comme si les fourmis, dont le corps est enveloppé d'une carapace rigide, pouvaient connaître des épaisseurs de graisse !)

Puis il lui pinça le nez pour le forcer à ouvrir la bouche, où il jeta avec dégoût trois jeunes ouvrières qui avaient vraiment autre chose à faire. Nicolas eut alors la surprise de sa vie. C'était délicieux.

Les autres, étonnés de ne pas le voir recracher l'aliment infâme, voulurent goûter à leur tour.

La salle des gourdes à miellat est l'une des plus récentes innovations de Bel-o-kan. La technologie des « gourdes » a en effet été empruntée aux fourmis du Sud qui, depuis les grandes chaleurs, n'arrêtent pas de remonter vers le nord.

C'est bien entendu lors d'une guerre victorieuse contre ces fourmis que la Fédération a découvert leur salle des gourdes. La guerre, meilleure source et meilleur vecteur de circulation d'inventions dans le monde des sociétés insectes.

Sur le coup, les légionnaires belokaniennes furent horrifiées, de voir quoi ? Des ouvrières condamnées à passer toute leur vie suspendues au plafond, tête en bas et l'abdomen tellement gonflé qu'il était deux fois plus gros que celui d'une reine ! Les sudistes expliquèrent que ces fourmis « sacrifiées » étaient des bonbonnes vivantes, capables de conserver au frais d'incroyables quantités de nectar, de rosée ou de miellat.

En somme, il avait suffi de pousser à l'extrême l'idée de « jabot social » pour aboutir à celle de « fourmi citerne » — et la mettre en pratique. On venait titiller le bout de l'abdomen de ces vivants réfrigérateurs qui délivraient alors au goutte-à-goutte ou même à plein ruisseau leurs jus précieux.

Les sudistes résistaient grâce à ce système aux grandes vagues de sécheresse qui frappent les régions tropicales. Quand elles migraient, elles transportaient leurs gourdes à bout de bras et restaient parfaitement hydratées durant tout le voyage. A les en croire, les bonbonnes étaient aussi précieuses que les œufs.

Les Belokaniennes piratèrent donc la technique des gourdes, mais y virent surtout l'intérêt de pouvoir stocker de grosses quantités de nourriture avec une qualité de conservation et d'hygiène inégalée.

Tous les mâles et toutes les femelles de la Cité se présentent dans la salle pour faire le plein de sucre et d'eau. Devant chaque bonbonne vivante s'allonge une queue de solliciteurs ailés. 327e et 56e s'abreuvent ensemble, puis se séparent.

Lorsque tous les sexués et toutes les artilleuses sont passés, les fourmis-citernes sont vides. Une armée d'ouvrières se hâtent de les réapprovisionner en nectar, rosée et miellat, jusqu'à ce que les abdomens avachis retrouvent leur forme de petits ballons brillants.

Nicolas, Philippe et Jean furent surpris par un pion, et punis ensemble. Ils devinrent ainsi les meilleurs amis de l'orphelinat.

On les trouvait le plus souvent au réfectoire, devant la télé. Ils en étaient à regarder, ce jour-là, un épisode de l'inusable série « Extraterrestre et fier de l'être ».

Ils glapirent et se poussèrent du coude en voyant que ça racontait l'arrivée de cosmonautes sur une planète habitée par des fourmis géantes.

« Bonjour, nous sommes des Terriens.

— Bonjour, nous sommes des fourmis géantes de la planète Zgü. »

Pour le reste le scénario était relativement banal : les fourmis géantes étaient télépathes. Elles envoyaient des messages aux Terriens leur ordonnant de s'entre-tuer. Mais le dernier survivant comprenait tout et mettait le feu à la cité ennemie...

Satisfaits de cette fin, les enfants décidèrent d'aller manger quelques fourmis sucrées. Mais, curieusement, celles qu'ils capturèrent n'avaient plus le goût de bonbon des premières. Elles étaient plus petites et leur saveur était acide. Comme du citron concentré. *Berk !*

Tout doit se dérouler vers midi au point le plus élevé de la Cité.

Dès les premières tiédeurs de l'aurore, les artilleuses se sont installées dans les niches de protection qui forment comme une couronne autour du sommet. Anus pointé vers le ciel, elles dressent un barrage antiaérien contre les oiseaux qui ne sauraient tarder à rappliquer. Certaines se coincent l'abdomen entre des branchettes pour atténuer l'effet de recul. Ainsi calées, elles pensent pouvoir lâcher deux ou trois salves dans la même direction sans trop dévier.

La 56e femelle est dans sa loge. Des soigneuses asexuées enduisent ses ailes de salive protectrice. *Vous êtes déjà sorties dans le grand Extérieur ?* Les ouvrières ne répondent pas. Evidemment, qu'elles sont déjà sorties, mais à quoi bon lui dire : dehors c'est plein d'arbres et d'herbes ? Dans quelques minutes, la reine potentielle s'en rendra compte par elle-même. Vouloir savoir par contact antennaire ce qu'est le monde, voilà bien un caprice de sexué !

Les ouvrières ne l'en bichonnent pas moins. Elles lui tirent sur les pattes pour les assouplir. Elles la forcent à se contorsionner pour faire craquer ses articulations thoraciques et abdominales. Elles vérifient que son jabot social est surgavé de miellat en le pressant pour lui faire dégorger une goutte. Ce sirop devrait lui permettre de tenir quelques heures de vol continu.

Voilà. 56e est prête. A la suivante.

La princesse parée de tous ses atours et de tous ses

parfums quitte le gynécée. Le 327e mâle ne s'y était pas trompé, c'est vraiment une grande beauté.

Elle peine à soulever ses ailes. C'est fou comme elles ont poussé vite ces derniers jours. Elles sont désormais si longues et si lourdes qu'elles traînent à terre... comme un voile nuptial.

D'autres femelles apparaissent au débouché des couloirs. En compagnie d'une centaine de ces vierges, 56e circule déjà dans les branchettes du dôme. Certaines exaltées s'accrochent à des brindilles ; leurs quatre ailes s'en trouvent rayées, transpercées ou carrément arrachées. Les malheureuses ne vont pas plus haut, de toute façon elles ne pourraient pas décoller. Dépitées, elles redescendent au cinquième étage. Comme les princesses naines, elles ne connaîtront pas l'envol d'amour. Elles se reproduiront tout bêtement dans une salle close, à même le sol.

La 56e femelle, elle, est encore intacte. Elle sautille d'une brindille à l'autre en faisant bien attention de ne pas tomber et de ne pas abîmer ses ailes délicates.

Une sœur qui chemine à ses côtés sollicite un contact antennaire. Elle se demande ce que peuvent être ces fameux mâles reproducteurs. Des sortes de faux-bourdons ou de mouches ?

56e ne répond pas. Elle repense à 327e, à l'énigme de l'« arme secrète ». Tout est fini. Plus de cellule de travail. En tout cas pour les deux sexués. Toute l'affaire est désormais entre les griffes de 103 683e.

Elle se remémore avec nostalgie les événements.

Le mâle fugitif qui débarque dans sa loge... sans passeports !

Leur première communication absolue.

Leur rencontre avec 103 683e.

Les tueuses au parfum de roche.

La course dans les bas-fonds de la Cité.

La cachette remplie des cadavres de ce qui aurait pu être leur « légion ».

La lomechuse.

Le passage secret dans le granit...

Tout en marchant, elle remue les souvenirs et

s'estime privilégiée. Aucune de ses sœurs n'a vécu de telles aventures, avant même d'avoir quitté la Cité.

Les tueuses aux odeurs de roche... La lomechuse... Le passage secret dans le granit...

La folie ne peut rien expliquer, s'agissant d'individus aussi nombreux. Des mercenaires espionnant au bénéfice des termites ? Non, ça ne colle décidément pas, il n'y en aurait pas autant, pas aussi bien organisées.

Resterait de toute façon un point qui ne cadre avec rien : pourquoi y a-t-il des réserves de nourriture sous le plancher de la Cité ? Pour nourrir les espionnes ? Non, il y a là de quoi engraisser des millions de personnes... Elles ne sont quand même pas des millions.

Et cette surprenante lomechuse. C'est un animal de surface. Il est impossible qu'elle soit descendue par ses propres moyens à l'étage – 50. On l'a donc transportée. Mais dès qu'on approche cet insecte, on est captivé par ses effluves. Il faut donc un groupe assez fort, pour envelopper le monstre dans des feuilles souples et le transbahuter discrètement jusqu'en bas.

Plus elle y pense, plus elle se rend compte que cela suppose des moyens considérables. Et en fait, à bien regarder les choses en face, tout se passe comme si une partie de la Meute avait un secret, qu'elle protégeait farouchement contre ses propres sœurs.

Des contacts inconnus lui vrillent la tête. Elle s'arrête. Ses congénères croient qu'elle défaille d'émotion avant l'envol nuptial. Ça arrive parfois, les sexués sont si sensibles. Elle ramène ses antennes sur sa bouche. Elle se répète rapidement : l'expédition numéro un anéantie, l'arme secrète, les trente légionnaires tués, la lomechuse, le passage secret dans la roche granitique, les réserves alimentaires...

Ça y est, bon sang, elle a compris ! Elle s'élance à contre-courant. Pourvu qu'il ne soit pas trop tard !

EDUCATION : *L'éducation des fourmis se fait selon les étapes suivantes.*

— Du premier au dixième jour, la plupart des jeunes s'occupent de la reine pondeuse. Ils la soignent, la lèchent, la caressent. En retour, celle-ci les badigeonne de sa salive nourrissante et désinfectante.

— Du onzième au vingtième jour, les ouvrières obtiennent le droit de soigner les cocons.

— Du vingt et unième au trentième jour, elles surveillent et nourrissent les larves cadettes.

— Du trente et unième au quarantième jour, elles vaquent aux tâches domestiques et de voirie tout en continuant à soigner la reine mère et les nymphes.

— Le quarantième jour est une date importante. Jugées suffisamment expérimentées, les ouvrières ont le droit de sortir de la Cité.

— Du quarantième au cinquantième jour, elles servent de gardiennes ou de trayeuses du puceron.

— Du cinquantième au dernier jour de leur vie, elles peuvent accéder à l'occupation la plus passionnante pour une fourmi citadine : la chasse et l'exploration de contrées inconnues.

Nota : *dès le onzième jour les sexués ne sont plus astreints au travail. Ils restent le plus souvent oisifs, consignés dans leurs quartiers jusqu'au jour du vol nuptial.*

Edmond Wells,
Encyclopédie du savoir relatif et absolu.

Le 327e mâle se prépare lui aussi. Dans le champ de ses antennes, les autres mâles ne parlent que de femelles. Très peu en ont vu. Ou alors c'étaient de furtives visions dans les couloirs de la Cité interdite. Beaucoup fantasment. Ils les imaginent avec des parfums capiteux, d'un érotisme foudroyant.

Un des princes prétend avoir échangé une trophallaxie avec une femelle. Son miellat avait la saveur de la sève de bouleau, ses hormones sexuelles émettaient des effluves comparables à ceux des jonquilles coupées.

Les autres l'envient en silence.

327e qui, lui, a vraiment goûté au miellat d'une femelle (et de quelle femelle !) sait que celui-ci n'est en rien différent du miellat des ouvrières ou des bonbonnes. Toutefois, il ne se mêle pas à la conversation.

Une idée coquine lui traverse plutôt l'esprit. Il

aimerait bien fournir à la 56e femelle les spermatozoïdes nécessaires à la construction de sa future Cité. S'il pouvait la retrouver... Dommage qu'ils n'aient pas pensé à mettre au point une phéromone de reconnaissance pour se rejoindre parmi la foule.

Lorsque la 56e femelle parvient dans la salle des mâles, c'est la surprise générale. Venir ici est contraire à toutes les règles de la Meute. Les mâles et les femelles ne doivent se voir pour la première fois qu'au moment du vol nuptial. On n'est pas chez les naines, ici. On ne copule pas dans les couloirs.

Les princes qui voulaient tant savoir ce qu'était une femelle sont désormais fixés. Ils émettent avec ensemble des parfums hostiles signifiant qu'elle ne doit pas rester dans cette pièce.

Elle continue malgré tout à progresser au milieu du tumulte des préparatifs. Elle bouscule tout le monde, disperse à tout va ses phéromones.

327e ! 327e ! Où es-tu, 327e ?

Les princes ne se gênent pas pour lui dire qu'on ne choisit pas comme ça son mâle copulateur ! Elle doit être patiente, faire confiance au hasard. Un peu de pudeur...

La 56e femelle finit pourtant par trouver son compagnon. Il est mort. Sa tête a été tranchée net d'un coup de mandibules.

TOTALITARISME : Les fourmis intéressent les hommes, car ils pensent qu'elles sont parvenues à créer un système totalitaire réussi. Il est vrai que de l'extérieur on a l'impression que dans la fourmilière tout le monde travaille, tout le monde obéit, tout le monde est prêt à se sacrifier, tout le monde est pareil. Et pour l'instant les systèmes totalitaires humains ont tous échoué...

Alors on pense à copier l'insecte social (l'emblème de Napoléon n'était-il pas l'abeille ?). Les phéromones qui inondent la fourmilière d'une information globale, c'est la télévision planétaire d'aujourd'hui. L'homme croit qu'en offrant à tous ce qu'il estime le meilleur, il débouchera un jour sur une humanité parfaite.

Ce n'est pas le sens des choses.

La nature, n'en déplaise à M. Darwin, n'évolue pas vers la suprématie des meilleurs (selon quels critères, d'ailleurs ?).

La nature puise sa force dans la diversité. Il lui faut des bons, des

méchants, des fous, des désespérés, des sportifs, des grabataires, des bossus, des becs-de-lièvre, des gais, des tristes, des intelligents, des imbéciles, des égoïstes, des généreux, des petits, des grands, des noirs, des jaunes, des rouges, des blancs... Il en faut de toutes les religions, de toutes les philosophies, de tous les fanatismes, de toutes les sagesses... Le seul danger est que l'une quelconque de ces espèces soit éliminée par une autre.
On a vu que les champs de maïs artificiellement conçus par les hommes et composés des frères jumeaux du meilleur épi (celui qui a besoin de moins d'eau, celui qui résiste le mieux au gel, celui qui donne les plus beaux grains) mouraient tous d'un coup à la moindre maladie. Alors que les champs de maïs sauvages, composés de plusieurs souches différentes ayant chacune leurs spécificités, leurs faiblesses, leurs anomalies, arrivaient toujours à trouver une parade aux épidémies.
La nature hait l'uniformité et aime la diversité. C'est là peut-être que se reconnaît son génie.

Edmond Wells,
Encyclopédie du savoir relatif et absolu.

Elle regagne le dôme à petits pas accablés. Dans un couloir proche du gynécée, ses ocelles infrarouges lui font distinguer deux silhouettes. Ce sont les assassins au parfum de roche ! Il y a la grosse et la petite qui boite !

Alors qu'elles viennent droit sur elle, 56e fait vrombir ses ailes et saute au cou de la boiteuse. Mais elles ont tôt fait de l'immobiliser. Pourtant, au lieu de l'exécuter, elles lui imposent un contact antennaire.

La femelle est en rage. Elle leur demande pourquoi avoir tué le 327e mâle, puisque de toute façon il allait mourir lors du vol. Pourquoi l'ont-elles assassiné ?

Les deux tueuses essaient de la raisonner. Certaines choses, selon elles, ne sauraient attendre. Et quoi qu'il en coûte. Il y a des tâches mal vues, des gestes mal jugés qui doivent pourtant être accomplis si l'on veut que la Meute continue à fonctionner normalement. Faut pas être naïf... l'unité de Bel-o-kan, cela se mérite. Et si cela devient nécessaire, ça se soigne !

Mais alors, elles ne sont pas des espionnes ?

Non, elles ne sont pas des espionnes. Elles prétendent même être... les principales gardiennes de la sécurité et de la santé de la Meute.

La princesse hurle des phéromones de colère. Parce que 327e était dangereux pour la sécurité de la Meute ? Oui, répondent les deux tueuses. Un jour elle comprendrait, pour l'instant elle était encore jeune...

Comprendre, comprendre quoi ? Qu'il y a des assassins superorganisés au sein même de la Cité, et qu'ils prétendent la sauver en éliminant des mâles qui ont « vu des choses cruciales pour la survie de la Meute ».

La boiteuse condescend à s'expliquer. Il ressort de son discours que les guerrières au parfum de roche sont les « soldates anti-mauvais stress ». Il y a de bons stress qui font que la Meute progresse et combat. Et il y a de mauvais stress qui font que la Meute s'autodétruit...

Toutes les informations ne sont pas bonnes à entendre. Certaines provoquent des angoisses « métaphysiques », qui n'ont pas encore de solution. Alors, la Meute s'inquiète, mais se trouve inhibée, incapable de réagir...

C'est très mauvais pour tous. La Meute se met à produire des toxines qui l'empoisonnent. La survie de la Meute « à long terme » est plus importante que la connaissance du réel « à court terme ». Si un œil a vu quelque chose que le cerveau sait dangereux pour tout le reste de l'organisme, il vaut mieux que le cerveau crève cet œil...

La grosse se joint à la boiteuse pour résumer ainsi ces savants propos :

Nous avons crevé l'œil,
Nous avons coupé le stimulus nerveux,
Nous avons arrêté l'angoisse.

Les antennes insistent, précisant que tous les organismes sont munis de ce genre de sécurité parallèle.

Ceux qui ne l'ont pas meurent de peur ou se suicident pour ne pas affronter le réel angoissant.

56e est assez surprise mais ne perd pas pied. Belle phéromone en vérité ! S'ils veulent cacher l'existence de l'arme secrète, il est de toute façon trop tard. Tout le monde sait que La-chola-kan en a d'abord été victime, même si le mystère reste entier du point de vue technologique...

Les deux soldates, toujours flegmatiques, ne relâchent pas leur étreinte. Pour La-chola-kan, tout le monde a déjà oublié ; la victoire a apaisé les curiosités. D'ailleurs, il suffit de renifler dans les couloirs, il n'y a pas la moindre odeur de toxine. Toute la Meute est tranquille en cette veille de fête de la Renaissance.

Que lui veulent-elles alors ? Pourquoi lui coincent-elles la tête ainsi ?

Durant la course-poursuite dans les étages inférieurs, la boiteuse a repéré une troisième fourmi. Une soldate. Quel est son numéro d'identification ?

Voilà donc pourquoi elles ne l'ont pas tuée tout de suite ! En guise de réponse, la femelle plante profondément ses deux pointes d'antennes dans les yeux de la grosse. D'être aveugle de naissance ne l'empêche pas d'avoir très mal. Quant à la boiteuse, stupéfaite, elle lâche à moitié prise.

La femelle court et vole pour aller plus vite. Ses ailes soulèvent un nuage de poussières qui égare ses poursuivantes. Vite, il lui faut rejoindre le dôme.

Elle vient de frôler la mort. Elle va maintenant commencer une autre vie.

Extrait du discours de pétition contre les fourmilières jouets, prononcé par Edmond Wells devant la commission d'enquête de l'Assemblée nationale :

« Hier, j'ai vu dans les magasins ces nouveaux jouets offerts aux enfants pour leur Noël. Ce sont des boîtes en plastique transparent, remplies de terre avec six cents fourmis à l'intérieur et la garantie d'une reine féconde.

On les voit travailler, creuser, courir.

Pour un enfant c'est fascinant. C'est comme si on lui offrait une ville. A part que les habitants sont minuscules. Comme des centaines de petites poupées mobiles et douées d'autonomie.

Pour tout avouer, je possède moi-même de semblables fourmilières. Tout simplement parce que, dans le cadre de mon travail de biologiste, je suis amené à les étudier. Je les ai installées dans des aquariums bouchés avec du carton aéré.

Cependant, chaque fois que je me retrouve devant ma fourmilière, j'ai une impression bizarre. Comme si j'étais omnipotent dans leur monde. Comme si j'étais leur Dieu...

Si j'ai envie de les priver de nourriture, mes fourmis mourront toutes ; s'il me prend fantaisie d'engendrer la pluie, il me suffit de verser à l'arrosoir le contenu d'un verre sur leur cité ; si je décide de leur augmenter la température ambiante, j'ai juste à les installer sur le radiateur ; si je veux en kidnapper une pour l'examiner au microscope, je n'ai qu'à prendre mes pincettes et les plonger dans l'aquarium ; et si mon caprice est d'en tuer, il n'y aura aucune résistance. Elles ne comprendront même pas ce qui leur arrive.

Je vous le dis, Messieurs, c'est un pouvoir exorbitant qui nous est donné sur ces êtres, uniquement parce qu'ils sont de morphologie réduite.

Moi, je n'en abuse pas. Mais j'imagine un enfant... lui aussi, il peut tout leur faire.

Parfois il me vient une idée stupide. En voyant ces cités de sable, je me dis : et si c'était la nôtre ? Si nous étions nous aussi installés dans quelque aquarium prison et surveillés par une autre espèce géante ?

Si Adam et Eve avaient été deux cobayes expérimentaux déposés dans un décor artificiel, pour “voir” ?

Si le bannissement du paradis dont parle la Bible n'avait été qu'un changement d'aquarium prison ?

Si le Déluge, après tout, n'avait été qu'un verre d'eau renversé par un Dieu négligent ou curieux ?

Impossible, me direz-vous ? Allez savoir... La seule différence pourrait être que mes fourmis sont retenues par des parois de verre et que nous sommes enfermés par une force physique : l'attraction terrestre !

Mes fourmis arrivent toutefois à taillader le carton, plusieurs se sont déjà évadées. Et nous, nous arrivons à lancer des fusées qui échappent à l'attraction gravitationnelle.

Revenons aux cités en aquarium. Je vous l'ai dit tout à l'heure, je suis un dieu magnanime, miséricordieux, et même un peu superstitieux. Alors je ne fais jamais souffrir mes sujets. Je ne leur fais pas ce que je n'aimerais pas qu'on me fasse.

Mais les milliers de fourmilières vendues à la Noël vont transformer les enfants en autant de petits dieux. Seront-ils tous aussi magnanimes et miséricordieux que moi ?

Sûrement, la plupart comprendront qu'ils sont responsables d'une ville et que cela leur donne des droits mais aussi des devoirs divins : les nourrir, les mettre à bonne température, ne pas les tuer pour le plaisir.

Les enfants, cependant, et je pense notamment aux tout-petits qui ne sont pas encore responsables, subissent des contrariétés : échecs scolaires, disputes des parents, bagarres avec les copains. Dans un accès de colère, ils peuvent très bien oublier leurs devoirs de "jeune dieu", et je n'ose imaginer alors le sort de leurs "administrés"...

Je ne vous demande pas de voter cette loi interdisant les fourmilières jouets au nom de la pitié pour les fourmis, ou de leurs droits d'animaux. Les animaux n'ont aucun droit : on les fait naître en batterie pour les sacrifier à notre consommation. Je vous demande de la voter en imaginant que nous-mêmes sommes peut-être étudiés et prisonniers d'une structure géante. Souhaiteriez-vous que la Terre soit un jour offerte en cadeau de Noël à un jeune di[illegible]ponsable ? »

Le soleil est à son zénith.

Les retardataires, mâles et femelles, se pressent dans les artères affleurant à la peau de la Cité. Des ouvrières les poussent, les lèchent, les encouragent.

La 56e femelle se noie à temps dans cette foule en liesse où toutes les odeurs passeports se confondent. Personne ici n'arrivera à identifier ses effluves. Se laissant porter par le flot de ses sœurs, elle monte de plus en plus haut et traverse des quartiers jusqu'alors inconnus.

Soudain, à l'angle d'un couloir, elle rencontre une chose qu'elle n'avait encore jamais vue. La lumière du jour. Ce n'est d'abord qu'un halo sur les murs, mais bientôt cela se transforme en clarté aveuglante. Voici enfin cette force mystérieuse que lui avaient décrite les nourrices. La chaude, la douce, la belle lumière. La promesse d'un nouveau monde fabuleux.

A force d'absorber des photons bruts dans ses globes oculaires, elle se sent ivre. Comme si elle avait abusé du miellat fermenté du trente-deuxième étage.

La 56e princesse continue d'avancer. Le sol est éclaboussé de taches d'un blanc dur. Elle patauge dans les photons chauds. Pour quelqu'un qui a vécu son enfance sous terre, le contraste est violent.

Nouveau virage. Un pinceau de lumière pure la fusille, s'élargit en cercle éblouissant, puis en voile d'argent. Le bombardement de lumière l'oblige à reculer. Elle en sent les grains lui entrer dans les yeux, lui brûler les nerfs optiques, lui ronger les trois cerveaux. Trois cerveaux... vieil héritage des ancêtres vers qui possédaient un ganglion nerveux pour chaque anneau, un système nerveux pour chaque partie du corps.

Elle progresse contre le vent de photons. Au loin elle distingue les silhouettes de ses sœurs qui se font happer par l'astre solaire. On dirait des fantômes.

Elle avance encore. Sa chitine devient tiède. Cette lumière qu'on a mille fois essayé de lui décrire est au-delà de tout langage, il faut la vivre ! Elle a une pensée pour toutes les ouvrières de la sous-caste des « concierges » qui restent toute leur vie enfermées dans la Cité et ne sauront jamais ce qu'est l'extérieur et son soleil.

Elle pénètre dans le mur de lumière et se trouve projetée de l'autre côté, hors de la Cité. Ses yeux à facettes accommodent peu à peu, cependant qu'elle ressent les piqûres de l'air sauvage. Un air froid, mobile et parfumé, à l'opposé de l'atmosphère apprivoisée du monde où elle a vécu.

Ses antennes virevoltent. Elle a du mal à les orienter à sa guise. Un courant d'air plus rapide les lui plaque sur le visage. Ses ailes claquent.

Là-haut, à la pointe du dôme, des ouvrières la réceptionnent. Elles la saisissent par les pattes, la hissent, la poussent en avant dans une cohue de sexués, des centaines de mâles et de femelles qui grouillent et s'entassent sur une étroite surface. La 56e princesse comprend qu'elle est sur la piste de décollage du vol nuptial mais qu'il faut attendre que la météo soit meilleure.

Or, tandis que le vent continue de faire des siennes, une dizaine de moineaux ont repéré les sexués. Excités par l'aubaine, ils volettent de plus en plus près. Lorsqu'ils se rapprochent trop, les artilleuses placées en couronne autour de la cime les gratifient de leurs jets d'acide.

Justement, voilà qu'un de ces oiseaux tente sa chance, il plonge dans le tas, saisit trois femelles et remonte ! Avant que l'audacieux n'ait repris de l'altitude, il est abattu par les artilleuses ; il se roule dans l'herbe, pitoyable, la bouche encore pleine, dans l'espoir d'essuyer le poison de ses ailes.

Que ça leur serve d'exemple, à tous ! Et de fait, les moineaux ont un peu reculé... Mais personne n'est dupe. Ils ne vont pas tarder à revenir, tester encore la défense antiaérienne.

PRÉDATEUR : Que serait notre civilisation humaine si elle ne s'était pas débarrassée de ses prédateurs majeurs, tels les loups, les lions, les ours ou les lycaons ?
Sûrement une civilisation inquiète, en perpétuelle remise en cause. Les Romains, pour se donner des frayeurs au milieu de leurs libations, faisaient apporter un cadavre. Tous se rappelaient ainsi que rien n'est gagné et que la mort peut survenir à n'importe quel instant.
Mais de nos jours l'homme a écrasé, éliminé, mis au musée toutes les espèces capables de le manger. Si bien qu'il ne reste plus que les microbes, et peut-être les fourmis, pour l'inquiéter.
La civilisation myrmécéenne, en revanche, s'est développée sans parvenir à éliminer ses prédateurs majeurs. Résultat : cet insecte vit une perpétuelle remise en cause. Il sait qu'il n'a fait que la moitié du chemin, puisque même l'animal le plus stupide peut détruire d'un coup de patte le fruit de millénaires d'expérience réfléchie.

Edmond Wells,
Encyclopédie du savoir relatif et absolu.

Le vent s'est calmé, les courants d'air se font rares, la température monte. A 22°-temps, la Cité décide de lâcher ses enfants.

Les femelles font vrombir leurs quatre ailes. Elles sont prêtes, archiprêtes. Toutes ces odeurs de mâles mûrs ont porté leur appétit sexuel à son comble.

Les premières vierges décollent avec grâce. Elles s'élèvent à une centaine de têtes et... se font déjà faucher par les moineaux. Aucune ne passe.

En bas, c'est le désarroi, mais on ne va pas renoncer pour autant. Une seconde vague décolle. Quatre femelles sur cent arrivent à franchir le barrage de becs et de plumes. Les mâles partent à leur poursuite en escadre serrée. Eux, on les laisse passer, ils sont trop chétifs pour intéresser des moineaux.

Une troisième vague de femelles s'élance à l'assaut des nuages. Plus de cinquante oiseaux se trouvent sur son chemin. C'est un carnage. Aucune survivante. Les volatiles, eux, sont de plus en plus nombreux, comme s'ils s'étaient donné le mot. Il y a maintenant là-haut des moineaux, des merles, des rouges-gorges, des pinsons, des pigeons... Ça piaille fort. Pour eux aussi c'est la fête !

Une quatrième vague décolle. Là encore, pas une femelle ne passe. Les oiseaux se battent entre eux, pour les meilleurs morceaux.

Les artilleuses s'énervent. Elles tirent verticalement de toute la puissance de leur glande à acide formique. Mais les prédateurs sont trop haut. Les gouttes mortelles retombent en pluie sur la ville, causant de nombreux dégâts et blessures.

Des femelles renoncent, effrayées. Elles jugent qu'il est impossible de traverser et préfèrent redescendre pour copuler en salle, en compagnie d'autres princesses accidentées.

La cinquième vague se dresse, prête au sacrifice suprême. Il faut à toute force franchir ce mur de becs ! Dix-sept femelles passent, filées de près par quarante-trois mâles.

Sixième vague : douze femelles sont passées !

Septième : trente-quatre !

56e agite les ailes. Elle n'ose pas encore y aller. Une tête de sœur vient de tomber à ses pieds, mollement suivie d'un duvet de sinistre augure. Elle voulait savoir ce qu'était le grand Extérieur ? Ah, maintenant elle est fixée !

Va-t-elle s'élancer avec la huitième vague ? Non... Et elle fait bien, car celle-ci est complètement anéantie.

La princesse a le trac. Elle refait vrombir ses quatre ailes et se soulève un peu. Bon, ça au moins ça marche, il n'y a pas de problème, seulement c'est la tête qui... La peur l'envahit. Il faut rester lucide. Il y a très peu de chances qu'elle réussisse.

56e interrompt ses battements : soixante-treize femelles de la neuvième vague viennent de passer. Les ouvrières poussent des phéromones d'encouragement. L'espoir renaît. Va-t-elle partir avec la dixième vague ?

Comme elle hésite, elle repère brusquement, un peu plus loin, la petite boiteuse et la grosse tueuse aux yeux morts désormais. Il n'en faut pas plus pour la décider. Elle prend son vol d'un seul coup. Les mandibules des deux autres se referment sur le vide. Elles ne l'ont pas ratée de beaucoup.

56e se maintient un instant à mi-hauteur entre la Cité et la nuée d'oiseaux. Puis elle est enveloppée par l'essor de la dixième vague, elle en profite, elle fonce, elle aussi, droit vers le gouffre aérien. Ses deux voisines se font happer, alors qu'elle passe inopinément entre les énormes serres d'une mésange.

Simple question de chance.

Voilà, elles sont quatorze à être sorties indemnes de la dixième vague. Mais 56e ne se fait pas trop d'illusions. Elle n'a surmonté que la première épreuve. Le plus dur est à venir. Elle connaît ses chiffres. En général, sur mille cinq cents princesses envolées, une dizaine touchent le sol sans encombre. Quatre reines, dans l'hypothèse la plus optimiste, parviendront à construire leur cité.

PARFOIS LORSQUE : *Parfois, lorsque je me promène en été, je m'aperçois que j'ai failli marcher sur une espèce de mouche. Je la regarde mieux : c'est une reine fourmi. S'il y en a une, il y en a mille. Elles se contorsionnent à terre. Elles se font toutes écraser par les chaussures des gens, ou bien percutent le pare-brise des voitures. Elles sont épuisées, sans plus aucun contrôle de leur vol. Combien de cités furent ainsi anéanties, d'un simple coup d'essuie-glace sur une route d'été ?*

Edmond Wells,
Encyclopédie du savoir relatif et absolu.

Tandis que la 56e femelle active ses quatre longues ailes en vitraux, elle perçoit derrière elle la muraille de plumes qui se referme sur la onzième et la douzième vague. Pauvres ! Encore cinq vagues de femelles et la Cité aura craché tous ses espoirs.

Elle n'y pense déjà plus, aspirée dans l'azur infini. Tout est bleu si bleu ! C'est fantastique de fendre les airs pour une fourmi qui n'avait connu que la vie sous terre. Il lui semble se mouvoir dans un autre monde. Elle a quitté ses étroites galeries pour un espace vertigineux où tout explose en trois dimensions.

Elle découvre intuitivement toutes les possibilités du vol. En portant son poids sur cette aile, elle vire à droite. Elle monte en changeant l'angle de pas de son battement. Ou descend. Ou accélère... Elle s'aperçoit que pour prendre un virage parfait, il lui faut planter le bout des ailes dans un axe imaginaire et ne pas hésiter à positionner son corps dans un angle de plus de 45°.

La 56e femelle découvre que le ciel n'est pas vide. Loin de là. Il est rempli de courants. Certains, les « pompes », la font monter. Les trous d'air, en revanche, lui font perdre de l'altitude. On ne peut les repérer qu'en observant les insectes placés plus en avant, selon leurs mouvements on anticipe...

Elle a froid. Il fait froid en altitude. Parfois, il y a des tourbillons, des bourrasques d'air tiède ou glacé qui la font tourner comme une toupie.

Un groupe de mâles s'est lancé à sa poursuite. La 56e femelle prend de la vitesse, pour n'être rattrapée que par les plus rapides et les plus opiniâtres. C'est la première sélection génétique.

Elle sent un contact. Un mâle s'arrime à son abdomen, la grimpe, l'escalade. Il est assez menu, mais comme il a cessé de battre des ailes son poids semble considérable.

Elle perd un peu d'altitude. Au-dessus, le mâle se tortille pour ne pas être gêné par le battement d'ailes. Complètement en déséquilibre, il recourbe son abdomen pour atteindre de son dard le sexe féminin.

Elle attend les sensations avec curiosité. Des picotements délicieux commencent à l'envahir. Cela lui donne une idée. Sans avertir, elle bascule en avant et fonce en piqué. C'est fou ! La grande extase ! Vitesse et sexe composent son premier grand cocktail de plaisir.

L'image du 327e mâle apparaît furtivement dans son cerveau. Le vent siffle entre les poils de ses yeux. Une sève pimentée fait frissonner ses antennes. Certains de ses esprits se métamorphosent en mer houleuse. D'étranges liquides coulent de toutes ses glandes. Ils se mélangent en une soupe effervescente qui se déverse dans ses encéphales.

Parvenue à la cime des herbes, elle rassemble ses forces et reprend son battement d'ailes. Elle remonte maintenant en flèche. Lorsqu'elle a rétabli son assiette, le mâle ne se sent plus très bien. Il grelotte des pattes, ses mandibules n'arrêtent pas de s'ouvrir et de se refermer sans raison. Arrêt cardiaque. Et chute libre...

Chez la plupart des insectes, les mâles sont programmés pour mourir dès leur premier acte d'amour. Ils n'ont droit qu'à un seul coup, le bon. A peine les spermatozoïdes quittent-ils le corps qu'ils emportent avec eux la vie de son propriétaire.

Chez les fourmis, l'éjaculation tue le mâle. Chez d'autres espèces c'est la femelle, qui, une fois comblée, massacre son bienfaiteur. Tout bonnement parce que les émotions lui ont ouvert l'appétit.

Il faut se rendre à l'évidence : l'univers des insectes est globalement un univers de femelles, plus précisément de veuves. Les mâles n'y ont qu'une place épisodique...

Mais déjà un second géniteur s'agrippe à elle. Aussitôt parti, aussitôt remplacé ! Il en vient un troisième, puis encore beaucoup d'autres. La 56ᵉ femelle ne les compte plus. Ils sont au moins dix-sept ou dix-huit à se relayer pour remplir sa spermathèque de gamètes frais.

Elle sent le liquide vivant qui bouillonne dans son abdomen. C'est la réserve d'habitants de sa future cité. Des millions de cellules sexuelles mâles qui lui permettront de pondre tous les jours pendant quinze ans.

Tout autour d'elle ses sœurs sexuées partagent les mêmes émotions. Le ciel est plein de femelles volantes, montées par un ou plusieurs mâles, copulant ensemble avec la même femelle. Caravanes d'amour suspendues dans les nuages. Ces dames sont ivres de fatigue et de bonheur. Elles ne sont plus princesses, elles sont reines. Leurs jouissances à répétition les ont comme assommées et elles ont bien du mal à contrôler leur cap de vol.

C'est le moment qu'ont choisi quatre majestueuses hirondelles pour surgir d'un cerisier en fleur. Elles ne volent pas, elles glissent entre les couches de ciel avec une impassibilité qui glace... Elles fondent sur les fourmis ailées, bec grand ouvert, et les gobent les unes après les autres. La 56e est prise en chasse à son tour.

103 683e se trouve dans la salle des explorateurs. Elle comptait continuer seule l'enquête en infiltrant la termitière de l'Est, mais on lui a proposé de se joindre à un groupe d'exploratrices pour aller à la « chasse au dragon ». On a en effet repéré un lézard dans la zone de broutage de la cité de Zoubi-zoubi-kan, qui possède le plus important cheptel de pucerons de toute la Fédération — 9 millions de bêtes à traire ! Or, la présence d'un de ces sauriens peut gêner considérablement les activités pastorales.

Par chance, Zoubi-zoubi-kan se trouve à la limite est de la Fédération, juste à mi-chemin entre la cité termite et Bel-o-kan. 103 683e a donc accepté de partir avec cette expédition. Ainsi son départ passera inaperçu.

Autour d'elle les autres exploratrices se préparent avec minutie. Elles remplissent à ras bord leur jabot social de réserves énergétiques sucrées et leur poche d'acide formique. Puis elles se badigeonnent de bave d'escargot pour se protéger du froid et aussi (maintenant elles le savent) des spores d'*alternaria*.

On parle de la chasse au lézard. Certaines le comparent aux salamandres ou aux grenouilles, mais la majorité des trente-deux exploratrices s'accorde à lui reconnaître une suprématie quant à la difficulté de chasse.

Une vieille prétend que les lézards ont le pouvoir de faire repousser leur queue lorsque celle-ci est coupée ! On se moque d'elle... Une autre affirme avoir vu l'un de ces monstres rester immobile comme une pierre pendant 10°. Toutes évoquent les récits des premières Belokaniennes affrontant à mandibules nues ces monstres — à l'époque l'utilisation de l'acide formique n'était pas aussi répandue.

103 683e ne peut réprimer un frisson. Elle n'a jamais vu jusqu'à présent de lézard, et la perspective d'en attaquer un à mandibules nues ou même au jet d'acide n'est pas pour la rassurer. Elle se dit qu'à la première occasion elle se débinera. Après tout, son enquête sur « l'arme secrète des termites » est plus vitale pour la survie de la Cité qu'une quelconque chasse sportive.

Les exploratrices sont prêtes. Elles remontent les couloirs de la ceinture extérieure puis émergent dans la lumière par la sortie numéro 7, dite « sortie de l'Est ».

Il leur faut d'abord quitter la banlieue de la Cité. Ce n'est pas simple. Tous les abords de Bel-o-kan sont encombrés d'une foule d'ouvrières et de soldates plus pressées les unes que les autres.

Il y a plusieurs flux. Certaines fourmis sont chargées de feuilles, de fruits, de graines, de fleurs ou de champignons. D'autres transportent des brindilles et des cailloux qui serviront de matériaux de construction. D'autres encore charrient du gibier... Brouhaha d'odeurs.

Les chasseresses se frayent un passage dans les embouteillages. Puis le trafic se fait plus fluide. L'avenue se rétrécit pour devenir une route qui n'occupe que trois têtes (neuf millimètres) de large, puis deux, puis une. Elles doivent être déjà loin de la Cité, elles n'en perçoivent plus les messages collectifs. Le groupe a coupé son cordon ombilical olfactif et se constitue en unité autonome. Il adopte la formation « balade », où les fourmis s'alignent deux par deux.

Il croise bientôt un autre groupe, également des exploratrices. Celles-là ont dû en voir de rudes. Leur mince troupe ne compte plus une seule fourmi indemne. Rien que des mutilées. Certaines n'ont plus qu'une patte et se traînent lamentablement. Ça ne va pas mieux pour celles qui n'ont plus d'antennes ou d'abdomen.

103 683e n'a jamais vu de soldates aussi abîmées depuis la guerre des Coquelicots. Elles doivent avoir affronté quelque chose de terrifiant... Peut-être l'arme secrète ?

103 683e veut engager le dialogue avec une grosse guerrière aux longues mandibules cassées. D'où viennent-elles ? Que s'est-il passé ? Est-ce les termites ?

L'autre ralentit et, sans répondre, tourne son visage. Epouvante, les orbites sont vides ! Et le crâne est fendu de la bouche à l'articulation du cou.

Elle la regarde s'éloigner. Plus loin, elle tombe et ne se relève plus. Elle trouve encore la force de ramper hors du chemin, pour que son cadavre ne gêne pas le passage.

La 56e femelle essaye d'effectuer un piqué serré pour échapper à l'hirondelle, mais celle-ci est dix fois plus rapide. Déjà un grand bec ombrage le bout de ses antennes. Le bec recouvre son abdomen, son thorax, sa tête. Le bec la dépasse. Le contact avec le palais est insupportable. Puis le bec se referme. Tout est fini.

SACRIFICE : *A observer la fourmi, on dirait qu'elle n'est motivée que par des ambitions extérieures à sa propre existence. Une tête coupée essayera encore de se rendre utile en mordillant des pattes adverses, en coupant une graine ; un thorax se traînera pour boucher une issue aux ennemis.*
Abnégation ? Fanatisme envers la cité ? Abêtissement dû au collectivisme ?
Non, la fourmi sait aussi vivre en solitaire. Elle n'a pas besoin de la Meute, elle peut même se révolter.
Alors pourquoi se sacrifie-t-elle ?
Au stade où en sont mes travaux, je dirais : par modestie. Il semble que pour elle sa mort ne soit pas un événement assez important

pour la détourner du travail qu'elle a entrepris dan[...]
précédentes.

Edmond[...]
Encyclopédie du savoir relatif et ab[...]

Contournant les arbres, les buttes de terre et [...] buissons épineux, les exploratrices continuent de se faufiler en direction de l'orient maléfique.

La route s'est resserrée, mais des équipes de voirie sont encore présentes. On ne néglige jamais les voies d'accès menant d'une cité à une autre. Des cantonnières arrachent la mousse, déplacent les brindilles barrant le chemin, déposent des signaux odorants avec leur glande de Dufour.

Maintenant, les ouvrières circulant en sens inverse se font rares. On trouve parfois sur le sol des phéromones indicatrices :« Au carrefour 29 faites le détour par les aubépines ! » Il pourrait s'agir de la dernière trace d'une embuscade d'insectes ennemis.

En marchant, 103 683e va de surprise en surprise. Elle n'était jamais venue dans cette région. Il y a là des bolets Satan de quatre-vingts têtes de haut ! L'espèce est pourtant caractéristique des régions de l'Ouest.

Elle reconnaît aussi des satyres puants dont l'odeur fétide attire les mouches, des vesses de loup perlées ; elle escalade une chanterelle et en piétine avec bonheur la chair molle.

Elle découvre toutes sortes de plantes étranges : chanvre sauvage dont les fleurs retiennent si bien la rosée, superbes et inquiétants sabots de Vénus, pied de chat à longue tige...

Elle s'approche d'une impatiente, dont les fleurs ressemblent à des abeilles, et commet l'imprudence de toucher. Aussitôt les fruits mûrs lui éclatent au visage, la couvrant de graines jaunes collantes ! Heureusement que ce n'est pas de l'*alternaria* ...

Pas découragée, elle grimpe sur une anémone fausse renoncule pour examiner le ciel de plus près. Elle voit là-haut des abeilles qui font des huit pour diquer à leurs sœurs l'emplacement des fleurs à pollen.

Le paysage devient de plus en plus sauvage. Des odeurs mystérieuses circulent. Des centaines de petits êtres non identifiables fuient en tous sens. On ne les repère que par le craquement des feuilles sèches.

La tête encore pleine de picotements, 103 683e rejoint la troupe. C'est ainsi qu'elles arrivent d'un pas tranquille aux abords de la cité fédérée de Zoubi-zoubi-kan. De loin, on dirait un bosquet comme un autre. N'était l'odeur et le chemin tracé, personne n'irait chercher une ville par ici. En fait Zoubi-zoubi-kan est une cité rousse classique, avec une souche, un dôme de branchettes et des dépotoirs. Mais tout est caché sous les arbustes.

Les entrées de la Cité sont situées en hauteur, presque au ras du sommet du dôme. On les atteint en passant par un bouquet de fougères et de roses sauvages. Ce que font les exploratrices.

Ça grouille de vie là-dedans. Les pucerons ne se distinguent pas facilement, ils sont de la même couleur que les feuilles. Une antenne et un œil avertis repèrent pourtant sans difficulté les milliers de petites verrues vertes qui grossissent lentement au fur et à mesure qu'elles « broutent » la sève.

Un accord fut passé, il y a très longtemps, entre les fourmis et les pucerons. Ceux-ci nourrissent les fourmis, qui les protègent en retour. En vérité, certaines cités coupent les ailes de leurs « vaches à lait » et leur donnent leurs propres odeurs passeports. C'est plus commode pour garder les troupeaux...

Zoubi-zoubi-kan pratique ce genre d'entourloupe. Pour se racheter, ou peut-être par pur modernisme, la Cité a construit en son deuxième étage de grandioses étables pourvues de tout le confort nécessaire au bien-être des pucerons. Les nourrices fourmis y soignent les œufs de leurs aphidiens avec la même concentration que les œufs myrmécéens. D'où vient, sans doute, l'importance inhabituelle et la belle allure du cheptel local.

103 683e et ses compagnes s'approchent d'un troupeau occupé à vampiriser une branche de rosier. Elles lancent bien deux ou trois questions, mais les pucerons gardent leur trompe plongée dans la chair végétale sans leur prêter la moindre attention. Après tout, ils ne connaissent peut-être même pas le langage odorant des fourmis... Les exploratrices cherchent des antennes la bergère. Mais n'en repèrent aucune.

Il arrive alors quelque chose d'affolant. Trois coccinelles se laissent tomber au milieu du troupeau. Ces fauves redoutables sèment la panique parmi les pauvres pucerons que leurs ailes rognées empêchent de fuir.

Les loups, heureusement, font surgir les bergères. Deux fourmis zoubizoubikaniennes sautent de derrière une feuille. Car elles se cachaient pour mieux surprendre les prédateurs rouges tachetés de noir, qu'elles mettent en joue et foudroient de leur tir d'acide précis.

Puis elles courent rassurer les troupeaux de pucerons encore apeurés. Elles les traient, tambourinent sur leur abdomen, caressent leurs antennes. Les pucerons font alors apparaître une grosse bulle de sucre transparent. Le précieux miellat. Tout en se remplissant de cette liqueur, les bergères zoubizoubikaniennes aperçoivent les exploratrices belokaniennes.

Et les saluent. Contact antennaire.

Nous sommes venues pour chasser le lézard, émet l'une d'entre elles.

Dans ce cas, il vous faut continuer vers l'est. On a repéré l'un de ces monstres dans la direction du poste de Guayeï-Tyolot.

Au lieu de leur proposer une trophallaxie comme c'est l'usage, les bergères leur proposent de se nourrir directement sur les bêtes. Les exploratrices ne se le font pas dire deux fois. Chacune choisit son puceron et se met à lui titiller l'abdomen pour traire le délicieux miellat.

A l'intérieur du gosier c'est noir, puant et huileux. La 56e femelle, tout enduite de bave, glisse maintenant dans la gorge de son prédateur. Faute de dents, il ne l'a pas mâchée, elle est encore intacte. Pas question de se résigner, avec elle c'est toute une ville qui disparaîtrait.

En un suprême effort, elle plante ses mandibules dans la chair lisse de l'œsophage. Ce réflexe la sauve. L'hirondelle a un haut-le-cœur, elle tousse et propulse au loin l'aliment irritant. Aveuglée, la 56e femelle tente de voler, mais ses ailes engluées sont bien trop lourdes. Elle tombe au beau milieu d'un fleuve.

Des mâles à l'agonie s'abattent autour d'elle. Elle détecte là-haut le vol arythmique d'une vingtaine de sœurs qui ont survécu au passage des hirondelles. Epuisées, elles perdent de l'altitude.

L'une d'entre elles atterrit sur un nénuphar, où deux salamandres la prennent aussitôt en chasse, la rattrapent et la mettent en charpie. Les autres reines sont sorties du jeu de la vie successivement par des pigeons, des crapauds, des taupes, des serpents, des chauves-souris, des hérissons, des poules et des poussins... En fin de compte, sur les mille cinq cents femelles envolées, seulement six ont survécu.

La 56e est du nombre. Miraculée. Il faut qu'elle vive. Elle doit fonder sa propre cité et résoudre l'énigme de l'arme secrète. Elle sait qu'elle aura besoin d'aide, qu'elle pourra compter sur la foule amie qui peuple déjà son ventre. Il suffira de l'en faire sortir...

Mais, d'abord, se tirer de là...

En calculant l'angle des rayons solaires, elle trouve son point de chute, sur le fleuve de l'Est. Un coin peu recommandé, car même s'il y a des fourmis dans toutes les îles du monde, on ne sait toujours pas comment elles ont fait pour les atteindre, ne sachant pas nager.

Une feuille passe à portée, elle s'y cramponne de toutes ses mandibules. Elle agite les pattes arrière avec frénésie, mais ce mode de propulsion donne des résultats misérables. Elle se traîne ainsi à la surface des flots depuis un long moment quand une ombre gigantesque se profile. Un têtard ? Non, c'est mille fois plus gros qu'un têtard. La 56e femelle distingue une forme effilée, à la peau lisse et tigrée. C'est pour elle une vision inédite. Une truite !

Les petits crustacés, cyclopes, daphnies, fuient devant le monstre. Lequel s'enfonce puis remonte dans la direction de la reine qui se cramponne à sa feuille, terrifiée.

De toute la puissance de ses nageoires, la truite s'élance et crève la surface. Tandis qu'une grosse vague malmène la fourmi, la truite est comme suspendue en l'air, elle ouvre une gueule armée de fines dents et gobe un moucheron qui voletait par là. Puis se contorsionne d'un coup de queue et retombe dans son univers cristallin... en déclenchant un raz de marée qui submerge la fourmi.

Des grenouilles, déjà, se détendent et plongent pour se disputer cette reine et son caviar. Celle-ci parvient à réémerger mais un remous l'aspire de nouveau vers des profondeurs inhospitalières. Les grenouilles la poursuivent. Le froid la fige. Elle perd connaissance.

Nicolas regardait la télévision, dans le réfectoire, avec ses deux nouveaux copains Jean et Philippe. Autour d'eux, d'autres orphelins aux visages roses se laissaient bercer par les successions ininterrompues d'images.

Le scénario du film pénétrait par leurs yeux et par leurs oreilles jusqu'aux mémoires de leur cerveau à la vitesse de 500 kilomètres/heure. Un cerveau humain peut stocker jusqu'à soixante milliards d'informations. Mais quand ces mémoires sont saturées, le ménage est automatiquement fait, les informations jugées les moins intéressantes sont oubliées. Ne restent alors que les souvenirs traumatisants et le regret des joies passées.

Juste après le feuilleton, il y avait ce jour-là un débat sur les insectes. La plupart des jeunes humains se dispersèrent, la science en bla-bla ça ne les excitait pas.

« Professeur Leduc, vous êtes considéré, avec le Pr Rosenfeld, comme le plus grand spécialiste européen des fourmis. Qu'est-ce qui vous a poussé à étudier les fourmis ?

— Un jour, en ouvrant le placard de ma cuisine je suis tombé nez à nez avec une colonne de ces insectes. Je suis resté des heures à les regarder travailler. C'était pour moi une leçon de vie et d'humilité. J'ai cherché à en savoir plus... Voilà tout.

(Il rit.)

— Qu'est-ce qui vous différencie de cet autre éminent scientifique qu'est le Pr Rosenfeld ?

— Ah, le Pr Rosenfeld ! Il n'est pas encore à la retraite ? (Il rit de nouveau.) Non, sérieusement, nous ne sommes pas de la même chapelle. Vous savez, il existe plusieurs manières de "comprendre" ces insectes... Avant, on pensait que toutes les espèces sociales (termites, abeilles, fourmis) étaient royalistes. C'était simple, mais c'était faux. On s'est aperçu que chez les fourmis, la reine n'avait en fait aucun pouvoir en dehors de celui d'enfanter. Il existe même une multitude de formes de gouvernement fourmi : monarchie, oligarchie, triumvirat de guerrières, démocratie, anarchie, etc. Parfois même, lorsque les citoyens ne sont pas satisfaits de leur gouvernement, ils se révoltent et on assiste à des "guerres civiles" à l'intérieur même des cités.

— Fantastique !

— Pour moi, et pour l'école dite "allemande" dont je me réclame, l'organisation du monde fourmi est prioritairement basée sur une hiérarchie de castes, et sur la dominance d'individus alpha plus doués que la moyenne, qui dirigent des groupes d'ouvrières... Pour Rosenfeld, qui est lié à l'école dite "italienne", les fourmis sont toutes viscéralement anarchistes, il n'y a pas d'alpha, d'individus plus doués que la moyenne. Et ce n'est que pour résoudre des problèmes pratiques qu'apparaissent parfois spontanément des leaders. Mais ceux-ci sont temporaires.

— Je ne comprends pas très bien.

— Disons que l'école italienne pense que n'importe quelle fourmi peut être chef, dès lors qu'elle a une idée originale qui intéresse les autres. Alors que l'école allemande pense que ce sont toujours des fourmis à "caractère de chef" qui prennent en main les missions.

— Les deux écoles sont-elles à ce point différentes ?

— Il est déjà arrivé que lors de grands congrès internationaux cela tourne au pugilat, si c'est cela que vous voulez savoir.

— C'est toujours la même vieille rivalité entre l'esprit saxon et l'esprit latin, non ?

— Non. Cette bataille est plutôt comparable à celle mettant face à face les partisans de l'"inné" et ceux de l'"acquis". Naît-on crétin ou le devient-on ? C'est l'une des questions auxquelles nous tentons de répondre en étudiant les sociétés de fourmis !

— Mais pourquoi ne pas faire ces expériences sur les lapins ou les souris ?

— Les fourmis présentent cette formidable opportunité de nous permettre de voir une société fonctionner, une société composée de plusieurs millions d'individus. C'est comme observer un monde. Il n'existe pas à ma connaissance de ville de plusieurs millions de lapins ou de souris... »

Coup de coude.

— T'entends ça, Nicolas ?

Mais Nicolas n'écoutait pas. Ce visage, ces yeux jaunes, il les avait déjà vus. Où ça ? Quand ça ? Il fouilla dans sa mémoire. Exact, il s'en rappelait maintenant. C'était l'homme des reliures. Il avait prétendu se nommer Gougne, mais il ne faisait qu'une seule et même personne avec ce Leduc qui se faisait mousser à la télé.

Sa découverte plongea Nicolas dans un abîme de réflexions. Si le professeur avait menti, c'était pour essayer de s'approprier l'encyclopédie. Le contenu devait en être précieux pour l'étude des fourmis. Elle devait se trouver là-dessous. Elle était forcément dans la cave. Et c'est cela qu'ils convoitaient tous : Papa, Maman et ce Leduc. Il fallait aller la chercher, cette maudite encyclopédie, et l'on comprendrait tout.

Il se leva.

— Où tu vas ?

Il ne répondit rien.

— Je croyais que ça t'intéressait, les fourmis ?

Il marcha jusqu'à la porte, puis courut pour rejoindre sa chambre. Il n'aurait pas besoin de beaucoup d'affaires. Juste sa veste de cuir fétiche, son canif et ses grosses chaussures à semelles de crêpe.

Les pions ne lui prêtèrent même pas attention lorsqu'il traversa le grand hall.

Il s'enfuit de l'orphelinat.

De loin, on ne distingue de Guayeï-Tyolot qu'une sorte de cratère arrondi. Comme une taupinière. Le « poste avancé » est une mini-fourmilière, occupée par une centaine d'individus. Elle ne fonctionne que d'avril à octobre et reste vide tout l'automne et tout l'hiver.

Ici, comme chez les fourmis primitives, il n'y a pas de reine, pas d'ouvrières, pas de soldates. Tout le monde est tout en même temps. Du coup, on ne se gêne pas pour critiquer la fébrilité des cités géantes. On se moque des embouteillages, des effondrements de couloirs, des tunnels secrets qui vous transforment une ville en pomme véreuse, des ouvrières hyperspécialisées qui ne savent plus chasser, des concierges aveugles murées à vie dans leur goulet...

103 683e inspecte le poste. Guayeï-Tyolot est composé d'un grenier et d'une vaste salle principale.

Cette pièce est percée d'un orifice plafonnier par lequel se glissent deux rayons de soleil révélant des dizaines de trophées de chasse, cuticules vides suspendues aux murs. Les courants d'air les font siffler.

103 683e s'approche de ces cadavres multicolores. Une autochtone vient lui caresser les antennes. Elle lui désigne ces êtres superbes tués grâce à toutes sortes de ruses myrmécéennes. Les animaux sont recouverts d'acide formique, substance qui permet aussi de préserver les cadavres.

Il y a là, alignés avec soin, toutes sortes de papillons et d'insectes de tailles, de formes et de couleurs les plus variées. Et pourtant, un animal bien connu manque à la collection : la reine termite.

103 683e demande s'ils ont des problèmes avec les voisins termites. L'autochtone lève les antennes pour marquer sa surprise. Elle cesse de mâchouiller entre ses mandibules et un lourd silence olfactif tombe.

Termites ?

Ses antennes s'abaissent. Elle n'a plus rien à émettre. De toute façon elle a du travail, un dépeçage en cours. Elle a assez perdu de temps. Salut. Elle se tourne, prête à déguerpir. 103 683e insiste.

L'autre semble maintenant complètement paniquée. Ses antennes tremblent un peu. Visiblement, le mot termite évoque quelque chose de terrible pour elle. Engager la conversation sur ce sujet semble au-dessus de ses forces. Elle file vers un groupe d'ouvrières en pleine beuverie.

Ces dernières, après s'être rempli le jabot social d'alcool de miel de fleurs, se dégustent mutuellement l'abdomen, formant une longue chaîne fermée sur elle-même.

Cinq chasseresses affectées au poste avancé font alors une entrée assez bruyante. Elles poussent une chenille devant elles.

On a trouvé ça. Le plus extraordinaire c'est que ça produit du miel !

Celle qui a émis cette nouvelle tapote la captive de

la pointe de ses antennes. Puis elle dispose une feuille, et dès que la chenille commence à manger, elle lui saute sur le dos. La chenille se cabre, mais en vain. La fourmi lui plante ses griffes dans les flancs, assure bien sa prise, se retourne et lui lèche le dernier segment, jusqu'à ce qu'une liqueur s'en écoule.

Tout le monde la félicite. On se passe de mandibule en mandibule ce miellat jusqu'alors inconnu. La saveur diffère de celle des pucerons. Elle est plus onctueuse, avec un arrière-goût de sève plus prononcé. Alors que la 103 683e déguste cette liqueur exotique, une antenne lui effleure le crâne.

Il paraît que tu cherches des renseignements sur les termites.

La fourmi qui vient de lui lancer cette phéromone semble très très âgée. Toute sa carapace est rayée de coups de mandibule. 103 683e ramène les antennes en arrière en signe d'acquiescement.

Suis-moi !

Elle s'appelle la 4 000e guerrière. Sa tête est plate comme une feuille. Ses yeux sont minuscules. Lorsqu'elle émet, ses effluves chevrotants sont très faibles en alcool. C'est peut-être pour cela qu'elle a tenu à discuter dans une minuscule cavité pratiquement fermée.

N'aie crainte, on peut parler ici, ce trou est ma loge.

103 683e lui demande ce qu'elle sait sur la termitière de l'Est. L'autre écarte ses antennes.

Pourquoi t'intéresses-tu à ce sujet ? Tu n'es venue que pour la chasse au lézard, non ?

103 683e décide de jouer franc-jeu avec cette vieille asexuée. Elle lui raconte qu'une arme secrète et incompréhensible a été utilisée contre les soldates de La-chola-kan. On avait d'abord cru qu'il s'agissait d'un coup des naines, mais ce n'étaient pas elles. Alors tout naturellement leurs soupçons se sont portés sur les termites de l'Est, les seconds grands ennemis...

La vieille replie les antennes en signe de surprise.

Elle n'a jamais entendu parler de cette affaire. Elle examine la 103 683e et demande :

C'est l'arme secrète qui t'a arraché ta cinquième patte ?

La jeune soldate répond par la négative. Elle l'a perdue dans la bataille des Coquelicots, lors de la libération de La-chola-kan. La 4 000e s'enthousiasme aussitôt. Elle y était !

Quelle légion ?

La 15e et toi ?

La 3e !

Durant la dernière charge, l'une se battait sur le flanc gauche et l'autre sur le flanc droit. Elles échangent quelques souvenirs. Il y a toujours beaucoup de leçons à retenir d'un champ de bataille. Par exemple, la 4 000e a remarqué au tout début des combats l'utilisation de moucherons messagers mercenaires. Il s'agit selon elle d'une méthode de communication grande distance très supérieure aux traditionnelles « coureuses ».

La soldate belokanienne, qui n'avait rien remarqué, l'approuve de bon cœur. Puis se hâte de revenir à son sujet.

Pourquoi personne ne veut me parler des termites ?

La vieille guerrière s'approche. Leurs têtes se frôlent.

Il se passe ici aussi des choses très étranges...

Ses effluves suggèrent le mystère. *Très étranges, très étranges...* la phrase rebondit en écho olfactif sur les murs.

Puis la 4 000e explique que depuis quelque temps on ne voit plus un seul termite de la cité de l'Est. Ils utilisaient auparavant le passage du fleuve par Sateï pour envoyer des espionnes à l'ouest, on le savait et on les contrôlait tant bien que mal. Maintenant il n'y avait même plus d'espionnes. Il n'y avait rien.

Un ennemi qui attaque c'est inquiétant, mais un ennemi qui disparaît c'est encore plus déroutant. Comme il n'y avait plus la moindre escarmouche avec les éclaireurs termites, les fourmis du poste de

Guayeï-Tyolot s'étaient décidées à espionner à leur tour.

Une première escouade d'exploratrices partit là-bas. On n'en eut plus de nouvelles. Un second groupe suivit, qui disparut de la même manière. On pensa alors au lézard ou à un hérisson particulièrement gourmand. Mais non, lorsqu'il y a attaque de prédateur, il reste toujours au moins un survivant, même blessé. Là, on aurait dit que les soldates s'étaient volatilisées comme par enchantement.

Cela me rappelle quelque chose..., commence la 103 683e.

Mais la vieille n'entend pas se laisser distraire de son récit. Elle poursuit :

Après l'échec des deux premières expéditions, les guerrières de Guayeï-Tyolot jouèrent leur va-tout. Elles dépêchèrent une mini-légion de cinq cents soldates surarmées. Cette fois il y eut une survivante. Elle s'était traînée sur des milliers de têtes et mourut dans d'affreuses transes juste en arrivant au nid.

On examina son cadavre, qui ne présentait pas la moindre blessure. Et ses antennes n'avaient souffert d'aucun combat. On aurait dit que la mort lui était tombée dessus sans raison.

Tu comprends à présent pourquoi personne ne veut te parler de la termitière de l'Est ?

103 683e comprend. Elle est surtout satisfaite, certaine d'avoir trouvé la bonne piste. Si le mystère de l'arme secrète a une solution, celle-ci passe forcément par la termitière de l'Est.

HOLOGRAPHIE : *Le point commun entre le cerveau humain et la fourmilière peut être symbolisé par l'image holographique.*

Qu'est-ce que l'holographie ? Une superposition de bandes gravées qui, une fois réunies et éclairées sous un certain angle, donnent une impression d'image en relief.

En fait, celle-ci existe partout et nulle part à la fois. De la réunion des bandes gravées est née autre chose, une tierce dimension : l'illusion du relief.

Chaque neurone de notre cerveau, chaque individu de la fourmilière détient la totalité de l'information. Mais la collectivité est nécessaire pour que puisse émerger la conscience, la « pensée en relief ».

Edmond Wells,
Encyclopédie du savoir relatif et absolu.

Lorsque la 56e femelle, depuis peu passée reine, reprend conscience, elle se trouve échouée sur une vaste plage de graviers. Sans doute n'a-t-elle échappé aux grenouilles qu'à la faveur d'un courant rapide. Elle voudrait décoller mais ses ailes sont encore mouillées. Obligée d'attendre...

Elle se nettoie méthodiquement les antennes, puis hume l'air ambiant. Où est-elle donc ? Pourvu qu'elle ne soit pas tombée du mauvais côté du fleuve !

Elle agite ses antennes à 8 000 vibrations/seconde. Il y a là des relents d'odeurs connues. Chance : elle est sur la rive ouest du fleuve. Toutefois, il n'y a pas la moindre phéromone de piste. Il lui faudrait se rapprocher un peu plus de la cité centrale afin de pouvoir lier sa future cité à la Fédération.

Elle s'envole enfin. Cap à l'ouest. Elle ne pourra aller bien loin pour le moment. Ses muscles ailiers sont fatigués, et elle vole en rase-mottes.

Elles retournent dans la salle principale de Guayeï-Tyolot. Depuis que la 103 683e a voulu enquêter sur les termites de l'Est, on l'évite comme si elle était infectée à l'*alternaria*. Elle ne bronche pas, tout à sa mission.

Autour d'elle, les Belokaniennes échangent des trophallaxies avec les Guayeïtyolotiennes, leur faisant goûter la nouvelle récolte de champignons agarics, dégustant en retour des miellats extraits de chenilles sauvages.

Et puis, après les effluves les plus divers, la conversation vient à rouler sur la chasse au lézard. Les Guayeïtyolotiennes racontent qu'il y a peu on avait repéré trois lézards qui terrorisaient les troupeaux de pucerons de Zoubi-zoubi-kan. Ils avaient bien dû détruire deux troupeaux de milles bêtes et toutes les bergères qui les accompagnaient...

Il y avait eu une phase de panique. Les bergères ne faisaient plus circuler leur bétail que dans les passages protégés creusés dans la chair des rameaux. Mais grâce à l'artillerie acide, elles étaient arrivées à repousser ces trois dragons. Deux étaient partis au loin. Le troisième, blessé, s'était installé sur une pierre à cinquante mille têtes d'ici. Les légions zoubizoubikaniennes lui avaient déjà coupé la queue. Il fallait vite en profiter et achever la bête avant qu'elle ne retrouve ses forces.

Est-ce vrai que les queues de lézard repoussent ? demande une exploratrice. On lui répond par l'affirmative.

Pourtant ce n'est pas la même queue qui repousse. Comme dit Mère : on ne retrouve jamais exactement ce qu'on a perdu. La deuxième queue n'a pas de vertèbres, elle est beaucoup plus molle.

Une Guayeïtyolotienne apporte d'autres informations. Les lézards sont très sensibles aux variations de la météo, encore plus que les fourmis. S'ils ont emmagasiné beaucoup d'énergie solaire, leur rapidité de réaction est fantastique. Par contre, lorsqu'ils ont froid, tous leurs gestes sont ralentis. Pour l'offensive de demain, il faudra prévoir l'attaque sur la base de ce phénomène. L'idéal serait de charger le saurien dès l'aube. La nuit l'aura refroidi, il sera léthargique.

Mais nous aussi nous serons refroidies ! signale fort à propos une Belokanienne.

Pas si nous utilisons les techniques de résistance au froid des naines, rétorque une chasseuse. *On va se gaver de sucres et d'alcool pour l'énergie et on va enduire nos carapaces de bave pour empêcher les calories de s'échapper trop vite de nos corps.*

La 103 683e reçoit ces propos d'une antenne distraite. Elle, elle pense au mystère de la termitière, aux disparitions inexpliquées que lui a narrées la vieille guerrière.

La première Guayeïtyolotienne, celle qui lui a montré les trophées et qui a refusé de parler des termites, revient vers elle.

Tu as discuté avec la 4 000e ?

103 683e acquiesce.

Alors ne tiens pas compte de ce qu'elle t'a dit. C'est comme si tu avais discuté avec un cadavre. Elle a été piquée il y a quelques jours par un ichneumon...

Un ichneumon ! La 103 683e a un frisson d'horreur. L'ichneumon est cette guêpe pourvue d'un long stylet qui, la nuit, perfore les nids fourmis jusqu'à tomber sur un corps chaud. Elle le perce et y pond ses œufs.

C'est l'un des pires cauchemars des larves fourmis : une seringue qui surgit du plafond et qui tâtonne à la recherche de chairs molles pour y déverser ses petits. Ces derniers poussent ensuite tranquillement dans l'organisme d'accueil, avant de se transformer en larves voraces qui grignotent la bête vivante de l'intérieur.

Ça ne rate pas : cette nuit-là, 103 683e rêve d'une terrible trompe qui la poursuit pour lui inoculer ses enfants carnivores !

Le code d'entrée n'avait pas changé. Nicolas avait gardé ses clés, il n'eut qu'à briser les scellés posés par la police pour pénétrer dans l'appartement. Depuis la disparition des pompiers on n'avait touché à rien. La porte de la cave était même restée grande ouverte.

Faute d'une lampe de poche, il s'attela sans complexes à la tâche de fabriquer une torche. Il parvint à casser un pied de table, y fixa une couronne dense de papiers froissés à laquelle il mit le feu. Le bois s'enflamma sans problème, une flamme petite mais homogène, faite pour durer tout en tenant tête aux courants d'air.

Il s'engouffra aussitôt dans l'escalier en colimaçon, dans une main la torche, dans l'autre son canif.

Résolu, mâchoires serrées, il se sentait l'étoffe d'un héros.

Il descendit, descendit... Ça n'en finissait pas de descendre et de tourner. Ça durait depuis ce qui lui paraissait des heures, il avait faim, il avait froid, mais la rage de vaincre était en lui.

Il accéléra encore l'allure, survolté, et se mit à gueuler sous la voûte grossière, dans une alternance d'appels à ses père et mère et de vibrants cris de guerre. Son pas avait maintenant une sûreté extraordinaire, volant de marche en marche sans le moindre contrôle conscient.

Il fut soudain devant une porte. Il la poussa. Deux tribus de rats se battaient, qui s'enfuirent devant l'apparition de cet enfant hurlant et entouré de flammèches.

Les plus vieux rats se faisaient du souci ; depuis quelque temps les visites des « grands » s'étaient multipliées. Qu'est-ce que ça signifiait ? Et pourvu que celui-là n'aille pas fiche le feu aux caches des femelles enceintes !

Nicolas poursuivit sa descente, il fonçait tellement qu'il n'avait pas vu les rats... Toujours des marches, toujours des inscriptions bizarres qu'il ne lirait certainement pas cette fois. Soudain un bruit *(flap, flap)* et un contact. Une chauve-souris s'agrippait à ses cheveux. Terreur. Il essaya de se dégager mais l'animal semblait s'être soudé à son crâne. Il voulut le repousser avec sa torche mais ne parvint qu'à se brûler trois mèches. Il hurla et reprit sa course. La chauve-souris restait posée sur sa tête comme un chapeau. Elle ne le quitta qu'après lui avoir prélevé un peu de sang.

Nicolas ne sentait plus la fatigue. Souffle bruyant, cœur et tempes battant à se rompre, il heurta soudain un mur. Il tomba, se releva aussitôt, son flambeau intact. Il en promena la flamme devant lui.

C'était bien un mur. Mieux : Nicolas reconnut les plaques de béton et d'acier que son père avait trimbalées. Et les joints de ciment étaient encore frais.

— Papa, Maman, si vous êtes là, répondez !

Mais non, rien, sauf l'écho agaçant. Il devait pourtant approcher du but. Ce mur, il en aurait juré, devait pivoter sur lui-même... puisque ça se fait dans les films, et puisqu'il n'y avait pas de porte.

Qu'est-ce qu'il cachait donc, ce mur ? Nicolas trouva enfin cette inscription :

Comment faire quatre triangles équilatéraux avec six allumettes ?

Et juste en dessous avait été fixé un petit cadran à touches. Il ne portait pas des chiffres mais des lettres. Vingt-quatre lettres qui devaient permettre de composer le mot ou la phrase répondant à la question.

— Il faut penser autrement, fit-il à haute voix. Il en resta stupéfait, car la phrase lui était venue d'elle-même. Il chercha longtemps, sans oser toucher le cadran. Puis un étrange silence se fit en lui, un silence énorme qui le vida de toute pensée. Mais qui, inexplicablement, le guida à taper une succession de huit lettres.

Le grésillement doux d'un mécanisme se fit entendre et... le mur bascula ! Exalté, prêt à tout, Nicolas s'avança. Mais peu après, le mur se remit en place ; le courant d'air que cela provoqua éteignit le moignon de torche qui restait encore.

Plongé dans le noir le plus total, l'esprit en déroute, Nicolas revint sur ses pas. Mais de ce côté du mur, il n'y avait pas de touches codées. Pas de retour en arrière possible. Il se cassa les ongles contre les plaques de béton et d'acier. Son père avait fait du bon travail, il n'était pas serrurier pour rien.

PROPRETÉ : *Qu'y a-t-il de plus propre qu'une mouche ? Elle se lave en permanence, ce qui pour elle n'est pas un devoir mais un besoin. Si toutes ses antennes et ses facettes ne sont pas impeccablement propres, elle ne repérera jamais les aliments lointains et elle ne verra jamais la main qui tombe sur elle pour l'écraser. La propreté est un élément de survie majeur chez les insectes.*

Edmond Wells,
Encyclopédie du savoir relatif et absolu.

Le lendemain, la presse populaire titrait à la une :
« La cave maudite de Fontainebleau a encore frappé ! Nouveau disparu : le fils unique de la famille Wells. Que fait la police ? »

L'araignée jette un coup d'œil du sommet de sa fougère. C'est très haut. Elle exsude une goutte de soie liquide, la colle à la feuille, s'avance au bout de la branche et saute dans le vide. Sa chute dure un long moment. Le filin s'étire, s'étire puis il sèche, durcit et la retient, juste avant de toucher le sol. Elle a failli s'écraser comme une baie mûre. Beaucoup de ses sœurs se sont déjà brisé la carcasse à cause d'un brusque coup de froid ralentissant le temps de durcissement de la soie.

L'araignée agite ses huit pattes afin d'obtenir un mouvement de balancier, puis, les allongeant, elle parvient à s'arrimer à une feuille. Ce sera le deuxième point d'ancrage de sa toile. Elle y colle l'extrémité de son filin. Mais avec une corde tendue on ne va pas loin. Elle repère un tronc à gauche, court pour l'atteindre. Encore quelques branches et quelques sauts, et ça y est, elle a posé ses filins-supports. Ce sont eux qui encaisseront la pression des vents et des proies. L'ensemble forme un octogone.

La soie d'araignée est constituée d'une protéine fibreuse, la fibroine, dont les qualités de solidité et d'imperméabilité ne sont plus à démontrer. Certaines araignées arrivent, quand elles ont bien mangé, à produire sept cents mètres de soie d'un diamètre de deux microns, d'une solidité proportionnellement égale à celle du nylon et d'une élasticité triple.

Et le comble, c'est qu'elles disposent de sept glandes produisant chacune un fil différent : une soie pour les filins de support de toile ; une soie pour le filin de rappel ; une soie pour les filins du cœur de toile ; une soie enduite de glu pour les prises rapides ; une soie pour protéger les œufs ; une soie pour se construire un abri ; une soie pour emballer les proies...

En vérité, la soie est le prolongement filandreux des hormones araignées, tout comme les phéromones sont les prolongements volatils des hormones fourmis.

L'araignée fabrique donc son filin de rappel puis s'y arrime. Elle se laisse choir à la moindre alerte, échappant au danger sans effort superflu. Combien de fois a-t-elle eu ainsi la vie sauve ?

Elle entrecroise ensuite quatre filins au centre de son octogone. Toujours les mêmes gestes depuis cent millions d'années... Ça commence à avoir de l'allure. Aujourd'hui, elle a décidé de faire une toile en soie sèche. Les soies enduites de glu sont beaucoup plus efficaces, mais trop fragiles. Toutes les poussières, tous les brins de feuilles mortes viennent s'y prendre. La soie sèche a un pouvoir capteur plus faible, mais elle tiendra au moins jusqu'à la nuit.

L'araignée, une fois placées les poutres faîtières, ajoute une dizaine de rayons et parachève l'ouvrage par la spirale centrale. Ça, c'est le plus agréable. Elle part d'une branche où elle a accroché son fil sec et saute de rayon en rayon en se rapprochant le plus lentement possible du cœur, toujours dans le sens de la rotation terrestre.

Elle fait ça à sa façon. Il n'y a pas deux toiles d'araignées semblables dans le monde. C'est comme pour les empreintes digitales des humains.

Il lui faut serrer les mailles. Parvenue tout au centre, elle embrasse du regard son échafaudage de fils pour en estimer la solidité. Elle arpente ensuite chaque rayon, qu'elle secoue de ses huit pattes. Ça tient le coup.

La plupart des araignées de la région construisent des toiles en 75/12. Soixante-quinze tours de spirale de remplissage pour douze rayons. Elle, elle préfère bâtir en 95/10, une fine dentelle.

C'est peut-être plus voyant, mais c'est plus solide. Et comme elle utilise de la soie sèche, il ne faut pas lésiner sur la quantité de fil. Sinon les insectes ne passeraient qu'en visiteurs...

Cependant, cette besogne de longue haleine l'a vidée de son énergie. Elle doit manger de toute urgence. C'est un cercle vicieux. Elle est affamée parce qu'elle a construit une toile, mais c'est cette toile qui lui permettra de manger.

Ses vingt-quatre griffes posées sur les poutres principales, elle attend, cachée sous une feuille. Sans même recourir à l'un de ses huit yeux, elle sent l'espace et perçoit dans ses pattes les moindres ondes de l'air ambiant grâce à la toile, qui réagit avec la sensibilité d'une membrane de microphone.

Cette minuscule vibration, c'est une abeille qui tourne en huit à deux cents têtes de là pour indiquer un champ de fleurs aux gens de sa ruche.

Ce léger frétillement, ce doit être de la libellule. C'est délicieux, la libellule. Mais celle-ci ne vole pas dans la bonne direction pour lui servir de déjeuner.

Gros contact. Quelqu'un a sauté sur sa toile. C'est une araignée qui aimerait s'attribuer le travail d'autrui. Voleuse ! La première la chasse vite, avant qu'une proie ne surgisse.

Justement, elle sent dans sa patte arrière gauche l'arrivée d'une sorte de mouche en provenance de l'est. Elle n'a pas l'air de voler très vite. Si elle ne change pas de cap, il semble qu'elle doive tomber pile dans son piège.

Tplaf ! Touche.

C'est une fourmi ailée...

L'araignée — qui n'a pas de nom, car les êtres solitaires n'ont nul besoin de reconnaître ceux de leur espèce — attend calmement. Quand elle était plus jeune, elle se laissait emporter par son enthousiasme et a perdu comme ça pas mal de proies. Elle croyait que tout insecte pris dans sa toile était condamné. Or, il ne l'est qu'à 50 pour cent lors du contact. Le facteur temps est décisif.

Il faut patienter, et le gibier affolé s'entrave de lui-même. Tel est le raffinement suprême de la philosophie arachnéenne : *Il n'y a pas de meilleure technique de combat que celle qui consiste à attendre que ton adversaire se détruise tout seul...*

Au bout de quelques minutes, elle s'approche pour mieux examiner sa prise. C'est une reine. Une reine rousse de l'empire de l'Ouest. Bel-o-kan.

Elle a déjà entendu parler de cet empire hypersophistiqué. Il paraît que ses millions d'habitants sont devenus tellement « interdépendants » qu'ils ne savent plus se nourrir seuls ! Quel intérêt, et où est le progrès ?

Une de leurs reines... Elle tient entre ses griffes tout un pan du futur de ces indécrottables envahisseurs. Elle n'aime pas les fourmis. Elle a vu sa propre mère chassée par une horde de fourmis tisseuses rouges...

Elle lorgne sa proie, qui n'en finit pas de se débattre. Stupides insectes, ils ne comprendront donc jamais que leur pire ennemi est leur propre affolement. Plus la fourmi ailée tente de s'échapper, plus elle s'empêtre dans la soie... causant d'ailleurs des dégâts qui contrarient l'araignée.

Chez 56e, l'abattement succède à la colère. Elle ne peut pratiquement plus bouger. Le corps déjà emmailloté dans la fine soie, chaque mouvement ajoute une épaisseur à sa gangue. Elle n'en revient pas d'échouer si bêtement après avoir surmonté tant d'épreuves.

Dans un cocon blanc, elle est née ; dans un cocon blanc, elle va mourir.

L'araignée s'approche encore, vérifiant au passage les filins endommagés. 56e peut ainsi voir de près un superbe animal orange et noir, pourvu de huit yeux verts placés en couronne au-dessus de sa tête. Elle en a déjà mangé des comme ça. A chacun son tour de servir de déjeuner... Et l'autre qui lui crache de la soie dessus !

On ne ficelle jamais trop, se dit quant à elle l'araignée. Puis elle exhibe deux inquiétants crochets à venin. Mais en réalité, les arachnides ne tuent pas,

pas tout de suite. Comme elles prisent la viande palpitante, plutôt que d'achever leur proie, elles l'assomment avec leur venin sédatif et ne la réveillent que pour la grignoter un peu. Elles peuvent ainsi dévorer à volonté de la viande bien fraîche, bien à l'abri sous son emballage de soie. Une telle dégustation peut durer une semaine.

56e a entendu parler de cet usage. Elle frémit. C'est pire que la mort. Etre amputé progressivement de tous ses membres... A chaque réveil on vous arrache quelque chose et on vous rendort. Vous diminuez un peu plus à chaque fois, jusqu'à l'heure du prélèvement ultime, celui qui vous arrache les organes vitaux et vous offre enfin le sommeil libérateur.

Plutôt s'autodétruire ! Fuyant l'horrible et trop proche vision des crochets, elle se met en devoir de ralentir les battements de son cœur.

Juste à ce moment, un éphémère heurte la toile, avec un tel élan que le rebord des soies le ligote aussitôt, bien serré... Il était né il y a à peine quelques minutes, et il allait mourir de vieillesse dans quelques heures. Vie éphémère, vie d'éphémère. Il devait agir vite sans perdre le quart d'une seconde. Comment rempliriez-vous votre existence si vous saviez que vous êtes né le matin pour mourir le soir ?

A peine est-il sorti de ses deux ans de vie larvaire, l'éphémère part à la recherche d'une femelle pour se reproduire. Vaine recherche de l'immortalité à travers sa progéniture. Sa journée unique, l'éphémère va l'occuper à cette quête. Il ne pense alors ni à manger, ni à se reposer, ni à faire le difficile.

Son principal prédateur, c'est le Temps. Chaque seconde est pour lui un adversaire. Et, à côté du Temps même, la terrible araignée n'est qu'un facteur de retardement et non un ennemi à part entière.

Il sent la vieillesse progresser à grands pas dans son corps. Dans quelques heures, il sera sénile. Il est fichu. Il est né pour rien. Quelle insupportable défaite...

L'éphémère se débat. Le problème avec les toiles

d'araignées, c'est que si on remue on se fait avoir, mais si on ne remue pas on ne s'en sort pas pour autant...

L'araignée le rejoint et donne quelques tours de cordelette supplémentaires. Voilà deux belles proies qui vont lui fournir toutes les protéines nécessaires pour fabriquer une seconde toile dès demain. Mais alors qu'elle s'apprête une fois de plus à endormir sa victime, elle perçoit une vibration différente. Une vibration... intelligente. *Tip tip tiptiptip tip tip tiptip*. C'est une femelle ! Elle avance sur un fil, qu'elle tapote afin d'émettre un signal :

Je suis tienne, je ne viens pas voler ta nourriture.

Cette façon de vibrer, le mâle n'a jamais rien senti d'aussi érotique. *Tip tip tiptiptip*. Ah, il n'y tient plus, il court vers sa bien-aimée (une jeunette de quatre mues, quand lui en compte déjà douze). Sa taille est trois fois supérieure à la sienne, mais justement il aime les grosses. Il lui désigne les deux proies dans lesquelles ils puiseront tout à l'heure de nouvelles forces.

Puis ils se mettent en situation de copuler. Chez l'araignée c'est assez compliqué. Le mâle n'a pas de pénis mais une sorte de double canon génital. Il se hâte de bâtir une cible, toile en réduction qu'il arrose de ses gamètes. Y mouillant une de ses pattes, il la fourre dans le réceptacle de la femelle. Il fait ça plusieurs fois, surexcité. La jeune beauté a atteint pour sa part un tel degré de pâmoison qu'elle ne peut soudain se retenir d'attraper la tête du mâle et de la croquer.

Dès lors, ce serait bête de ne pas le manger en entier. Eh bien, cela accompli, elle a toujours faim. Elle se jette sur l'éphémère et lui rend la vie encore plus courte. Elle se tourne à présent vers la reine fourmi, qui, voyant revenue l'heure de la piqûre, panique et gigote.

56e a décidément de la chance, car l'entrée d'un nouveau personnage surgissant bruyamment du fond de l'horizon remet tout en cause. C'est encore une de ces bestioles du Sud qui sont récemment montées vers le nord. Une très grosse bestiole à vrai dire, un hanneton unicorne ou coléoptère rhinocéros. Il percute la toile en plein cœur, l'étire comme une glu... et la rompt. Le 95/10, c'est solide pour autant qu'on n'exagère pas. Le beau napperon de soie explose en mèches et lambeaux planeurs.

La femelle araignée a déjà sauté en s'accrochant à son filin de rappel. Libérée de son blanc carcan, la reine fourmi se traîne discrètement par terre, incapable de redécoller.

Mais l'araignée a la tête ailleurs. Elle escalade une branche pour y construire une pouponnière de soie où elle pourra pondre. Lorsque ses dizaines de petits auront éclos, leur plus grande hâte sera de manger leur mère. On est comme ça chez les araignées, on ne sait pas dire merci.

— Bilsheim !

Il éloigna vivement l'écouteur, comme s'il se fût agi d'une bête qui pique. Il s'agissait de sa chef... Solange Doumeng.

— Allô ?

— Je vous avais donné des ordres et vous n'avez encore rien fait. Qu'est-ce que vous fabriquez ? Vous attendez que toute la ville disparaisse dans cette cave ? Je vous connais Bilsheim, vous ne pensez qu'à vous reposer ! Or je n'accepte pas les feignasses ! Et j'exige que vous résolviez cette affaire dans les quarante-huit heures !

— Mais, madame...

— Il n'y a pas de « mais médème » ! Vos gaziers ont reçu mes consignes, vous n'avez plus qu'à descendre avec eux demain matin, tout le matériel sera sur place. Alors levez-vous un peu le cul, nom d'un chien !

Un stress l'envahit. Ses mains tremblèrent. Il n'était pas un homme libre. Pourquoi devait-il obéir ? Pour échapper au chômage, pour ne pas être exclu de la société. Ici et maintenant, sa seule façon de concevoir sa liberté était de se représenter en clochard, et il n'était pas encore prêt pour ce genre d'épreuve. Son besoin d'ordre et de socialisation entra en conflit avec son désir de ne pas subir la volonté des autres. Un ulcère naquit sur le champ de bataille, c'est-à-dire dans son estomac. Le respect de l'ordre gagna sur le goût de la liberté. Alors il obtempéra.

La troupe de chasseresses se tient dissimulée derrière un rocher, en train d'observer le lézard. Celui-ci mesure bien soixante têtes de long (dix-huit centimètres). Sa cuirasse rocailleuse d'un jaune verdâtre semé de taches noires produit un effet de peur et de dégoût. 103 683e a l'impression que ces taches sont les éclaboussures du sang de toutes les victimes du saurien. Comme prévu, l'animal est engourdi par le froid. Il marche, mais au ralenti ; on dirait qu'il hésite avant de poser la patte quelque part.

Lorsque le soleil est sur le point d'apparaître, une phéromone est lâchée.

Sus à la Bête !

Le lézard voit fondre sur lui une armée de petites choses noires agressives. Il se dresse lentement, ouvre une gueule rose où danse une langue rapide qui fouette les fourmis les plus proches, les englue et les engloutit dans sa gorge. Puis il fait un petit rot et s'éloigne à la vitesse de l'éclair.

Diminuées d'une trentaine des leurs, les chasseresses demeurent abasourdies, le souffle coupé. Pour quelqu'un d'anesthésié par le froid, l'autre ne manque pas de ressources !

103 683e, qu'on ne peut soupçonner de couardise, est l'une des premières à dire que s'attaquer à un tel animal est un suicide. La place forte paraît imprenable. La peau du lézard est une armure inattaquable à la mandibule ou à l'acide. Et sa taille, sa vivacité, même à faible température, lui donnent une supériorité difficilement compensable.

Cependant, les fourmis ne renoncent pas. Telle

une meute de loups minuscules, elles s'élancent sur les traces du monstre. Elles galopent sous les fougères en lançant des phéromones menaçantes, aux odeurs de mort. Cela n'effraie pour l'instant que les limaces, mais aide les fourmis à se sentir terribles et invulnérables. Elles retrouvent le lézard quelques milliers de têtes plus loin, collé à l'écorce d'un épicéa, sans doute occupé à digérer son petit déjeuner.

Il faut agir ! Plus on attend, plus il gagne en énergie ! S'il demeure rapide dans le froid, il deviendra surpuissant lorsqu'il sera bien gavé de calories solaires. Agora d'antennes. Il faut improviser une attaque. Une tactique est mise au point.

Des guerrières se laissent tomber d'une branche sur la tête de l'animal. Elles tentent de l'aveugler en mordillant ses paupières et commencent à lui forer les naseaux. Mais ce premier commando échoue. Le lézard se brosse la face d'une patte agacée et gobe les traînardes.

Une deuxième vague d'assaillantes accourt déjà. Presque à portée de langue, elles font un large et surprenant détour... avant de fondre brutalement sur son moignon de queue. Comme dit Mère : *Chaque adversaire a son point faible. Trouve-le, et n'affronte que cette faiblesse.*

Elles rouvrent la cicatrice en la brûlant à l'acide et s'engouffrent à l'intérieur du saurien, lui envahissent les boyaux. Il roule sur le dos, pédale avec ses pattes postérieures, se frappe le ventre avec les pattes de devant. Mille ulcères le rongent.

Et c'est alors qu'un autre groupe prend enfin pied dans les naseaux, aussitôt agrandis et creusés à coups de jets bouillants.

Juste au-dessus, on s'attaque aux yeux. On fait éclater ces billes molles, mais les cavités oculaires s'avèrent des impasses ; le trou du nerf optique est trop étroit pour qu'on puisse l'emprunter et atteindre le cerveau. On rejoint donc les équipes déjà enfoncées loin dans les naseaux...

Le lézard se contorsionne, se plonge une patte

dans la gueule pour essayer d'écraser les fourmis qui lui percent la gorge. Trop tard.

Dans un recoin des poumons, 4 000e a retrouvé sa jeune collègue 103 683e. Il fait noir là-dedans, et elles n'y voient rien car les asexuées n'ont pas d'ocelles infrarouges. Elles joignent le bout de leurs antennes.

Allez, profitons de ce que nos sœurs sont affairées pour partir dans la direction de la termitière de l'Est. Elles croiront que nous avons été tuées au combat.

Elles ressortent par où elles sont entrées, par le moignon caudal, qui saigne maintenant abondamment.

Demain le saurien sera découpé en milliers de lambeaux comestibles. Certains seront recouverts de sable et charriés à Zoubi-zoubi-kan ; d'autres parviendront même à Bel-o-kan, et l'on inventera encore tout un récit épique pour décrire cette chasse. La civilisation fourmi a besoin de se conforter dans sa force. Vaincre les lézards est une chose qui la rassure particulièrement.

MÉTISSAGE : Il serait faux de penser que les nids sont imperméables aux présences étrangères. Certes, chaque insecte porte le drapeau odorant de sa cité, mais n'est pas pour autant « xénophobe » au sens où on l'entend chez les humains.

Par exemple, si l'on mélange dans un aquarium rempli de terre une centaine de fourmis formica rufa *avec une centaine de fourmis* lazius niger *— chaque espèce comprenant une reine fertile —, on s'aperçoit qu'après quelques escarmouches sans morts et de longues discussions antennaires les deux espèces se mettent à construire ensemble la fourmilière.*

Certains couloirs sont adaptés à la taille des rousses, d'autres à la taille des noires, mais ils s'entrecroisent et se mêlent si bien que la preuve en est faite : il n'existe pas une espèce dominante qui essayerait d'enfermer l'autre dans un quartier réservé, un ghetto dans la cité.

Edmond Wells,
Encyclopédie du savoir relatif et absolu.

Le chemin qui mène aux territoires de l'Est n'est pas encore nettoyé. Les guerres contre les termites empêchent tout processus de pacification de la région.

4 000e et 103 683e trottent sur une piste où ont eu lieu bien des escarmouches. De superbes papillons venimeux tournent à l'aplomb de leurs antennes, et cela ne va pas sans les inquiéter.

Plus loin, 103 683e sent quelque chose qui grouille sous sa patte droite. Elle finit par identifier des acariens, êtres minuscules caparaçonnés de pointes et d'antennes, de poils et de crochets, qui migrent en troupeaux à la recherche de niches bien poussiéreuses. 103 683e est amusée par cette vision. Dire qu'il existe des êtres aussi petits que les acariens et d'autres aussi gros que les fourmis sur la même planète !

4 000e s'arrête devant une fleur. Elle a soudain trop mal. Dans son vieux corps qui en a vu de dures aujourd'hui, les jeunes larves d'ichneumon ont fini par se réveiller. Sans doute déjeunent-elles, donnant gaiement de la fourchette et du couteau dans les organes internes de la pauvre fourmi.

103 683e va pour la secourir chercher au fond de son jabot social quelques molécules de miellat de lomechuse. Au terme de la bagarre dans les souterrains de Bel-o-kan, elle en avait recueilli une quantité infime, à titre d'analgésique. Elle l'avait manipulée avec beaucoup de prudence et n'avait pas été contaminée par ce délicieux poison.

Les douleurs de 4 000e se calment dès l'ingestion de la liqueur. Pourtant, elle en réclame d'autre. 103 683e veut la raisonner, mais 4 000e insiste, elle est prête à se battre pour vider les entrailles de sa copine de la précieuse drogue. Alors qu'elle veut bondir et la frapper, elle glisse dans une sorte de cratère sablonneux. Un piège de fourmi-lion !

Ce dernier, ou plus exactement sa larve, possède une tête en forme de pelle qui lui permet de creuser ces fameux cratères. Il s'y enterre ensuite et n'a plus qu'à attendre les visites.

4 000e comprend, mais un peu tard, ce qui lui

arrive. Toute fourmi est en principe assez légère pour se tirer de ce mauvais pas. Seulement, avant même qu'elle ait pu commencer son ascension, deux longues mandibules bardées de pointes surgissent du fond de la cuvette et l'aspergent de sable.

Au secours !

Elle en oublie la souffrance causée par ses hôtes forcés et le manque né de son contact avec la liqueur de lomechuse. Elle a peur, elle ne veut pas mourir comme ça.

De toutes ses forces elle se débat. Mais le piège fourmi-lion, comme la toile d'araignée, est justement conçu pour fonctionner sur la panique de ses victimes. Plus 4 000e gesticule pour remonter le cratère, plus la pente s'effondre et l'entraîne vers le fond... d'où le fourmi-lion continue de l'asperger de sable fin.

103 683e a vite saisi qu'à se pencher pour tendre une patte secourable elle risque fort de plonger elle aussi. Elle s'éloigne à la recherche d'une herbe suffisamment longue et solide.

La vieille fourmi trouve le temps long, elle pousse un cri odorant et pédale de plus belle dans le sable presque liquide. Sa descente s'en trouve encore accélérée. Elle n'est plus qu'à cinq têtes des cisailles. Vues de près, celles-ci sont vraiment effrayantes. Chaque mandibule est crénelée de centaines de petites dents acérées, elles-mêmes espacées de longues piques courbes. Quant à l'extrémité, elle forme un poinçon capable de perforer sans trop de difficulté n'importe quelle carapace myrmécéenne.

103 683e réapparaît enfin au bord de la cuvette, d'où elle tend une pâquerette à sa compagne. Vite ! Celle-ci dresse les pattes pour agripper la tige. Mais le fourmi-lion n'entend pas renoncer à sa proie. Il arrose de sable, frénétiquement, les deux fourmis. Elles n'y voient et n'entendent plus rien. Le fourmi-lion jette maintenant des cailloux qui rebondissent sur la chitine avec des bruits sinistres. 4 000e, à moitié ensevelie, continue de glisser.

103 683ᵉ s'arc-boute, la tige serrée entre ses mandibules. Elle attend vainement une secousse. Juste au moment où elle va renoncer, une patte jaillit du sable... Sauvée ! 4 000ᵉ saute enfin hors du trou de la mort.

En bas, les pinces avides claquent de rage et de déception. Le fourmi-lion a besoin de protéines pour se métamorphoser en adulte. Combien de temps lui faudra-t-il attendre avant qu'une autre proie glisse jusqu'à lui ?

4 000ᵉ et 103 683ᵉ se lavent et se livrent à de nombreuses trophallaxies. Cette fois-ci, le miellat de lomechuse n'est pas au menu.

— Bonjour Bilsheim !

Elle lui tendit une main molle.

— Oui, je sais, vous êtes surpris de me voir ici. Mais puisque cette affaire traîne en longueur et en lourdeur, que le préfet s'intéresse personnellement à sa bonne conclusion et que bientôt ce sera le ministre, j'ai décidé de mettre la main à la pâte... Allons, ne faites pas cette tête, je vous taquine Bilsheim. Où est passé votre sens de l'humour ?

Le vieux flic ne savait quoi répondre. Et cela durait depuis quinze ans. Avec elle, les « évidemment » n'avaient jamais pris. Il voulut la fixer, mais son regard était caché sous une longue mèche. Rousse, une teinture. C'était la mode. Au service, on disait qu'elle essayait de faire croire qu'elle était rousse pour légitimer l'odeur forte émanant d'elle...

Solange Doumeng. Elle s'aigrissait sérieusement depuis sa ménopause. En principe, elle aurait dû prendre des hormones féminines pour compenser, mais elle avait trop peur de grossir, les hormones ça retient l'eau, c'est bien connu, alors elle serrait les dents en faisant supporter à son entourage les difficultés que lui posait cette métamorphose en vieille.

— Pourquoi êtes-vous venue ? Vous voulez descendre là-dessous ? demanda le policier.

— Vous rigolez, mon vieux ! Non, vous, vous descendez. Moi, je reste ici, j'ai tout prévu, ma Thermos de thé et mon talkie-walkie.

— Et s'il m'arrive un pépin ?

— Seriez-vous trouillard, pour envisager tout de suite le pire ? Nous sommes reliés par radio, je vous l'ai dit. Dès que vous percevez le moindre danger, vous me le signalez et je prendrai les mesures nécessaires. En plus, on vous a drôlement soigné, mon vieux, vous allez descendre avec du matériel dernier cri pour missions délicates. Regardez : vous aurez une corde d'alpiniste, des fusils. Sans parler de ces six gaillards.

Elle désigna les gendarmes au garde-à-vous. Bilsheim grommela :

— Galin y était allé avec huit pompiers, ça ne l'a pas beaucoup aidé...

— Mais ils n'avaient ni armes ni liaison radio ! Allons, ne faites pas votre mauvaise tête, Bilsheim.

Il ne voulait pas lutter. Les jeux de pouvoir et d'intimidation l'exaspéraient. Lutter contre la Solange, c'était se transformer en Doumeng. Elle était là comme les mauvaises herbes dans le jardin. Il fallait essayer de pousser sans être contaminé.

Bilsheim, commissaire désabusé, enfila une tenue de spéléologie, noua la corde d'alpiniste autour de sa taille et s'accrocha le talkie-walkie en bandoulière.

— Si jamais je ne remontais pas, je veux qu'on donne tous mes biens aux orphelins de la police.

— Trêve de conneries, mon bon Bilsheim. Vous remonterez et nous irons tous au restaurant fêter ça.

— Si jamais je ne remontais pas, je voudrais vous dire quelque chose...

Elle fronça les sourcils.

— Allons, cessez vos enfantillages, Bilsheim !

— Je voudrais vous dire... On paie tous un jour pour nos mauvaises actions.

— Et le voilà mystique, maintenant ! Non, Bilsheim, vous vous trompez, on ne paie pas pour nos mauvaises actions ! Il y a peut-être un « bon Dieu », comme vous dites, mais alors il se fout bien de nous ! Et si vous n'avez pas profité vivant de cette existence, vous n'en profiterez pas davantage mort !

Elle ricana brièvement, puis s'approcha de son subordonné, à le toucher. Celui-ci bloqua sa respiration. Des mauvaises odeurs, il en boufferait assez dans cette cave...

— Mais vous n'allez pas mourir si vite. Vous devez résoudre cette affaire. Votre mort ne servirait à rien.

La contrariété transformait le commissaire en enfant, il n'était plus qu'un gamin auquel on a dérobé un rateau et qui, sachant qu'il ne le récupérera jamais, tente quelques faibles insultes.

— Pardi, ma mort serait l'échec de votre enquête « personnelle ». On verra les résultats quand vous « mettrez la main à la pâte », comme vous dites.

Elle vint encore plus près, comme si elle allait l'embrasser sur la bouche. Au lieu de quoi elle postillonna posément :

— Vous ne m'aimez pas, hein, Bilsheim ? Personne ne m'aime et je m'en fous, d'ailleurs je ne vous aime pas non plus. Et je n'ai nul besoin d'être aimée. Tout ce que je veux c'est être crainte. Cependant, il faut que vous sachiez une chose : si vous crevez là-dessous ça ne me contrariera même pas, j'enverrai une troisième équipe. Si vous voulez vraiment me faire du tort, revenez vainqueur et vivant, je serai alors votre obligée.

Il ne répondit rien. Il lorgnait les racines blanches de la chevelure coiffée mode, ça l'apaisait.

— On est prêts ! dit l'un des gendarmes en levant son fusil.

Tous s'étaient encordés.

— OK, allons-y.

Ils firent un signe aux trois policiers qui garderaient le contact avec eux en surface, puis s'engouffrèrent dans la cave.

Solange Doumeng s'assit à un bureau où elle avait installé son émetteur récepteur.

— Bonne chance, revenez vite !

3

TROIS ODYSSÉES

Enfin, 56e a trouvé le lieu idéal pour construire sa cité. C'est une colline ronde. Elle l'escalade. De là-haut, elle aperçoit les cités les plus à l'est : Zoubi-zoubi-kan et Gloubi-diu-kan. Normalement, la jonction avec le reste de la Fédération ne devrait pas poser trop de problèmes.

Elle examine le secteur, la terre est un peu dure et présente une couleur grise. La nouvelle reine cherche un endroit où le sol soit plus souple, mais partout ça résiste. Alors qu'elle enfonce franchement la mandibule, dans le but de creuser sa première loge nuptiale, il se produit une étrange secousse. Comme un tremblement de terre, mais bien trop localisé pour en être vraiment un. Elle pique à nouveau le sol. Ça recommence, en pire ; la colline se soulève et glisse vers la gauche...

De mémoire de fourmi, on a vu beaucoup de choses extraordinaires, mais une colline vivante, jamais ! Celle-ci avance maintenant à bonne vitesse, fendant les hautes herbes, écrasant les broussailles.

56e n'est pas encore revenue de sa surprise qu'elle voit approcher une seconde colline. Quel est ce sortilège ? Sans avoir le temps de redescendre, elle est entraînée dans un rodéo ; en fait, une parade amoureuse de collines. Lesquelles, à présent, se tripotent sans vergogne... Pour comble, la colline de 56e est femelle. Et l'autre est en train de lui grimper lentement dessus. Une tête de pierre émerge peu à peu, une épouvantable gargouille qui ouvre la bouche.

C'en est trop ! La jeune reine renonce à fonder sa cité dans le coin. Roulant au bas du promontoire, elle réalise à quel péril elle a échappé. Les collines ont non seulement des têtes, mais aussi quatre pattes griffues et des petites queues triangulaires.

C'est la première fois que 56e voit des tortues.

TEMPS DES COMPLOTEURS : Le système d'organisation le plus répandu parmi les humains est le suivant : une hiérarchie complexe d'« administratifs », hommes et femmes de pouvoir, encadre ou plutôt gère le groupe plus restreint des « créatifs », dont les « commerciaux », sous couleur de distribution, s'approprient ensuite le travail... Administratifs, créatifs, commerciaux. Voilà les trois castes qui correspondent de nos jours aux ouvrières, soldates et sexués chez les fourmis.

La lutte entre Staline et Trotski, deux chefs russes du début du XXe siècle, illustre à merveille le passage d'un système avantageant les créatifs à un système privilégiant les administratifs. Trotski, le mathématicien, l'inventeur de l'armée Rouge est en effet évincé par Staline, l'homme des complots. Une page est tournée.

On progresse mieux, et plus vite, dans les strates de la société si l'on sait séduire, réunir des tueurs, désinformer, que si l'on est capable de produire des concepts ou des objets nouveaux.

Edmond Wells,
Encyclopédie du savoir relatif et absolu.

4 000e et 103 683e ont repris la piste odorante qui mène à la termitière de l'Est. Elles y croisent des scarabées occupés à pousser des sphères d'humus, des exploratrices fourmis d'une espèce si petite qu'on a peine à les distinguer, d'autres qui sont tellement grandes que les deux soldates arrivent à peine à être vues...

C'est qu'il existe plus de douze mille espèces de fourmis et chacune a sa morphologie propre. Les plus petites ne font que quelques centaines de microns, les plus grandes peuvent atteindre sept centimètres. Les rousses se classent dans la moyenne.

4 000e semble enfin se repérer. Il faut encore traverser cette plaque de mousse verte, escalader ce

buisson d'acacia, passer sous les jonquilles, et normalement c'est derrière le tronc de cet arbre mort.

Et en effet, une fois traversée la souche, elles voient apparaître, à travers salicornes et argousiers, le fleuve de l'Est et le port de Sateï.

— Allô, allô, Bilsheim, me recevez-vous ?
— Cinq sur cinq.
— Tout va bien ?
— Pas de problème.
— La longueur de corde déroulée indique que vous avez parcouru 480 mètres.
— Parfait.
— Avez-vous vu quelque chose ?
— Rien à signaler. Juste quelques inscriptions gravées dans la pierre.
— Quel genre d'inscriptions ?
— Des formules ésotériques. Vous voulez que je vous en lise une ?
— Non, je vous crois sur parole...

Le ventre de la 56e femelle est en pleine ébullition. A l'intérieur, ça tire, ça pousse, ça gesticule. Tous les habitants de sa future cité s'impatientent.

Alors elle ne fait pas la difficile, elle choisit une cuvette de terre ocre et noire et décide d'y fonder sa ville.

Le lieu n'est pas trop mal situé. Il n'y a pas d'odeurs de naines, de termites ou de guêpes aux alentours. Il y a même quelques phéromones pistes qui indiquent que les Belokaniennes se sont déjà aventurées par ici.

Elle goûte la terre. Le sol est riche en oligoéléments, l'humidité est suffisante mais point excessive. Il y a même un petit arbuste en surplomb.

Elle nettoie une surface circulaire de trois cents têtes de diamètre qui représente la forme optimale de sa cité.

A bout de forces, elle déglutit pour faire remonter la nourriture de son jabot social, mais celui-ci est vide depuis déjà longtemps. Elle n'a plus de réserves d'énergie. Alors elle arrache ses ailes d'un coup sec et mange goulûment leurs racines musclées.

Avec cet apport de calories, elle devrait encore tenir quelques jours.

Puis elle s'enterre jusqu'au ras des antennes. Il faut que personne ne puisse la repérer pendant cette période où elle représente une proie inoffensive.

Elle attend. La ville cachée dans son corps se réveille doucement. Et comment l'appellera-t-elle ?

Il lui faut d'abord trouver un nom de reine. Chez les fourmis, avoir un nom c'est exister en tant qu'entité autonome. Les ouvrières, les soldates, les sexués vierges ne sont désignés que par le chiffre correspondant à leur naissance. Les femelles fertilisées, par contre, peuvent prendre un nom.

Hum ! elle est partie pourchassée par les guerrières au parfum de roche, alors elle n'a qu'à s'appeler « la reine poursuivie ». Ou plutôt, non, elle était poursuivie parce qu'elle avait essayé de résoudre l'énigme de l'arme secrète. Il ne faut pas qu'elle oublie. Alors elle est « la reine issue du mystère ».

Et elle décide de nommer sa cité « ville de la reine issue du mystère ». Ce qui, en langage odorant fourmi, se hume ainsi : CHLI-POU-KAN

Deux heures plus tard, nouvel appel.

— Ça va, Bilsheim ?

— Nous sommes devant une porte. Une porte banale. Il y a une grande inscription dessus. Avec des caractères anciens.

— Ça raconte quoi ?

— Vous voulez que je vous la lise, cette fois ?

— Oui.

Le commissaire orienta sa torche et se mit à lire, d'une voix lente et solennelle, due au fait qu'il déchiffrait le texte au fur et à mesure :

L'âme au moment de la mort éprouve la même impression que ceux qui sont initiés aux grands Mystères.

Ce sont tout d'abord des courses au hasard de pénibles détours, des voyages inquiétants et sans terme à travers les ténèbres.

Puis, avant la fin, la frayeur est à son comble. Le frisson, le tremblement, la sueur froide, l'épouvante dominent.

Cette phase est suivie presque immédiatement d'une remontée vers la lumière, d'une illumination brusque. Une lueur merveilleuse s'offre aux yeux, on traverse des lieux purs et des prairies où retentissent les voix et les danses.

Des paroles sacrées inspirent le respect religieux. L'homme parfait et initié devient libre, et il célèbre les Mystères.

Un gendarme frissonna.

— Et qu'y a-t-il derrière cette porte ? demande le talkie-walkie.

— C'est bon, je l'ouvre... Suivez-moi les gars.

Long silence.

— Allô Bilsheim ! Allô Bilsheim ! Répondez, nom de nom, que voyez-vous ?

On entendit un coup de feu. Puis à nouveau le silence.

— Allô, Bilsheim, répondez mon vieux !

— Ici Bilsheim.

— Alors parlez, qu'arrive-t-il ?

— Des rats. Des milliers de rats. Ils nous sont tombés dessus, mais nous sommes arrivés à les faire fuir.

— C'était ça le coup de fusil ?

— Oui. Maintenant ils restent planqués.

— Décrivez ce que vous voyez !

— C'est tout rouge ici. Il y a des traces de roches ferreuses sur les parois et du... du sang par terre ! On continue...

— Gardez le contact radio ! Pourquoi le coupez-vous ?

— Je préfère opérer à ma manière plutôt que selon vos conseils éloignés, si vous le permettez madame.

— Mais Bilsheim...

Clic. Il avait coupé la communication.

Sateï n'est pas à proprement parler un port, ce n'est pas non plus un poste avancé. Mais c'est à coup sûr le lieu privilégié des expéditions belokaniennes qui traversent le fleuve.

Jadis, lorsque les premières fourmis de la dynastie des Ni se trouvèrent devant ce bras d'eau, elles comprirent qu'il ne serait pas simple de le franchir. Seulement, la fourmi ne renonce jamais. Elle se cognera, s'il le faut, quinze mille fois et de quinze mille façons différentes la tête contre l'obstacle, jusqu'à ce qu'elle meure ou que l'obstacle cède.

Une telle manière de procéder semble illogique. Elle a certes coûté beaucoup de vies et de temps à la civilisation myrmécéenne, mais elle s'est avérée payante. A la fin, au prix d'efforts démesurés, les fourmis sont toujours parvenues à surmonter les difficultés.

A Sateï, les exploratrices avaient commencé par tenter la traversée à pattes. La peau de l'eau était assez résistante pour supporter leur poids, mais n'offrait malheureusement pas de prise pour les griffes. Les fourmis évoluaient sur le bord du fleuve comme sur une patinoire. Deux pas en avant, trois pas sur le côté et... *slurp !* elles se faisaient manger par les grenouilles.

Après une centaine de tentatives infructueuses et quelques milliers d'exploratrices sacrifiées, les fourmis cherchèrent autre chose. Des ouvrières formèrent une chaîne en se tenant par les pattes et par les antennes jusqu'à atteindre l'autre rive. Cette expérience aurait pu réussir si le fleuve n'avait pas été aussi large et tourmenté par des remous. Deux cent quarante mille morts. Mais les fourmis ne renonçaient pas. Sous l'instigation de leur reine de l'époque, Biu-pa-ni, elles essayèrent de bâtir un pont de feuilles, puis un pont de brindilles, puis un pont de cadavres de hannetons, puis un pont de cailloux...

Ces quatre expériences coûtèrent la vie à près de six cent soixante-dix mille ouvrières. Biu-pa-ni avait déjà tué plus de ses sujets pour édifier son pont utopique que toutes les batailles territoriales livrées sous son règne !

Elle n'abandonna pas pour autant. Il fallait franchir les territoires de l'Est. Après les ponts, elle eut l'idée de contourner le fleuve en remontant sa source par le nord. Aucune de ces expéditions ne revint jamais. 8 000 morts. Puis elle se dit que les fourmis devaient apprendre à nager. 15 000 morts. Puis elle se dit que les fourmis devaient tenter d'apprivoiser les grenouilles. 68 000 morts. Utiliser les feuilles pour planer en se lançant du grand arbre ? 52 morts. Marcher sous l'eau en empesant les pattes avec du miel durci ? 27 morts. La légende prétend que lorsqu'on lui annonça qu'il n'y avait plus qu'une dizaine d'ouvrières indemnes dans la cité et qu'on devait donc renoncer momentanément à ce projet, elle émit la sentence :

Dommage, j'avais encore plein d'idées...

Les fourmis de la Fédération finirent pourtant par trouver une solution satisfaisante. Trois cent mille ans plus tard, la reine Lifoug-ryuni proposa à ses filles de creuser un tunnel sous le fleuve. C'était tellement simple que personne n'y avait pensé plus tôt.

Et c'est ainsi qu'à partir de Sateï on pouvait circuler sous le fleuve sans la moindre gêne.

103 683e et 4 000e évoluent depuis plusieurs degrés dans ce fameux tunnel. L'endroit est humide, mais il n'y a pas encore de voie d'eau. La cité termite est bâtie sur l'autre rive. Les termites utilisent d'ailleurs ce même souterrain pour leurs incursions en territoire fédéré. Jusqu'ici a régné une entente tacite. On ne combat pas dans le souterrain, et tout le monde passe librement, termite ou fourmi. Mais il est clair que dès que l'une des deux parties se prétendra dominante, l'autre essaiera de boucher ou d'inonder le passage.

Elles marchent sans fin dans la longue galerie.

Seul problème : la masse liquide qui les surplombe est glacée, et le sous-sol l'est encore plus. Le froid les engourdit. Chaque pas devient plus difficile. Si elles s'endormaient là-dessous, ce serait l'hibernation à jamais. Elles le savent. Elles rampent pour atteindre la sortie. Elles vont puiser dans leur jabot social les dernières réserves de protéines et de sucres. Leurs muscles sont ankylosés. Enfin la sortie... Débouchant à l'air libre, 103 683e et 4 000e sont tellement refroidies qu'elles s'assoupissent au beau milieu du chemin.

D'avancer comme ça, à la queue leu leu dans ce boyau obscur, lui mettait du jeu dans les idées. Il n'y avait rien à penser ici, juste à aller jusqu'au bout. En espérant qu'il y ait un bout...

Derrière, ça ne discutait plus. Bilsheim entendait les respirations rauques des six gendarmes et se disait qu'il était vraiment victime d'une injustice.

Il aurait dû être commissaire principal, normalement, et toucher une vraie paye. Il faisait bien son travail, ses heures de présence dépassaient la norme, il avait résolu déjà une bonne dizaine d'affaires. Seulement il y avait toujours la Doumeng qui bloquait son avancement.

Cette situation lui devint brusquement insupportable.

— Et merde !

Tous s'arrêtèrent.

— Ça va, commissaire ?

— Oui, oui, ça va, continuez !

Le comble de la honte : voilà qu'il parlait tout seul. Il se mordit les lèvres, s'adjurant de se tenir un peu mieux. Il ne lui fallut pourtant pas cinq minutes pour être à nouveau plongé dans ses soucis.

Il n'avait rien contre les femmes, mais il avait quelque chose contre les incompétents. « La vieille garce sait à peine lire et écrire, elle n'a jamais mené une seule enquête et la voici promue à la tête de tout le service, cent quatre-vingts policiers ! Et elle touche quatre fois mon salaire ! Engagez-vous dans la police, qu'ils disent ! Elle, elle a été désignée par son prédécesseur, à coup sûr une affaire de coucherie. Et en plus, elle ne fout pas la paix, une vraie mouche du coche. Elle monte les gens les uns contre les autres, elle sabote son propre service en jouant partout les indispensables... »

Au fil de sa rumination, Bilsheim se souvint d'un documentaire sur les crapauds. Ceux-ci, en période d'amour, sont tellement excités qu'ils sautent sur tout ce qui bouge : femelles, mais aussi mâles, et même pierres. Ils pressent le ventre de leur vis-à-vis pour en faire sortir les œufs qu'ils vont fertiliser. Ceux qui pressent les femelles voient leurs efforts récompensés. Ceux qui pressent les ventres de mâles n'obtiennent rien et changent de partenaire. Ceux qui pressent les pierres se font mal aux bras et abandonnent.

Mais il existe un cas à part : ceux qui pressent les mottes de terre. La motte de terre est aussi molle qu'un ventre de femelle crapaud. Alors ils n'arrêtent pas de presser. Ils peuvent rester des jours et des jours à reproduire ce comportement stérile. Et ils croient qu'ils font ce qu'il y a de mieux à faire...

Le commissaire sourit. Peut-être suffirait-il d'expliquer à cette brave Solange que d'autres comportements étaient possibles, et bien plus efficaces que celui consistant à tout bloquer et à stresser ses subalternes. Mais il n'y croyait guère. Il se dit qu'après tout c'était plutôt lui qui n'était pas à sa place dans ce fichu service.

Les autres, derrière, étaient eux aussi plongés dans de sombres pensées. Cette descente silencieuse leur portait à tous sur les nerfs. Déjà cinq heures qu'ils marchaient sans la moindre pause. La plupart pensaient à la prime qu'ils devaient exiger après cette aventure ; d'autres songeaient à leur femme, à leurs enfants, à leur bagnole ou à un pack de bière...

RIEN : Qu'y a-t-il de plus jouissif que de s'arrêter de penser ? Cesser enfin ce flot débordant d'idées plus ou moins utiles ou plus ou moins importantes. S'arrêter de penser ! Comme si on était mort tout en pouvant redevenir vivant. Etre le vide. Retourner aux origines suprêmes. N'être même plus quelqu'un qui ne pense à rien. Etre rien. Voilà une noble ambition.

Edmond Wells,
Encyclopédie du savoir relatif et absolu.

Demeurés toute la nuit sur la berge limoneuse, inertes, les corps des deux soldates sont ranimés par les premiers rayons du soleil.

Une à une, les facettes des yeux de 103 683e se réactivent, illuminant son cerveau du nouveau décor qui lui fait face. Décor entièrement composé d'un œil énorme posé en suspension au-dessus d'elle, fixe et attentif.

La jeune asexuée pousse une phéromone cri d'épouvante qui lui brûle les antennes. L'œil prend peur lui aussi, il recule précipitamment, et avec lui recule la longue corne qui le portait. Tous deux se cachent sous une espèce de caillou rond. Un escargot !

Il y en a d'autres autour d'eux. Cinq en tout, qui se camouflent sous leurs coquilles. Les deux fourmis en approchent une et en font le tour. Elles essaient bien de mordre, mais cela n'offre aucune prise. Ce nid ambulant est une forteresse imprenable.

Une sentence de Mère lui revint à l'esprit : *La sécurité est mon pire ennemi, elle endort mes réflexes et mes initiatives.*

103 683e se dit que ces bestiasses planquées derrière leur coquille ont toujours vécu dans la facilité, broutant des herbes immobiles. Elles n'ont jamais eu à se battre, à séduire, à chasser, à fuir. Elles n'ont jamais eu à affronter la vie. Elles n'ont donc jamais évolué.

Le caprice la saisit de les forcer à quitter leur coquille, leur prouver qu'ils ne sont pas invulnérables. Justement, deux des cinq escargots présents estiment que le danger est passé. Ils laissent alors vagabonder leur corps hors de son abri afin d'épancher leur tension nerveuse.

Se rejoignant, ils se collent ventre contre ventre. Bave contre bave, les voilà soudés en un baiser gluant qui parcourt tout leur corps. Leurs sexes se frôlent.

Entre eux il se passe des choses.

C'est très lent.

L'escargot de droite a plongé son pénis formé d'une pointe calcaire dans le vagin rempli d'œufs de l'escargot de gauche. Mais ce dernier n'a pas encore atteint la pâmoison qu'il dévoile à son tour un pénis en érection et l'enfonce dans son partenaire.

Tous deux ressentent le plaisir de pénétrer et d'être pénétré simultanément. Equipés d'un vagin surmonté d'un pénis, ils peuvent connaître parallèlement les sensations des deux sexes.

L'escargot de droite ressent le premier orgasme masculin. Il se tortille différemment et se tend, le corps parcouru d'électricité. Les quatre cornes oculaires des hermaphrodites se nouent. La bave se transforme en mousse, puis en bulles. C'est une danse très collée, et d'une sensualité exacerbée par la lenteur des gestes.

L'escargot de gauche dresse ses cornes. Il ressent à son tour un orgasme masculin. Mais à peine a-t-il fini d'éjaculer que son corps lui procure une deuxième vague de volupté, vaginale cette fois. L'escargot de droite connaît à son tour la jouissance féminine.

Leurs cornes retombent alors, leurs flèches d'amour se rétractent, leurs vagins se referment... Après cet acte complet, les amants se transforment en aimants de polarité identique. Il y a répulsion. Phénomène vieux comme le monde. Les deux machines à recevoir et à donner du plaisir s'éloignent lentement, leurs œufs fertilisés par les spermatozoïdes du partenaire.

Tandis que 103 683e demeure hébétée, encore sous le coup de la beauté du spectacle, 4 000e s'élance à l'assaut d'un des escargots. Elle veut profiter de la fatigue post-amoureuse pour éventrer la plus grosse des deux bêtes. Mais trop tard, ils sont à nouveau calfeutrés dans leur coquille.

La vieille exploratrice ne renonce pas, elle sait qu'ils vont finir par ressortir. Elle fait longtemps le siège. Finalement un œil timide puis toute une corne se faufilent hors de la coquille. Le gastéropode sort voir comment va le monde autour de sa petite vie.

Lorsque la deuxième corne apparaît, 4 000e s'élance et mord l'œil de toute la force de ses mandibules. Elle veut le sectionner. Mais le mollusque se recroqueville, happant du même coup l'exploratrice dans les volutes de sa coquille.

Floup !

Comment la sauver ?

103 683e réfléchit, déjà une idée jaillit dans l'un de ses trois cerveaux. Elle saisit un caillou avec ses mandibules et se met à frapper de toutes ses forces contre la coquille. Elle a certes inventé le marteau, mais la coquille d'escargot ce n'est pas du balsa. Les *toc-toc* ne servent qu'à produire de la musique. Il faut trouver autre chose.

C'est un jour faste, car la fourmi découvre à présent le levier. Elle saisit une solide brindille, un gravillon lui sert d'axe, elle pèse ensuite de tout son poids pour renverser le lourd animal. Elle doit s'y reprendre à plusieurs fois. Enfin, la coquille tangue d'avant en arrière, puis bascule. L'orifice d'entrée est dirigé vers le haut. Elle a réussi !

103 683e gravit les torsades, se penche au-dessus du puits formé par la coquille creuse, se laisse tomber à la rencontre du mollusque. Après une longue glissade, sa chute est amortie par une matière brune gélatineuse. Ecœurée par toute cette bave grasse dans laquelle elle patauge, elle se met à déchirer les tissus mous. Elle ne peut utiliser l'acide, elle risquerait de s'y fondre elle-même.

De nouveaux liquides se mêlent bientôt à la bave : le sang transparent de l'escargot. L'animal affolé se détend en un spasme qui projette les deux fourmis hors de sa coquille.

Indemnes, elles se caressent longuement les antennes.

L'escargot agonisant voudrait fuir, mais il perd ses viscères en route. Les deux fourmis le rattrapent et l'achèvent facilement. Effrayés, les quatre autres gastéropodes, qui ont sorti leurs cornes-yeux pour suivre la scène, se rencognent tout au fond de leur coquille et n'en bougeront plus de la journée.

103 683e et 4 000e se bourrent d'escargot, ce matin-là. Elles le découpent en tranches et le consomment sous forme de steak tiède baignant dans sa bave. Elles trouvent même la poche vaginale remplie d'œufs. Du caviar d'escargot ! L'un des mets favoris des fourmis rousses, une source précieuse de vitamines, de graisses, de sucres et de protéines...

Leur jabot social plein à ras bord, gavées d'énergie solaire, elles reprennent d'un bon pas la route vers le sud-est.

ANALYSE DES PHÉROMONES : *(Trente-quatrième expérience). Je suis arrivé à identifier quelques-unes des molécules de communication des fourmis en utilisant un spectromètre de masse et un chromatographe. J'ai pu ainsi me livrer à une analyse chimique d'une communication entre un mâle et une ouvrière, interceptée à 10 heures du soir. Le mâle a découvert un morceau de mie de pain. Voilà ce qu'il a émis :*
— Méthyl-6
— Méthyl-4 hexanone-3 (2 émissions)
— Cétone
— Octanone-3
Puis à nouveau :
— Cétone
— Octanone-3 (2 émissions)

Edmond Wells,
Encyclopédie du savoir relatif et absolu.

En chemin, elles rencontrent d'autres escargots. Tous se cachent comme s'ils s'étaient donné le mot : « Ces fourmis sont dangereuses. » Il y en a pourtant un qui ne se cache pas. Il montre même tout de sa personne.

Les deux fourmis s'approchent, intriguées. L'animal a été complètement écrasé par une masse. Sa coquille est en miettes. Son corps a éclaté et s'est répandu sur une large surface.

103 683e pense aussitôt à l'arme secrète des termites. Elles doivent être proches de la cité ennemie. Elle examine de plus près le cadavre. Le choc a été large, sec, hyperpuissant. Pas étonnant qu'avec une telle arme ils soient parvenus à éventrer le poste de La-chola-kan !

103 683e est décidée. Il faut pénétrer dans la cité termite et comprendre, ou encore mieux, voler leur arme. Sinon toute la Fédération risque d'être pulvérisée !

Mais tout d'un coup un vent fort se lève. Leurs griffes n'ont pas le temps de s'agripper à la terre. La tempête les aspire vers le ciel. 103 683e et 4 000e n'ont pas d'ailes... Elles n'en volent pas moins.

Quelques heures plus tard, alors que l'équipe de surface est passablement assoupie, le talkie-walkie grésille à nouveau.

— Allô, madame Doumeng ? Ça y est, nous sommes arrivés en bas.

— Alors ? Que voyez-vous ?

— C'est une impasse. Il y a un mur en béton et en acier qui a été construit très récemment. On dirait que tout s'arrête là... Il y a encore une inscription.

— Lisez !

— *Comment faire quatre triangles équilatéraux avec six allumettes ?*

— C'est tout ?

— Non, il y a des touches avec des lettres, sûrement pour composer la réponse.

— Il n'y a aucun couloir sur les côtés ?

— Rien.

— Vous ne voyez pas non plus les cadavres des autres ?

— Non, rien... hum... mais il y a des traces de pas. Comme si des tas de chaussures avaient piétiné juste devant ce mur.

— Qu'est-ce qu'on fait ? susurra un gendarme, on remonte ?

Bilsheim examina attentivement l'obstacle. Tous ces symboles, toutes ces plaques d'acier et de béton, ça cachait un mécanisme. Et puis les autres, ils se seraient envolés où ?

Dans son dos les gendarmes s'asseyaient sur les marches. Lui se concentra sur les touches. Il devait falloir manipuler dans un ordre précis toutes ces lettres. Jonathan Wells était dans la serrurerie, il avait dû reproduire les systèmes de sécurité des portes d'immeubles. Il fallait trouver le mot code.

Il se retourna vers ses hommes.

— Vous avez des allumettes, les gars ?

Le talkie-walkie s'impatienta.

— Allô commissaire Bilsheim, que faites-vous ?

— Si vous voulez vraiment nous aider : essayez de faire quatre triangles avec six allumettes. Dès que vous trouvez la solution vous me rappelez.

— Vous vous foutez de moi, Bilsheim ?

La tempête finit par s'apaiser. En quelques secondes, le vent ralentit sa danse ; feuilles, poussières, insectes sont à nouveau soumis aux lois de la gravité et retombent au hasard de leur poids respectif.

103 683ᵉ et 4 000ᵉ ont été plaquées au sol à quelques dizaines de têtes l'une de l'autre. Elles se retrouvent, sans une blessure, et examinent les lieux : une région caillouteuse qui ne ressemble en rien au paysage qu'elles ont quitté. Pas un seul arbre, ici, juste quelques herbes sauvages dispersées au hasard des vents. Elles ne savent pas où elles sont...

Alors qu'elles rassemblent tant bien que mal leurs forces pour quitter cet endroit sinistre, le ciel décide de manifester à nouveau sa puissance. Les nuages s'alourdissent, virent au noir. Une explosion de foudre ouvre les airs et libère toute la tension électrique qui s'y était accumulée.

Tous les animaux ont compris ce message de la nature. Les grenouilles plongent, les mouches se cachent sous les cailloux, les oiseaux volent bas.

La pluie se met à tomber. Les deux fourmis doivent de toute urgence trouver un abri. Chaque goutte peut être mortelle. Elles se hâtent vers une forme proéminente qui se découpe au loin, arbre ou rocher.

Peu à peu, à travers les gouttes drues et les brumes rampantes, la forme se dessine plus nettement. Ce n'est ni une roche ni un arbuste. C'est une véritable cathédrale de terre, et les cimes de ses nombreuses tours vont se perdre dans les nuages. Choc.

C'est une termitière ! La termitière de l'Est !

103 683e et 4 000e se trouvent prises en étau entre la terrible pluie d'orage et la cité ennemie. Elles comptaient certes la visiter, mais pas dans ces conditions ! Des millions d'années de haine et de rivalité les retiennent d'avancer.

Mais pas longtemps. Après tout, c'est bien pour espionner la termitière qu'elles sont venues jusqu'ici. Elles progressent donc en tremblant vers une entrée sombre située au pied de l'édifice. Antennes dressées, mandibules écartées, pattes légèrement fléchies, elles sont prêtes à vendre chèrement leur vie. Cependant, contre toute attente, il n'y a aucune soldate à l'entrée de la termitière.

C'est tout à fait anormal. Qu'est-ce qu'il se passe ?

Les deux asexuées s'introduisent à l'intérieur de l'immense cité. Leur curiosité le dispute déjà à la plus élémentaire prudence. Il faut dire que les lieux ne ressemblent en rien à une fourmilière. Les murs sont constitués d'une matière beaucoup moins friable que la terre, un ciment dur comme du bois. Les couloirs sont saturés d'humidité. Il n'y a pas le moindre courant d'air. Et l'atmosphère est anormalement riche en gaz carbonique.

Déjà 3°-temps qu'elles avancent là-dedans, sans avoir encore rencontré la moindre sentinelle ! C'est parfaitement inhabituel... Les deux fourmis s'immobilisent, leurs antennes se consultent à tâtons. La décision est assez vite prise : continuer.

Mais à force d'aller de l'avant, elles sont complètement désorientées. Cette cité étrangère est un dédale plus tortueux encore que leur cité natale. Même les odeurs repères de leur glande de Dufour n'ont aucune prise sur les murs. Elles ne savent plus si elles sont au-dessus ou au-dessous du niveau du sol !

Elles essaient de revenir sur leurs pas, ce qui n'arrange pas leur problème. Elles découvrent sans cesse de nouveaux couloirs aux formes étranges. Elles sont bel et bien perdues.

C'est alors que 103 683e repère un phénomène extraordinaire : une lumière ! Les deux soldates n'en reviennent pas. Cette lueur en plein milieu d'une cité termite déserte, c'est tout bonnement insensé. Elles se dirigent vers la source des rayons.

Il s'agit d'une clarté jaune orangé qui vire parfois au vert ou au bleu. Après un flash un peu fort, la source lumineuse s'éteint. Puis elle se réactive, pour se mettre à clignoter, reflétée par la chitine brillante des fourmis.

Comme hypnotisées, 103 683e et 4 000e foncent vers ce phare souterrain.

Bilsheim en sautillait d'excitation : il avait compris ! Il montra aux gendarmes comment positionner les allumettes pour obtenir quatre triangles. Mines ahuries, puis vociférations d'enthousiasme.

Solange Doumeng, qui s'était piquée au jeu, éructa :

— Vous avez trouvé ? Vous avez trouvé ? Dites-moi !

Mais on ne lui obéit pas, elle entendit un brouhaha de voix mêlé de bruits mécaniques. Et le silence retomba.

— Qu'est-ce qui se passe Bilsheim ? Dites-moi !

Le talkie-walkie se mit à grésiller furieusement.

— Allô ! Allô !

— Oui (*grésillements*), on a ouvert le passage. Derrière il y a un (*grésillements*) couloir. Il part sur la (*grésillements*) droite. On y va !

— Attendez ! Comment avez-vous fait pour les quatre triangles ?

Mais Bilsheim et les siens n'entendaient plus les messages de la surface. Le haut-parleur de leur appareil ne fonctionnait plus, sans doute un court-circuit. Ils ne recevaient plus rien mais pouvaient encore émettre.

— Ah ! c'est incroyable, plus on avance plus c'est construit. Il y a une voûte, et au loin une lumière. On y va.

— Attendez, vous m'avez dit une lumière, là-dessous ? s'égosillait vainement Solange Doumeng.

— Ils sont là !

— Qui est là ? Bon sang ! Les cadavres ? Répondez !

— Attention...

On entendit toute une série de détonations nerveuses, des cris puis la ligne fut coupée.

La corde ne se déroulait plus ; elle restait pourtant tendue. Les policiers de surface l'empoignèrent et tirèrent, supposant qu'elle était coincée. Ils s'y mirent à trois... à cinq. Tout d'un coup, ça lâcha.

Ils remontèrent la corde et l'enroulèrent, non pas dans la cuisine mais dans la salle à manger, tant cela formait une gigantesque bobine. Ils furent enfin à l'extrémité rompue, déchiquetée, comme si des dents l'avaient rongée.

— Qu'est-ce qu'on fait, madame ? murmura l'un des flics.

— Rien. Surtout on ne fait rien. Plus rien. Pas un mot à la presse, pas un mot à qui que ce soit, et puis vous allez me murer cette cave le plus vite possible. L'enquête est finie. Je referme le dossier et qu'on ne me parle plus jamais de cette satanée cave ! Allez, faites vite, achetez des briques et du ciment. Quant à vous, réglez les problèmes avec les veuves des gendarmes.

En début d'après-midi, alors que les policiers s'apprêtaient à poser les dernières briques, un bruit sourd se fit entendre. Quelqu'un remontait ! On dégagea le passage. Une tête émergea des ténèbres puis tout le corps du rescapé. Un gendarme. On allait enfin savoir ce qui se passait là-dessous. Sur son visage était stigmatisée la peur absolue. Certains muscles faciaux restaient tétanisés comme par une attaque. Un vrai zombie. Le bout de son nez avait été arraché et saignait d'abondance. Il tremblait, les yeux révulsés.

— Gebegeeeege, articula-t-il.

Un filet de bave coulait de sa bouche tombante. Il se passa sur le visage une main couverte de plaies que le regard exercé de ses collègues assimila à des coups de couteau.

— Que s'est-il passé ? Vous avez été attaqué ?

— Geuuuubegeu !

— Y a-t-il d'autres personnes vivantes là-dessous ?

— Beugeugeeebebeggebee !

Comme il était incapable d'en dire plus, on soigna ses plaies, on l'enferma dans un centre de soins psychiatriques et on mura la porte de la cave.

Le plus infime de leurs grattements de pattes sur le sol déclenche une variation dans l'intensité de la lumière. Celle-ci frémit, comme si elle les entendait venir, comme si elle était vivante.

Les fourmis s'immobilisent, pour en avoir le cœur net. La lueur ne tarde guère à s'amplifier, jusqu'à éclairer les moindres anfractuosités des couloirs. Les deux espionnes se cachent précipitamment pour ne pas être repérées par l'étrange projecteur. Puis, profitant d'une chute d'intensité lumineuse, elles foncent vers la source des rayons.

Eh bien, il s'agit d'un coléoptère phosphorescent. Une luciole en rut. Dès qu'elle a repéré les intruses, elle s'éteint complètement... Mais comme il ne se passe rien, elle retrouve doucement une faible clarté verte, prudente mise en veilleuse.

103 683e lance des odeurs de non-agression. Bien que tous les coléoptères comprennent ce langage, la luciole ne répond pas. Sa clarté verte se ternit, vire au jaune avant de devenir peu à peu rougeâtre. Les fourmis supposent que cette nouvelle couleur exprime l'interrogation.

Nous sommes perdues dans cette termitière, émet la vieille exploratrice.

D'abord, l'autre ne répond pas. Au bout de quelques degrés, elle se met à clignoter, ce qui peut exprimer aussi bien la joie que l'agacement. Dans le doute, les fourmis attendent. La luciole part soudain dans un couloir transversal en clignotant de plus en plus vite. On dirait qu'elle veut montrer quelque chose. Elles la suivent.

Les voici dans un secteur encore plus frais et humide. Des couinements lugubres se font entendre, on ne sait où. Comme des cris de détresse se répandant sous forme d'odeurs et de sons.

Les deux exploratrices s'interrogent. Or, si l'insecte de lumière ne parle pas, il entend parfaitement. Et comme pour répondre à leur question il s'allume et s'éteint par longues saccades, comme s'il voulait dire : *N'ayez pas peur, suivez-moi.*

Tous trois s'enfoncent de plus en plus profondément dans le sous-sol étranger et parviennent ainsi dans une zone très froide, où les couloirs sont beaucoup plus larges.

Les couinements reprennent avec une vigueur accrue.

— Attention ! émet brusquement 4 000e.

103 683e se retourne. La luciole éclaire une espèce de monstre qui s'approche, visage fripé de vieillard, corps enveloppé dans un linceul blanc transparent. La soldate hurle une puissante odeur de terreur qui suffoque ses deux compagnes. La momie continue d'avancer, elle semble même se pencher pour leur parler. En fait, elle bascule en avant. Elle s'affale de

tout son long sur le sol, violemment. La coque s'ouvre. Et le monstrueux vieillard se métamorphose en nouveau-né...

Une nymphe termite !

Elle devait se tenir en équilibre dans un coin. Eventrée, la momie continue de se tortiller en poussant des couinements tristes. C'était donc ça, l'origine des cris.

Et des momies, il y en a d'autres. Car les trois insectes se trouvent dans une pouponnière. Des centaines de nymphes termites sont alignées verticalement contre les murs. 4 000e les inspecte et s'aperçoit que certaines sont mortes faute de soins. Les survivantes lancent des odeurs de détresse pour appeler les nourrices. Cela fait au moins 2° qu'elles n'ont pas été léchées, elles sont toutes en train de mourir d'inanition.

C'est aberrant. Jamais un insecte social n'abandonnerait, ne serait-ce qu'un 1°-temps, ses couvains. Ou alors... La même idée traverse l'esprit des deux fourmis. Ou alors... C'est que toutes les ouvrières sont mortes et qu'il ne reste plus que les nymphes !

La luciole clignote encore, leur faisant signe de la suivre dans de nouveaux couloirs. Une senteur bizarre envahit l'air. La soldate marche sur quelque chose de dur. Elle n'a pas d'ocelles infrarouges et ne voit pas dans le noir. La lumière vivante approche et éclaire les pattes de 103 683e. Un cadavre de soldat termite ! Ça ressemble assez à une fourmi, à part que c'est tout blanc et que ça n'a pas d'abdomen détaché...

Et de ces cadavres blancs, il y en a des centaines jonchant le sol. Quel massacre ! Et le plus étrange : tous les corps sont intacts. Il n'y a pas eu de combat ! La mort a dû être foudroyante. Les habitants sont encore figés dans des positions de travail quotidien. Certains semblent dialoguer ou couper du bois entre leurs mandibules. Qu'est-ce qui a bien pu provoquer une telle catastrophe ?

4 000e examine ces statues morbides. Elles sont

imprégnées de fragrances piquantes. Un frisson parcourt les deux fourmis. C'est un gaz empoisonné. Voilà qui explique tout : la disparition de la première expédition lancée contre la termitière ; le dernier survivant de la seconde expédition qui meurt sans aucune blessure.

Et si elles-mêmes ne ressentent rien, c'est que depuis le temps le gaz toxique s'est dispersé. Mais alors, pourquoi les nymphes ont-elles survécu ? La vieille exploratrice émet une hypothèse. Elles ont des défenses immunitaires spécifiques ; leur cocon les a peut-être sauvées... Elles doivent maintenant être vaccinées contre le poison. C'est la fameuse mithridatisation qui permet aux insectes de résister à tous les insecticides en produisant des générations mutantes.

Mais qui a bien pu introduire ce gaz meurtrier ? C'est un véritable casse-tête. Une fois de plus, en cherchant l'arme secrète, 103 683ᵉ est tombée sur d'« autres choses », tout aussi incompréhensibles.

4 000ᵉ voudrait sortir. La luciole clignote en signe d'assentiment. Les fourmis donnent quelques morceaux de cellulose aux larves qui peuvent être sauvées, puis partent à la recherche de la sortie. La luciole les suit. Au fur et à mesure qu'elles avancent, les cadavres de soldats termites laissent la place à des cadavres d'ouvrières chargées du soin de la reine. Certaines tiennent encore dans leurs mandibules des œufs !

L'architecture devient de plus en plus sophistiquée. Les couloirs, de coupe triangulaire, sont gravés de signes. La luciole change de couleur et se met à diffuser une lumière bleutée. Elle a dû percevoir quelque chose. De fait, un halètement se fait entendre au fond du couloir.

Le trio parvient devant une sorte de sanctuaire protégé par cinq gardes géants. Tous morts. Et l'entrée en est obstruée par les corps inanimés d'une vingtaine de petites ouvrières. Les fourmis les dégagent en se les passant de patte en patte.

Une caverne dont la forme sphérique est presque parfaite se trouve ainsi dévoilée. La loge royale termite. C'est de là que provenait le bruit.

La luciole donne une belle lumière blanche, qui, au centre de la pièce, éclaire une sorte d'étrange limace. C'est la reine termite, une caricature de reine fourmi. Sa petite tête et son thorax rachitique sont prolongés d'un fantastique abdomen de près de cinquante têtes de long. Cet appendice hypertrophié est régulièrement secoué de spasmes.

La petite tête s'agite de douleur, proférant des hurlements en auditif et en olfactif. Les cadavres des ouvrières avaient si bien bouché l'orifice d'entrée que le gaz n'a pas pu pénétrer. Mais la reine est en train de mourir faute de soins.

Regarde son abdomen ! Les petits poussent de l'intérieur et elle n'arrive pas à accoucher seule.

La luciole monte au plafond et produit en toute innocence une lumière orangée semblable à celle qui baigne les tableaux de Georges de La Tour.

Sous les efforts conjugués des deux fourmis, les œufs commencent à s'écouler de l'énorme sac procréateur. C'est un véritable robinet à vie. La reine semble soulagée, elle a cessé de crier.

Elle demande en langage olfactif universel primaire qui l'a sauvée ? Elle est surprise en identifiant les odeurs des fourmis. Sont-elles des fourmis masquées ?

Les fourmis masquées sont une espèce très douée en chimie organique. Insectes noirs de grande taille, elles vivent dans le Nord-Est. Elles savent reproduire artificiellement n'importe quelle phéromone : passeport, piste, communication... juste en mélangeant judicieusement des sèves, des pollens et des salives.

Une fois leur camouflage distillé, elles arrivent à s'introduire par exemple dans les cités termites sans être repérées. Elles pillent et tuent alors, sans qu'aucune de leurs victimes ait pu les identifier !

Non, nous ne sommes pas des fourmis masquées.

La reine termite leur demande s'il y a des survivants dans sa cité, et les fourmis répondent que non. Elle émet le vœu d'être tuée, qu'on abrège ses souffrances. Mais auparavant, elle désire révéler quelque chose.

Oui, elle sait pourquoi sa cité a été détruite. Les termites ont découvert depuis peu le bout oriental du monde. La fin de la planète. C'est un pays noir, lisse, où tout est détruit.

Là-bas vivent des animaux étranges, très rapides et très féroces. Ce sont eux les gardiens du bout du monde. Ils sont armés de plaques noires qui écrabouillent n'importe quoi. Et maintenant ils utilisent aussi des gaz empoisonnés !

Voilà qui rappelle la vieille ambition de la reine Bi-stin-ga. Atteindre l'un des bouts du monde. Cela serait donc possible ? Les deux fourmis en demeurent stupéfaites.

Elles avaient cru jusqu'alors que la Terre est si vaste qu'il est impossible d'en atteindre le bord. Or cette reine termite laisse entendre que le bout du monde est proche ! Et qu'il est gardé par des monstres... Le rêve de la reine Bi-stin-ga serait-il réalisable ?

Toute cette histoire leur paraît tellement énorme qu'elles ne savent par quelle question commencer.

Mais pourquoi ces « gardiens du bout du monde » se sont-ils avancés jusqu'ici ? Veulent-ils envahir les cités de l'Ouest ?

La grosse reine n'en sait pas plus. Elle veut à présent mourir. Elle insiste. Elle n'a pas appris à arrêter son cœur. Il faut la tuer.

Les fourmis décapitent donc la reine termite, après que celle-ci leur a indiqué le chemin de la sortie. Puis elles mangent quelques petits œufs et quittent l'imposante cité qui n'est plus qu'une ville fantôme. Elles déposent à l'entrée une phéromone qui porte le récit du drame de ce lieu. Car en tant qu'exploratrices de la Fédération, elles ne doivent manquer à aucun de leurs devoirs.

La luciole les salue. Elle aussi sans doute s'était

égarée dans la termitière en se protégeant de la pluie. Maintenant qu'il refait beau, elle va reprendre son train-train habituel : manger, émettre de la lumière pour attirer les femelles, se reproduire, manger, émettre de la lumière pour attirer les femelles, se reproduire... Une vie de luciole, quoi !

Elles portent leur regard et leurs antennes en direction de l'est. D'ici, elles ne perçoivent pas grand-chose ; il n'empêche qu'elles savent : le bout du monde n'est pas loin. Il est par là.

CHOC DE CIVILISATIONS : *Le contact entre deux civilisations est toujours un instant délicat. Parmi les grandes remises en question qu'ont connues les êtres humains, on peut noter le cas des Noirs africains enlevés comme esclaves au XVIIIe siècle.*

La plupart des populations servant d'esclaves vivaient à l'intérieur des terres dans les plaines et les forêts. Ils n'avaient jamais vu la mer. Tout d'un coup un roi voisin venait leur faire la guerre sans raison apparente, puis au lieu de tous les tuer, ils les prenaient comme captifs, les enchaînaient et les faisaient marcher en direction de la côte.

Au bout de ce périple ils découvraient deux choses incompréhensibles : 1) la mer immense, 2) les Européens à la peau blanche. Or la mer, même s'ils ne l'avaient pas directement vue, était connue par l'entremise des contes comme le pays des morts. Quant aux Blancs, c'étaient pour eux comme des extraterrestres, ils avaient une odeur bizarre, ils avaient une peau d'une couleur bizarre, ils avaient des vêtements bizarres.

Beaucoup mouraient de peur, d'autres, affolés, sautaient des bateaux et se faisaient dévorer par les requins. Les survivants allaient, eux, de surprise en surprise. Ils voyaient quoi ? Par exemple les Blancs qui buvaient du vin. Et ils étaient sûrs que c'était du sang, le sang des leurs.

Edmond Wells,
Encyclopédie du savoir relatif et absolu.

La 56e femelle est affamée. Ce n'est pas seulement un corps, mais toute une population qui réclame sa ration de calories. Comment nourrir la meute qu'elle abrite en son sein ? Elle finit par se résoudre à sortir de son trou de ponte, se traîne sur quelques centaines de têtes et ramène trois aiguilles de pin qu'elle lèche et mâchouille avec avidité.

Ce n'est pas suffisant. Elle aurait bien chassé, mais

n'en a plus la force. Et c'est elle qui risque de servir de pâture aux milliers de prédateurs tapis aux alentours. Alors elle se tasse dans son trou pour attendre la mort.

Au lieu de cela, c'est un œuf qui apparaît. Son premier Chlipoukanien ! Elle l'a à peine senti venir. Elle a secoué ses pattes engourdies et a pressé de toute sa volonté sur ses boyaux. Il faut que ça marche, sinon tout est fini. L'œuf roule. Il est petit, presque noir à force d'être gris.

Si elle le laisse éclore, il donnera naissance à une fourmi mort-née. Et encore... elle ne pourrait même pas le nourrir jusqu'à éclosion. Alors elle mange son premier rejeton.

Cela lui donne aussitôt un surplus d'énergie. Il y a un œuf en moins dans son abdomen et un œuf en plus dans son estomac. Elle trouve dans ce sacrifice la force de pondre un second œuf, tout aussi sombre, tout aussi petit que le premier.

Elle le déguste. Et se sent encore mieux. Le troisième œuf est à peine plus clair. Elle le dévore quand même.

Ce n'est qu'au dixième que la reine change de stratégie. Ses œufs sont devenus gris, de la taille de ses globes oculaires. Chli-pou-ni en pond trois comme ça, en mange un et laisse vivre les deux autres, les réchauffant sous son corps.

Tandis qu'elle continue de pondre, ces deux veinards se métamorphosent en longues larves dont les têtes restent figées en une étrange grimace. Et ils commencent à geindre pour réclamer à manger. L'arithmétique se complique. Sur trois œufs pondus, il en faut maintenant un pour elle, et les deux autres pour nourrir les larves.

Voilà comment, en circuit fermé, on arrive à produire quelque chose à partir de rien. Lorsqu'une larve est assez grosse, elle lui donne à manger une autre larve... C'est le seul moyen de lui fournir les protéines nécessaires à sa transformation en véritable fourmi.

Mais la larve survivante est toujours affamée. Elle se contorsionne, hurle. Le festin de ses sœurs n'arrive pas à l'assouvir. Finalement, Chli-pou-ni mange cette première tentative d'enfant.

Il faut que j'y arrive, il faut que j'y arrive, se répète-t-elle. Elle pense au 327e mâle et pond d'un coup cinq œufs beaucoup plus clairs. Elle en ingurgite deux, et laisse grandir les trois autres.

Ainsi, d'infanticide en enfantement, la vie se passe le relais. Trois pas en avant, deux pas en arrière. Cruelle gymnastique qui finit par déboucher sur un premier prototype de fourmi complète.

L'insecte est tout petit et plutôt débile, car sous-alimenté. Mais elle a réussi son premier Chlipoukanien ! La course cannibale pour l'existence de sa cité est désormais à moitié gagnée. Cette ouvrière dégénérée peut en effet se mouvoir et ramener des vivres du monde alentour : cadavres d'insectes, graines, feuilles, champignons... Ce qu'elle fait.

Chli-pou-ni, enfin nourrie normalement, donne naissance à des œufs bien plus clairs, bien plus fermes. Les coquilles solides protègent les œufs du froid. Les larves sont de taille raisonnable. Les enfants éclos de cette nouvelle génération sont grands et costauds. Ils vont former la base de la population de Chli-pou-kan.

Quant à la première ouvrière tarée qui a permis d'alimenter la pondeuse, elle est bien vite mise à mort et dévorée par ses sœurs. Après quoi, tous les meurtres, toutes les douleurs qui ont préludé à la création de la Cité sont oubliés.

Chli-pou-kan vient de naître.

MOUSTIQUE : Le moustique est l'insecte qui duellise le plus volontiers avec l'humain. Chacun d'entre nous s'est retrouvé un jour, en pyjama debout sur le lit, la pantoufle à la main, l'œil guettant le plafond immaculé.

Incompréhension. Pourtant ce qui gratte ce n'est que la salive désinfectante de sa trompe. Sans cette salive chaque piqûre pourrait s'infecter. Et encore le moustique prend toujours la précaution de ne piquer qu'entre deux points de réception de la douleur !

Face à l'homme, la stratégie du moustique a évolué. Il a appris à devenir plus rapide, plus discret, plus vif au décollage. Il devient de plus en plus difficile à repérer. Certains audacieux de la dernière génération n'hésitent pas à se cacher sous l'oreiller de leur victime. Ils ont découvert le principe de la « Lettre volée » d'Edgar Allan Poe : la meilleure cachette est celle qui crève les yeux, car on pense toujours à aller chercher plus loin ce qui se trouve tout près.

Edmond Wells,
Encyclopédie du savoir relatif et absolu.

Grand-Mère Augusta contempla ses valises déjà prêtes. Demain elle allait déménager rue des Sybarites. Cela paraissait incroyable, mais Edmond avait envisagé la disparition de Jonathan et il avait inscrit dans son testament : « Si Jonathan meurt ou disparaît, et s'il n'a pas lui-même établi de testament, je souhaiterais que ce soit Augusta Wells, ma mère, qui vienne occuper mon appartement. Si elle-même venait à disparaître, ou si elle refusait ce legs, je souhaiterais que ce soit Pierre Rosenfeld qui hérite des lieux ; et si lui-même refusait ou disparaissait, Jason Bragel pourrait alors venir habiter... »

Il faut reconnaître qu'à la lumière des événements récents, Edmond n'avait pas eu tort de se prévoir au moins quatre héritiers. Mais Augusta n'était pas superstitieuse, et puis elle pensait que même si Edmond était misanthrope il n'avait aucune raison de vouloir la mort de son neveu et de sa mère. Quant à Jason Bragel, il s'agissait de son meilleur ami !

Une idée curieuse lui traversa l'esprit. On aurait dit qu'Edmond avait cherché à gérer le futur comme si... tout commençait après sa mort.

Cela fait des jours qu'elles marchent dans la direction du soleil levant. La santé de 4 000e ne cesse de se détériorer, mais la vieille guerrière continue d'avancer sans se plaindre. Elle est vraiment d'un courage et d'une curiosité à toute épreuve.

Par une fin d'après-midi, alors qu'elles escaladent le tronc d'un noisetier, elles se trouvent soudain encerclées par des fourmis rouges. Encore de ces bestioles du Sud qui ont voulu voir du pays ! Leur corps allongé est pourvu d'un aiguillon venimeux dont chacun sait que le moindre contact provoque une mort instantanée. Les deux rousses aimeraient être ailleurs.

A part quelques mercenaires dégénérés, 103 683e n'a encore jamais vu de rouges dans le grand Extérieur. Décidément, les terres de l'Est valent d'être découvertes...

Agitation d'antennes. Les fourmis rouges savent communiquer dans la même langue que les Belokaniennes.

Vous n'avez pas les bonnes phéromones passeports. Dehors ! Ceci est notre territoire.

Les rousses répondent qu'elles ne font que passer, elles désirent aller au bout du monde oriental. Les fourmis rouges se concertent.

Elles ont reconnu les deux autres comme étant de la Fédération des rousses. Celle-ci est peut-être loin, mais elle est puissante (64 cités avant le dernier essaimage) et la réputation de ses armées a franchi le fleuve de l'Ouest. Il vaut peut-être mieux ne pas chercher des prétextes de conflit. Un jour fatalement, des rouges, qui sont une espèce migrante, se trouveront obligées de traverser les territoires fédérés des rousses.

Les mouvements d'antennes s'apaisent progressivement. L'heure est à la synthèse. Une rouge transmet l'avis du groupe :

Vous pouvez passer une nuit ici. Nous sommes prêtes à vous indiquer le chemin du bout du monde, et même à vous y accompagner. En échange vous nous laisserez quelques-unes de vos phéromones d'identification.

Le marché est équitable. 103 683e et 4 000e savent qu'en donnant de leurs phéromones elles offrent aux rouges un précieux laissez-passer pour tous les vastes territoires de la Fédération. Mais pouvoir aller au bout du monde et en revenir n'a pas de prix...

Leurs hôtes les guident vers le campement, situé

quelques branches plus haut. Cela ne ressemble à rien de connu. Les fourmis rouges, qui pratiquent le tissage et la couture, ont bâti leur nid provisoire en cousant bord à bord trois grandes feuilles de noisetier. L'une sert de plancher, les autres de murs latéraux.

103 683e et 4 000e observent un groupe de tisseuses, occupées à fermer le « toit » avant la nuit. Elles sélectionnent la feuille du noisetier qui va faire office de plafond. Pour réunir cette feuille aux trois autres, elles forment une échelle vivante, dizaines d'ouvrières qui s'empilent les unes sur les autres jusqu'à fabriquer un monticule susceptible d'atteindre la feuille-plafond.

Plusieurs fois la pile s'effondre. C'est trop haut.

Les rouges changent alors de méthode. Un groupe d'ouvrières se hisse sur la feuille-plafond, composant une chaîne qui s'accroche et qui pend à la pointe extrême du végétal. La chaîne descend, descend afin de rejoindre l'échelle vivante toujours placée en dessous. C'est encore trop loin, aussi la chaîne est-elle lestée en son bout par une grappe de rouges.

Ça y est presque, la tige de la feuille s'est courbée. Il ne manque que très peu de centimètres sur la droite. Les fourmis de la chaîne lancent un mouvement de pendule pour compenser l'écart. A chaque fin de balancement la chaîne s'étire, elle semble sur le point de rompre mais elle tient bon. Enfin les mandibules des acrobates du haut et du bas réalisent leur jonction, *tchac !*

Deuxième manœuvre : la chaîne rétrécit. Les ouvrières du milieu, avec mille précautions, sortent du rang, montent sur les épaules de leurs collègues, et tout le monde tire pour rapprocher les deux feuilles. La feuille-plafond descend petit à petit sur le village, étendant son ombre sur le plancher.

Toutefois, si la boîte a son couvercle, il faut à présent le sceller. Une vieille rouge se rue à l'intérieur d'une maison et ressort en brandissant une grosse larve. Voilà l'instrument du tissage.

On ajuste les bords bien parallèlement, on les maintient en contact. Puis on amène la larve fraîche. La pauvresse était en train de construire son cocon pour opérer sa mue en toute tranquillité, on ne lui en laissera point le loisir. Une ouvrière saisit un fil dans cette pelote et commence à la dévider. Avec un peu de salive elle en colle l'extrémité à une feuille et passe ensuite le cocon à sa voisine.

La larve, sentant qu'on lui retire son fil, en produit d'autre pour compenser. Plus on la dénude, plus elle a froid et plus elle crache sa soie. Les ouvrières en profitent. Elles se passent cette navette vivante de mandibule en mandibule et ne lésinent pas sur la quantité de fil. Lorsque leur enfant meurt, épuisé, elles en prennent un autre. Douze larves sont ainsi sacrifiées à ce seul ouvrage.

Elles achèvent de fermer le second bord de la feuille-plafond ; le village présente maintenant l'aspect d'une boîte verte aux arêtes blanches. 103 683e, qui s'y promène presque comme chez elle, remarque à différentes reprises des fourmis noires au milieu de la foule de fourmis rouges. Elle ne peut s'empêcher de questionner.

Ce sont des mercenaires ?

Non, ce sont des esclaves.

Les rouges ne sont pourtant pas connues pour leurs mœurs esclavagistes... L'une de celles-ci consent à expliquer qu'elles ont croisé récemment une horde de fourmis esclavagistes qui s'acheminaient vers l'ouest, et qu'elles ont alors échangé des œufs de noires contre un nid tissé portatif.

103 683e ne lâche pas si vite son interlocutrice et lui demande si la rencontre n'a pas tourné ensuite à la bagarre. L'autre répond que non, que les terribles fourmis étaient déjà repues, elles n'avaient que trop d'esclaves ; de plus, elles avaient peur du dard mortel des rouges.

Les fourmis noires issues des œufs troqués avaient pris les odeurs passeports de leurs hôtes et les servaient comme s'il s'agissait de leurs parents. Et comment pourraient-elles savoir que leur patrimoine génétique fait d'elles des prédatrices et non pas des esclaves ? Elles ne connaissent rien du monde en dehors de ce que les rouges veulent bien leur raconter.

Vous n'avez pas peur qu'elles se révoltent ?

Bon, il y avait déjà eu des soubresauts. En général les rouges anticipaient les incidents en éliminant les récalcitrantes isolées. Tant que les noires ne savaient pas qu'elles avaient été dérobées dans un nid, qu'elles faisaient partie d'une autre espèce, elles manquaient de motivation réelle...

La nuit et le froid descendent sur le noisetier. On attribue aux deux exploratrices un coin où passer la mini-hibernation nocturne.

Chli-pou-kan croît petit à petit. On a tout d'abord aménagé la Cité interdite. Elle n'est pas construite dans une souche, mais dans un truc bizarre enterré là ; une boîte de conserve rouillée, en fait, ayant jadis contenu trois kilos de compote, rebut provenant d'un orphelinat proche.

Dans ce palais nouveau, Chli-pou-ni pond avec frénésie cependant qu'on la gave de sucres, de graisses et de vitamines.

Les premières filles ont construit juste sous la Cité interdite une pouponnière chauffée à l'humus en décomposition. C'est ce qu'il y a de plus pratique, en attendant le dôme de branchettes et le solarium qui signeront la fin des travaux.

Chli-pou-ni veut que sa cité bénéficie de toutes les technologies connues : champignonnières, fourmis citernes, bétail de pucerons, lierres de soutien, salles de fermentation de miellat, salle de fabrication des farines de céréales, salles de mercenaires, salle d'espions, salle de chimie organique, etc.

Et ça court dans tous les coins. La jeune reine a su transmettre son enthousiasme et ses espoirs. Elle n'accepterait pas que Chli-pou-kan soit une ville fédérée comme les autres. Elle ambitionne d'en faire un pôle d'avant-garde, la pointe de la civilisation myrmécéenne. Elle déborde d'ailleurs de suggestions.

Par exemple, on a découvert aux alentours de l'étage – 12 un ruisseau souterrain. L'eau est un élément qui n'a pas été assez étudié, selon elle. On doit pouvoir trouver un moyen de marcher dessus.

Dans un premier temps, une équipe est chargée d'étudier les insectes qui vivent en eau douce : dytiques, cyclopes, daphnies... Sont-ils comestibles ? Pourra-t-on un jour en élever dans des flaques contrôlées ?

Son premier discours connu, elle le tient sur le thème des pucerons :

Nous allons vers une période de troubles guerriers. Les armes sont de plus en plus sophistiquées. Nous ne pourrons pas toujours suivre. Un jour, peut-être, la chasse à l'extérieur deviendra aléatoire. Il nous faut prévoir le pire. Notre cité doit s'étendre le plus possible en profondeur. Et nous devons privilégier l'élevage des pucerons à toute autre forme de fourniture des sucres vitaux. Ce bétail sera installé dans des étables situées aux étages les plus bas...

Trente de ses filles font une sortie et ramènent deux pucerons sur le point d'accoucher. Au bout de quelques heures, elles en ont obtenu une centaine de puceronneaux dont elles coupent les ailes. On installe cette amorce de cheptel à l'étage – 23, bien à l'abri des coccinelles, et on le fournit amplement en feuilles fraîches et tiges pleines de sève.

Chli-pou-ni envoie des exploratrices dans toutes les directions. Certaines ramènent des spores d'agaric qui sont ensuite plantées dans les champignonnières. La reine avide de découvertes décide même de réaliser le rêve de sa mère : elle plante une ligne de graines de fleurs carnivores sur la frontière est. Elle espère ainsi ralentir une éventuelle attaque des termites et de leur arme secrète.

Car elle n'a pas oublié le mystère de l'arme secrète,

l'assassinat du prince 327e et la réserve alimentaire dissimulée sous le granite.

Elle dépêche un groupe d'ambassadrices en direction de Bel-o-kan. Officiellement, celles-ci sont chargées d'annoncer à la reine mère la construction de la soixante-cinquième cité et son ralliement à la Fédération. Mais à titre officieux, elles doivent essayer de poursuivre l'enquête à l'étage – 50 de Bel-o-kan.

La sonnette retentit alors qu'Augusta était en train d'épingler ses précieuses photos sépia sur le mur gris. Elle vérifia que la chaîne de sécurité était mise et entrouvrit la porte.

Il y avait là un monsieur d'âge moyen, bien propret ; il n'avait même pas de pellicules sur le revers de sa veste.

— Bonjour madame Wells. Je me présente : Pr Leduc, un collègue de votre fils Edmond. Je n'irai pas par quatre chemins. Je sais que vous avez déjà perdu votre petit-fils et votre arrière-petit-fils dans la cave. Et que huit pompiers, six gendarmes et deux policiers y ont disparu pareillement. Pourtant, madame... je souhaiterais y descendre.

Augusta n'était pas sûre d'avoir bien entendu. Elle régla sa prothèse auditive sur le volume maximal.

— Vous êtes le Pr Rosenfeld ?

— Non. Leduc. Pr Leduc. Je vois que vous avez entendu parler de Rosenfeld. Rosenfeld, Edmond et moi sommes tous trois entomologistes. Nous avons en commun une spécialité : l'étude des fourmis. Mais justement Edmond avait pris sur nous une sérieuse avance. Il serait dommage de ne pas en faire bénéficier l'humanité... Je souhaiterais descendre dans votre cave.

Quand on entend mal, on regarde mieux. Elle examina les oreilles de ce Leduc. L'être humain possède la particularité de garder en lui la forme de son passé le plus ancien ; l'oreille, à cet égard, représente le foetus. Le lobe symbolise la tête, l'arête du pavillon donne la forme de la colonne vertébrale, etc. Ce

Leduc avait dû être un foetus maigre, et Augusta appréciait modérément les foetus maigres.

— Et qu'est-ce que vous espérez trouver dans cette cave ?

— Un livre. Une encyclopédie où il notait systématiquement tous ses travaux. Edmond était cachottier. Il a dû tout ensevelir là-dessous, en mettant des pièges pour tuer ou repousser les béotiens. Mais moi, je pars averti et un homme averti...

— ... peut très bien se faire tuer ! compléta Augusta.

— Laissez-moi ma chance.

— Entrez, monsieur... ?

— Leduc, Pr Laurent Leduc du laboratoire CNRS 352.

Elle le guida vers la cave. Une inscription en larges lettres rouges était peinte sur le mur construit par la police :

NE PLUS JAMAIS DESCENDRE
DANS CETTE MAUDITE CAVE ! ! !

Elle la désigna d'un coup de menton.

— Vous savez ce qu'ils disent les gens dans cet immeuble, monsieur Leduc ? Ils disent que c'est une bouche de l'enfer. Ils disent que cette maison est carnivore et qu'elle mange les humains qui viennent lui démanger le gosier... Certains voudraient même qu'on coule du béton.

Elle le regarda de haut en bas.

— Vous n'avez pas peur de mourir, monsieur Leduc ?

— Si, fit-il, et il sourit d'un air narquois. Si, j'ai peur de mourir idiot, sans savoir ce qu'il y a au fond de cette cave.

103 683e et 4 000e ont quitté depuis des jours le nid des tisseuses rouges. Deux guerrières au dard pointu les accompagnent. Ensemble elles ont marché longtemps sur des pistes à peine parfumées de phéromones pistes. Elles ont déjà parcouru des mil-

liers de têtes de distance depuis le nid tissé dans les branches du noisetier. Elles ont croisé toutes sortes d'animaux exotiques dont elles ne connaissent même pas le nom. Dans le doute, elles les évitent tous.

Quand la nuit vient, elles creusent la terre le plus profondément possible puis s'enfouissent en profitant de la douce chaleur et de la protection de leur planète nourricière.

Les deux rouges, aujourd'hui, les ont guidées jusqu'au sommet d'une colline.

Le bout du monde est encore loin ?

C'est par là.

De leur promontoire, les rousses découvrent, à perte de vue vers l'est, un univers de sombres broussailles. Les rouges leur signifient que leur mission prend fin, qu'elles ne les suivent pas plus loin. Il y a certains endroits où leurs odeurs ne sont pas bien accueillies.

Les Belokaniennes doivent continuer tout droit jusqu'aux champs des moissonneuses. Celles-ci vivent en permanence aux parages du « bord du monde » ; elles sauront sans aucun doute les renseigner.

Avant de quitter leurs guides, les rousses délivrent les précieuses phéromones d'identification de la Fédération, prix convenu du voyage. Puis elles dévalent la pente à la rencontre des champs cultivés par les fameuses moissonneuses.

SQUELETTE : *Vaut-il mieux avoir le squelette à l'intérieur ou à l'extérieur du corps ?*

Lorsque le squelette est à l'extérieur, il forme une carrosserie protectrice. La chair est à l'abri des dangers extérieurs mais elle devient flasque et presque liquide. Et lorsqu'une pointe arrive à passer malgré toute la carapace, les dégâts sont irrémédiables.

Lorsque le squelette ne forme qu'une barre mince et rigide à l'intérieur de la masse, la chair palpitante est exposée à toutes les agressions. Les blessures sont multiples et permanentes. Mais, justement, cette faiblesse apparente force le muscle à durcir et la fibre à résister. La chair évolue.

J'ai vu des humains qui avaient forgé grâce à leur esprit des

carapaces « intellectuelles » les protégeant des contrariétés. Ils semblaient plus solides que la moyenne. Ils disaient : « je m'en fous » et riaient de tout. Mais lorsqu'une contrariété arrivait à passer leur carapace les dégâts étaient terribles.
J'ai vu des humains souffrir de la moindre contrariété, du moindre effleurement, mais leur esprit ne se fermait pas pour autant, ils restaient sensibles à tout et apprenaient de chaque agression.

Edmond Wells,
Encyclopédie du savoir relatif et absolu.

Les esclavagistes attaquent !

Panique à Chli-pou-kan. Des éclaireurs fourbus répandent la nouvelle dans la jeune cité.

Les esclavagistes ! Les esclavagistes !

Leur terrible réputation les a précédées. De même que certaines fourmis ont privilégié telle voie de développement — élevage, stockage, culture de champignons ou chimie —, les esclavagistes se sont spécialisées dans le seul domaine de la guerre.

Elles ne savent faire que ça, mais le pratiquent comme un art absolu. Et tout leur corps s'y est adapté. La moindre de leurs articulations se termine par une pointe recourbée, leur chitine a une épaisseur double de celle des rousses. Leur tête étroite et parfaitement triangulaire n'offre de prise à aucune griffe. Leurs mandibules, aux allures de défenses d'éléphant portées à l'envers, sont deux sabres courbes qu'elles manient avec une adresse redoutable.

Quant à leurs mœurs esclavagistes, elles ont découlé naturellement de leur excessive spécialisation. Il s'en est même fallu de peu que l'espèce ne disparaisse, détruite par sa propre volonté de puissance. A force de guerroyer, ces fourmis ne savent plus construire de nids, élever leurs petits, ou même... se nourrir. Leurs mandibules-sabres, si efficaces dans les combats, s'avèrent bien peu pratiques pour s'alimenter normalement. Cependant, pour belliqueuses qu'elles soient, les esclavagistes ne sont pas stupides. Puisqu'elles n'étaient plus capables d'effectuer les tâches ménagères indispensables à la survie quotidienne..., d'autres allaient s'en occuper à leur place.

Les esclavagistes s'attaquent en particulier aux nids petits et moyens de fourmis noires, blanches ou jaunes — toutes espèces ne possédant ni dard ni glande à acide. Elles encerclent d'abord le village convoité. Dès que les assiégées s'aperçoivent que toutes les ouvrières sorties se sont fait tuer, elles décident de boucher les issues. C'est le moment que choisissent les esclavagistes pour lancer leur premier assaut. Elles débordent facilement les défenses, livrent des brèches dans la cité, sèment la panique dans les couloirs.

C'est alors que les ouvrières effrayées tentent d'opérer une sortie qui mettrait les œufs à l'abri. Exactement ce qu'ont prévu les esclavagistes. Elles filtrent toutes les issues et forcent les ouvrières à abandonner leur précieux fardeau. Elles ne tuent que celles qui ne veulent point obtempérer ; chez les fourmis, on ne tue jamais gratuitement.

A la fin des combats, les esclavagistes investissent le nid, demandent aux ouvrières survivantes de replacer les œufs à leur place et de continuer à les soigner. Lorsque les nymphes éclosent, elles sont éduquées à servir les envahisseuses, et comme elles ne connaissent rien du passé elles pensent qu'obéir à ces grosses fourmis est la manière de vivre juste et normale.

Durant les razzias, les esclaves de longue date restent en retrait, cachées dans les herbes, à attendre que leurs maîtresses aient fini de nettoyer le coin. Une fois la bataille gagnée, en bonnes petites ménagères, elles s'installent dans les lieux, mélangent l'ancien butin d'œufs aux nouveaux, éduquent les prisonnières et leurs enfants. Les générations de kidnappées se superposent ainsi les unes aux autres, au gré des migrations de leurs pirates.

Il faut en général trois esclaves pour servir chacune de ces accaparatrices. Une pour la nourrir (elle ne sait manger que des aliments régurgités qu'on lui donne à la becquée) ; une pour la laver (ses glandes salivaires se sont atrophiées) ; une pour évacuer les excréments qui, sinon, s'accumulent autour de l'armure et la rongent.

Le pire qui puisse arriver à ces soldates absolues est bien sûr d'être abandonnées par leurs servantes. Elles ressortent alors précipitamment du nid volé et partent à la recherche d'une nouvelle cité à conquérir. Si elles ne la trouvent pas avant la nuit, elles peuvent mourir de faim et de froid. La mort la plus ridicule pour ces magnifiques guerrières !

Chli-pou-ni a entendu de nombreuses légendes sur les esclavagistes. On prétend qu'il y a déjà eu des révoltes d'esclaves, et que les esclaves connaissant bien leurs maîtresses n'avaient pas forcément le dessous. On raconte aussi que certaines esclavagistes font la collection d'œufs fourmis, dans l'idée d'en avoir de toutes les tailles et de toutes les espèces.

Elle imagine une salle pleine de tous ces œufs de toutes grosseurs, de toutes couleurs. Et sous chaque enveloppe blanche... une culture myrmécéenne spécifique, prête à s'éveiller pour le service de ces brutes primaires.

Elle s'arrache à sa pénible songerie. Il faut d'abord penser à faire front. La horde esclavagiste a été signalée venant de l'est. Les éclaireurs et les espions chlipoukaniens assurent qu'elles sont de quatre cents à cinq cent mille soldates. Elles ont traversé le fleuve en utilisant le souterrain du port de Sateï. Et sont paraît-il assez « agacées », car elles possédaient un nid ambulant de feuilles tissées dont elles ont dû se défaire pour passer dans le tunnel. Elles n'ont donc plus de logis, et si elles ne prennent pas Chli-pou-kan, elles devront passer la nuit dehors !

La jeune reine tente de réfléchir le plus calmement possible : *Si elles étaient si heureuses avec leur nid tissé portatif, pourquoi se sont-elles senties obligées de passer le fleuve ?* Mais elle connaît la réponse.

Les esclavagistes détestent les villes d'une haine aussi viscérale qu'incompréhensible. Chacune représente pour elles une menace et un défi. Eternelle rivalité entre gens des plaines et gens des villes. Or les esclavagistes savent que de l'autre côté du fleuve existent des centaines de cités fourmis, toutes plus riches et raffinées les unes que les autres.

Chli-pou-kan n'est malheureusement pas prête à encaisser un tel assaut. Certes, depuis quelques jours, la ville regorge d'un bon million d'habitantes ; certes, on a construit un mur de plantes carnivores sur la frontière est... mais cela ne suffira jamais. Chli-pou-ni sait que sa cité est trop jeune, pas assez aguerrie. En outre, elle n'a toujours pas de nouvelles des ambassadrices qu'elle a envoyées à Bel-o-kan pour signifier l'appartenance à la Fédération. Elle ne peut donc compter sur la solidarité des cités voisines. Même Guayeï-Tyolot est à plusieurs milliers de tête, il est impossible d'avertir les gens de ce nid d'été...

Qu'aurait fait Mère devant une telle situation ? Chli-pou-ni décide de réunir quelques-unes de ses meilleures chasseresses (elles n'ont pas encore eu l'occasion de prouver qu'elles étaient guerrières) pour une communication absolue. Il est urgent de mettre au point une stratégie.

Elles sont encore réunies dans la Cité interdite lorsque les vigiles postées dans l'arbuste surplombant Chli-pou-kan annoncent qu'on perçoit les odeurs d'une armée qui accourt.

Tout le monde se prépare. Aucune stratégie n'a pu être établie. On va improviser. Le branle-bas de combat est donné, les légions s'assemblent tant bien que mal (elles ignorent encore tout de la formation, chèrement acquise face aux fourmis naines). En fait, la plupart des soldates préfèrent placer leurs espoirs dans le mur de plantes carnivores.

AU MALI : AU Mali, les Dogons considèrent que lors du mariage originel entre le Ciel et la Terre, le sexe de la Terre était une fourmilière.
Lorsque le monde issu de cet accouplement fut achevé, la vulve devint une bouche, d'où sortirent la parole et ce qui en est le

support matériel : la technique du tissage, que les fourmis transmirent aux hommes.
De nos jours encore, les rites de fécondité demeurent liés à la fourmi. Les femmes stériles vont s'asseoir sur une fourmilière pour demander au dieu Amma de les rendre fécondes.
Mais les fourmis ne firent pas que cela pour les hommes, elles leur montrèrent aussi comment construire leurs maisons. Et enfin elles leur désignèrent les sources. Car les Dogons comprirent qu'il leur fallait creuser sous les fourmilières pour trouver de l'eau.

Edmond Wells,
Encyclopédie du savoir relatif et absolu.

Des sauterelles se mettent à bondir en tous sens. C'est un signe. Juste au-delà, les fourmis équipées des meilleurs yeux distinguent déjà une colonne de poussière.

On a beau parler des esclavagistes, les voir charger est bien autre chose. Elles n'ont pas de cavalerie, elles sont la cavalerie. Tout leur corps est souple et solide, leurs pattes sont épaisses et musclées, leur tête fine et pointue est prolongée de cornes mobiles qui sont en fait leurs mandibules.

Leur aérodynamisme est tel qu'aucun sifflement n'accompagne leur crâne lorsqu'il fend les airs, emporté par la vitesse des pattes.

L'herbe se couche à leur passage, la terre vibre, le sable ondule. Leurs antennes pointées en avant lâchent des phéromones tellement piquantes qu'on dirait des vociférations.

Doit-on s'enfermer et résister au siège ou sortir et se battre ? Chli-pou-ni hésite, elle a peur, au point de ne pas risquer même une suggestion. Alors naturellement, les soldates rousses font ce qu'il ne faut pas faire. Elles se divisent. Une moitié sort pour affronter l'adversaire à découvert ; l'autre moitié reste calfeutrée dans la Cité comme force de réserve et de résistance en cas de siège.

Chli-pou-ni essaye de se remémorer la bataille des Coquelicots, la seule qu'elle connaisse. Et c'est, lui semble-t-il, l'artillerie qui avait provoqué le plus de dégâts dans les troupes adverses. Elle ordonne aussitôt qu'on place en premières lignes trois rangs d'artilleuses.

Les légions esclavagistes foncent à présent sur le mur de plantes carnivores. Les fauves végétaux se baissent à leur passage, attirés par l'odeur de viande chaude. Mais ils sont beaucoup trop lents, et toutes les guerrières ennemies passent avant que la moindre dionée ne soit parvenue ne serait-ce qu'à les pincer.

Mère s'était trompée !

Sur le point d'encaisser la charge, la première ligne chlipoukanienne décoche une salve approximative qui n'élimine guère qu'une vingtaine d'assaillantes. La deuxième ligne n'a même pas le temps de se mettre en place, les artilleuses sont toutes saisies à la gorge et décapitées sans avoir pu lâcher une goutte d'acide.

C'est la grande spécialité des esclavagistes de n'attaquer qu'à la tête. Et elles le font très bien. Les crânes des jeunes Chlipoukaniennes volent. Les corps sans tête continuent parfois de se battre à l'aveuglette ou bien détalent en effrayant les survivantes.

Au bout de douze minutes, il ne reste pas grand-chose des troupes rousses. La seconde moitié de l'armée bouche toutes les issues. Chli-pou-kan n'ayant pas encore reçu son dôme, elle apparaît en surface sous la forme d'une dizaine de petits cratères entourés de graviers triturés.

Tout le monde est abasourdi. S'être donné tant de mal pour construire une cité moderne, et la voir à la merci d'une bande de barbares tellement primitives qu'elles ne savent pas se nourrir seules !

Chli-pou-ni a beau multiplier les CA, elle ne trouve pas comment leur résister. Les moellons placés aux issues tiendront au mieux quelques secondes. Quant au combat dans les galeries, les Chlipoukaniennes n'y sont pas davantage préparées qu'au combat à découvert.

Dehors les dernières soldates rousses combattent

comme des diablesses. Certaines ont pu battre en retraite, mais la plupart ont vu les issues se boucher juste derrière leur dos. Pour elles, tout est fichu. Elles résistent pourtant avec d'autant plus d'efficacité qu'elles n'ont plus rien à perdre et qu'elles pensent que plus elles ralentiront les envahisseurs, plus les bouchons des issues pourront être consolidés.

La dernière Chlipoukanienne se fait à son tour décapiter et son corps dans un réflexe nerveux se place devant une issue et y plante ses griffes, dérisoire bouclier.

A l'intérieur de Chli-pou-kan, on attend.

On attend les esclavagistes avec une morne résignation. La force physique pure a finalement une efficacité que la technologie n'a pu encore surpasser...

Mais les esclavagistes n'attaquent pas. Tel Hannibal devant Rome, elles hésitent à vaincre. Tout cela paraît trop facile. Il doit y avoir un piège. Si leur réputation de tueuses les précède partout, les rousses ont aussi leur renommée. Dans le camp esclavagiste, on les dit habiles à inventer des pièges subtils. On prétend qu'elles savent faire alliance avec des mercenaires qui surgissent au moment où l'on s'y attend le moins. On dit aussi qu'elles savent dompter des animaux féroces, fabriquer des armes secrètes qui provoquent des douleurs insupportables. Et puis, autant les esclavagistes sont à l'aise en plein air, autant elles détestent se sentir entourées de murs.

Toujours est-il qu'elles ne font pas sauter les barricades disposées aux issues. Elles attendent. Elles ont tout leur temps. Après tout, la nuit ne devrait pas tomber avant une quinzaine d'heures.

Dans la fourmilière, on s'étonne. Pourquoi n'attaquent-elles pas ? Chli-pou-ni n'aime pas cela. Ce qui l'inquiète, c'est que l'adversaire « agisse de manière à échapper à son mode de compréhension », alors qu'il n'en a nul besoin, étant le plus fort. Certaines de ses filles émettent timidement l'opinion qu'on essaie peut-être de les affamer. Une telle éventualité ne peut que redonner courage aux rousses : grâce à leurs étables en sous-sol, leurs champignonnières, leurs greniers à farine de céréales, les fourmis réservoirs gavées de miellat, elles sont en mesure de tenir deux bons mois de siège.

Mais Chli-pou-ni ne croit pas à un siège. Ce que veulent les autres, là-haut, c'est un nid pour la nuit. Elle repense à la fameuse sentence de Mère : *Si l'adversaire est plus fort, agis de manière à échapper à son mode de compréhension.* Oui, face à ces brutasses, les technologies de pointe, voilà le salut.

Les cinq cent mille Chlipoukaniennes opèrent des CA. Un débat intéressant émerge enfin. C'est une petite ouvrière qui émet :

L'erreur a été de vouloir reproduire des armes ou des stratégies utilisées par nos aînées de Bel-o-kan. Nous ne devons pas copier, nous devons inventer nos propres solutions, pour résoudre nos propres problèmes.

Dès que cette phéromone est lâchée, les esprits se débloquent et une décision est rapidement prise. Tout le monde se met alors au travail.

JANISSAIRE : *Au XIV*[e] *siècle, le sultan Murad I*[er] *créa un corps d'armée un peu spécial, qu'on baptisa les Janissaires (du turc* yeni tcheri, *nouvelle milice). L'armée janissaire avait une particularité : elle n'était formée que d'orphelins. En effet, les soldats turcs, quand ils pillaient un village arménien ou slave, recueillaient les enfants en très bas âge et les enfermaient dans une école militaire spéciale d'où ils ne pouvaient rien connaître du reste du monde. Eduqués uniquement dans l'art du combat, ces enfants s'avéraient les meilleurs combattants de tout l'Empire ottoman et ravageaient sans vergogne les villages habités par leur vraie famille. Jamais les Janissaires n'eurent l'idée de combattre leurs kidnappeurs aux côtés de leurs parents. En revanche, leur puissance ne cessant de croître, cela finit par inquiéter le sultan Mahmut II qui les massacra et bouta le feu à leur école en 1826.*

Edmond Wells,
Encyclopédie du savoir relatif et absolu.

Le Pr Leduc avait amené deux grosses malles. De l'une, il sortit un surprenant modèle de marteau-piqueur à essence. Il se mit aussitôt à défoncer le mur construit par les policiers, jusqu'à y dégager un trou circulaire permettant le passage.

Quand le tapage eut cessé, Grand-mère Augusta vint proposer une verveine, mais Leduc refusa en expliquant posément que cela risquait de lui donner envie d'uriner. Il se tourna vers l'autre malle et en tira une panoplie complète de spéléologue.

— Vous pensez que c'est si profond que ça ?

— Pour être franc, chère madame, avant de venir vous voir j'ai effectué une recherche sur cet immeuble. Il était habité à la Renaissance par des savants protestants qui ont construit un passage secret. Je suis presque certain que ce passage débouche en forêt de Fontainebleau. C'est par là que ces protestants échappaient à leurs persécuteurs.

— Mais si les gens qui sont descendus là-dessous sont ressortis en forêt, je ne comprends pas pourquoi ils ne se sont plus manifestés ? Il y a mon fils, mon petit-fils... ma bru, plus une bonne dizaine de pompiers et de gendarmes, toutes ces personnes n'ont aucune raison de se cacher. Elles ont des familles, des amis. Elles ne sont pas protestantes et il n'y a plus de guerres de Religion.

— En êtes-vous tellement sûre, madame ?

Il la fixa d'un drôle d'air.

— Les religions ont pris de nouveaux noms, elles se targuent d'être des philosophies ou des... sciences. Mais elles sont toujours aussi dogmatiques.

Il passa dans la pièce voisine pour enfiler sa tenue de spéléo. Lorsqu'il refit son apparition, bien gêné aux entournures, la tête prise dans un casque rouge vif garni d'une lampe frontale, Augusta faillit pouffer.

Lui reprit comme si de rien n'était.

— Après les protestants, cet appartement a été occupé par des sectes de tout poil. Certaines s'adonnaient à de vieux cultes païens, d'autres adoraient l'oignon, ou le radis noir, que sais-je ?

— L'oignon et le radis noir sont excellents pour la santé. Je comprends fort bien qu'on les adore. La santé c'est ce qu'il y a de plus important... Regardez, je suis sourde, bientôt sénile, et je meurs chaque jour un peu plus.

Il se voulut rassurant.

— Allons ne soyez pas pessimiste, vous avez encore très bonne mine.

— Voyons tiens, quel âge me donnez-vous ?

— Je ne sais pas... soixante, soixante-dix ans.

— Cent ans, monsieur ! j'ai eu cent ans il y a une semaine, et je suis complètement malade de tout mon corps, et la vie m'est chaque jour plus difficile à supporter, surtout depuis que j'ai perdu tous les êtres que j'aimais.

— Je vous comprends madame, la vieillesse est une épreuve difficile.

— Vous avez encore beaucoup de phrases à l'emporte-pièce comme ça ?

— Mais madame...

— Allez, descendez vite. Si demain je ne vous vois pas remonter, j'appellerai la police et ils me feront sûrement un gros mur que plus personne ne viendra casser...

Rongée en permanence par les larves d'ichneumon, 4 000e ne parvient pas à trouver le sommeil, même durant les nuits les plus glacées.

Alors elle attend calmement la mort, tout en se livrant à des activités passionnantes et risquées qu'elle n'aurait jamais eu le courage d'aborder en d'autres circonstances. Découvrir le bord du monde, par exemple.

Elles sont encore en chemin vers les champs des moissonneuses. 103 683e profite du trajet pour se remémorer certaines leçons de ses nourrices. Elles lui ont expliqué que la Terre est un cube, ne portant la vie que sur sa face supérieure.

Que verra-t-elle si elle atteint enfin le bout du monde, son bord ? De l'eau ? Le vide d'un autre ciel ? Sa compagne en sursis et elle-même en sauront davantage alors que toutes les exploratrices, toutes les rousses depuis le commencement des temps !

Sous le regard étonné de 4 000e, la marche de 103 683e se transforme soudain en un pas déterminé.

Lorsque au milieu de l'après-midi les esclavagistes se décident à forcer les issues, elles sont surprises de ne trouver aucune résistance. Elles savent pourtant bien qu'elles n'ont pas détruit l'armée rousse tout entière, même en tenant compte de la petite taille de la cité. Alors méfiance...

Elles avancent d'autant plus prudemment qu'habituées à vivre au grand air et jouissant à la lumière d'une excellente vue, elles sont complètement aveugles en sous-sol. Les asexuées rousses n'y voient pas non plus, mais elles au moins sont habituées à évoluer dans les boyaux de ce monde de ténèbres.

Les esclavagistes arrivent dans la Cité interdite. Tout est désert. Il y a même des tas d'aliments qui gisent au sol, intacts ! Elles descendent encore ; les greniers sont pleins, des gens se trouvaient dans ses salles il y a peu de temps, c'est certain.

A l'étage – 5, elles trouvent des phéromones récentes. Elles essaient de décrypter les conversations qui se sont tenues là, mais les rousses ont déposé un rameau de thym dont les exhalaisons parasitent tous les effluves.

Etage – 6. Elles n'aiment pas se sentir comme ça, enfermées sous la terre. Il fait si noir dans cette ville ! Comment des fourmis peuvent-elles supporter de rester en permanence dans cet espace confiné et sombre comme la mort ?

A l'étage – 8, elles repèrent des phéromones encore plus fraîches. Elles accélèrent le pas, les rousses ne doivent plus être bien loin.

A l'étage – 10, elles surprennent un groupe d'ouvrières brandissant des œufs. Celles-ci détalent devant les envahisseuses. C'était donc ça ! Enfin elles comprennent, toute la ville est descendue dans les étages les plus profonds en espérant sauver sa précieuse progéniture.

Comme tout redevient cohérent, les esclavagistes oublient toute prudence et courent en poussant leur fameuse phéromone cri de guerre dans les couloirs. Les ouvrières chlipoukaniennes n'arrivent pas à les semer, et on est déjà à l'étage – 13.

Soudain, les porteuses d'œufs disparaissent inexplicablement. Quant au couloir qu'elles suivaient, il débouche sur une immense salle dont le sol est largement baigné de flaques de miellat. Les esclavagistes se précipitent d'instinct pour lécher la précieuse liqueur qui, sinon, risque d'être épongée par la terre.

D'autres guerrières se pressent derrière elles, mais la salle est vraiment gigantesque, il y a de la place et de la flaque de miellat pour tout le monde. Comme c'est doux, comme c'est sucré ! Ce doit sûrement être une de leurs salles à fourmis réservoirs, une esclavagiste en a entendu parler : *une technique soi-disant moderne qui consiste à obliger une pauvre ouvrière à passer toute sa vie tête en bas et l'abdomen étiré à l'extrême.*

Elles se moquent une fois de plus des citadines tout en se gobergeant de miellat. Mais un détail attire tout d'un coup l'attention d'une esclavagiste. Il est surprenant qu'une salle aussi importante n'ait qu'une seule entrée...

Elle n'a pas le temps de réfléchir plus. Les rousses ont fini de creuser. Un torrent d'eau jaillit du plafond. Les esclavagistes essayent de fuir par le couloir mais celui-ci est maintenant obstrué par un gros rocher. Et le niveau de l'eau monte. Celles qui n'ont pas été assommées par le choc de la trombe se débattent de toute leur énergie.

L'idée est venue de la guerrière rousse qui avait signalé qu'il ne faut pas copier ses aînées. Elle avait ensuite posé la question : *Quelle est la spécificité de notre ville ?* Ce ne fut qu'une seule phéromone : *Le ruisseau souterrain de l'étage – 12 !*

Elles avaient alors dévié une rigole à partir du

ruisseau, et canalisé ce bras d'eau en imperméabilisant le sol avec des feuilles grasses. Le reste était plutôt lié à la technique des citernes. Elles avaient construit un gros réservoir d'eau dans une loge, puis en avaient percé le centre avec une branche. Le plus compliqué était évidemment de tenir la branche foreuse pointée au-dessus de l'eau. Ce furent des fourmis suspendues au plafond de la loge citerne qui réussirent cette prouesse.

En dessous, les esclavagistes gesticulent et gigotent. La plupart sont déjà noyées, mais lorsque toute l'eau est transvasée dans la salle inférieure le niveau de flottaison est assez élevé pour que certaines guerrières arrivent à sortir par le trou du plafond. Les rousses les abattent sans mal au tir d'acide.

Une heure plus tard, la soupe d'esclavagistes ne bouge plus. La reine Chli-pou-ni a gagné. Elle émet alors sa première sentence historique : *Plus l'obstacle est élevé, plus il nous oblige à nous surpasser.*

Un cognement sourd et régulier attira Augusta dans la cuisine, juste comme le Pr Leduc passait le trou du mur en se contorsionnant. Ça alors, après vingt-quatre heures ! Pour une fois qu'il y avait quelqu'un d'antipathique dont la disparition lui était égale, il fallait qu'il revienne !

Sa combinaison de spéléo était lacérée, mais il était indemne. Il était bredouille, aussi, cela se voyait comme le nez au milieu de la figure.

— Alors ?

— Alors, quoi alors ?

— Vous les avez trouvés ?

— Non...

Augusta était toute remuée. C'était la première fois que quelqu'un remontait vivant et pas fou de ce trou. Il était donc possible de survivre à cette aventure !

— Mais enfin, qu'y a-t-il là-dessous ? Est-ce que ça débouche dans la forêt de Fontainebleau comme vous le pensiez ?

Il se défit de son casque.

— Amenez-moi d'abord à boire s'il vous plaît. J'ai épuisé toutes mes réserves alimentaires et je n'ai pas bu depuis hier midi.

Elle lui apporta de la verveine qu'elle gardait chaude dans une Thermos.

— Vous voulez que je vous dise ce qu'il y a là-dessous ? Il y a un escalier en colimaçon qui descend raide sur plusieurs centaines de mètres. Il y a une porte. Il y a un bout de couloir aux reflets rouges, bourré de rats, puis tout au fond il y a un mur qui a dû être construit par votre petit-fils Jonathan. Un mur très solide, j'ai essayé de le trouer à la perceuse sans aucun résultat. En fait, il doit tourner ou basculer, car il y a un système de touches alphabétiques à code.

— Des touches alphabétiques à code ?

— Oui, il faut sans doute taper un mot répondant à une question.

— Quelle question ?

— *Comment faire quatre triangles équilatéraux avec six allumettes ?*

Augusta ne put s'empêcher d'éclater de rire. Ce qui agaça profondément le scientifique.

— Vous connaissez la réponse !

Entre deux hoquets elle parvint à articuler :

— Non ! eh non ! je ne connais pas la réponse ! Mais je connais bien la question !

Et elle riait, elle riait. Le Pr Leduc grommela :

— Je suis resté des heures à chercher. Evidemment on arrive à un résultat avec les triangles inclus en V, mais ils ne sont pas équilatéraux.

Il rangeait son matériel.

— Si vous le voulez bien, je vais aller interroger un ami mathématicien et je reviendrai.

— Non !

— Comment ça non ?

— Une fois, la chance, une seule. Si vous n'avez pas su en profiter, il est trop tard. Veuillez tirer ces deux malles hors de chez moi. Adieu monsieur !

Elle ne lui appela même pas un taxi. Son aversion

avait pris le dessus. Il avait décidément une odeur qui ne lui revenait pas.

Elle s'assit dans la cuisine, face au mur défoncé. Maintenant la situation avait évolué. Elle se résolut à téléphoner à Jason Bragel et à ce M. Rosenfeld. Elle avait décidé de s'amuser un peu avant de mourir.

PHÉROMONE HUMAINE : *Tout comme les insectes, qui communiquent par les odeurs, l'homme dispose d'un langage olfactif par lequel il dialogue discrètement avec ses semblables.*
Comme nous n'avons pas d'antennes émettrices, nous projetons les phéromones dans l'air à partir des aisselles, des tétons, du cuir chevelu et des organes génitaux.
Ces messages sont perçus inconsciemment mais n'en sont pas moins efficaces. L'homme a cinquante millions de terminaisons nerveuses olfactives ; cinquante millions de cellules capables d'identifier des milliers d'odeurs, alors que notre langue ne sait reconnaître que quatre saveurs.
Quel usage faisons-nous de ce mode de communication ?
Tout d'abord, l'appel sexuel. Un mâle humain pourra très bien être attiré par une femelle humaine uniquement parce qu'il a apprécié ses parfums naturels (d'ailleurs trop souvent cachés sous des parfums artificiels !). Il pourra de même se trouver repoussé par une autre dont les phéromones ne lui « parlent » pas.
Le processus est subtil. Les deux êtres ne se douteront même pas du dialogue olfactif qu'ils ont eu. On dira juste que « l'amour est aveugle ».
Cette influence des phéromones humaines peut aussi se manifester dans les rapports d'agression. Comme chez les chiens, un homme qui hume des effluves transportant le message « peur » de son adversaire aura naturellement envie de l'attaquer.
Enfin l'une des conséquences les plus spectaculaires de l'action de phéromones humaines est sans doute la synchronisation des cycles menstruels. On s'est en effet aperçu que plusieurs femmes vivant ensemble émettaient des odeurs, qui ajustaient leur organisme de sorte que les règles de toutes se déclenchent en même temps.

Edmond Wells,
Encyclopédie du savoir relatif et absolu.

Elles aperçoivent leurs premières moissonneuses au milieu des champs jaunes. En vérité, il faudrait plutôt parler de bûcheronnes ; leurs céréales sont bien plus grandes qu'elles et elles doivent cisailler la base de la tige pour que tombent les grains nourriciers.

En dehors de la cueillette, leur principale activité consiste à éliminer toutes les autres plantes poussant autour de leurs cultures. Elles utilisent pour cela un herbicide de leur fabrication : l'acide indoleacétique, qu'elles pulvérisent avec une glande abdominale.

A l'arrivée de 103 683e et de 4 000e, les moissonneuses leur prêtent à peine attention. Elles n'ont jamais vu de fourmis rousses, et pour elles ces deux insectes sont au mieux deux esclaves en fugue ou deux fourmis à la recherche de sécrétion de lomechuse. Bref, des clochardes ou des droguées.

Une moissonneuse finit pourtant par déceler une molécule aux odeurs de fourmi rouge. Suivie d'une compagne, elle quitte son travail et s'approche.

Vous avez rencontré des rouges ? Où sont-elles ?

En discutant, les Belokaniennes apprennent que les rouges ont attaqué le nid des moissonneuses il y a plusieurs semaines. Elles ont tué avec leur dard venimeux plus d'une centaine d'ouvrières et de sexués, puis ont dérobé toute la réserve de farine de céréales. A son retour d'une campagne menée au sud, à la recherche de nouvelles graines, l'armée des moissonneuses n'avait pu que constater les dégâts.

Les rousses reconnaissent qu'elles ont en effet rencontré des rouges. Elles indiquent la direction à prendre pour les retrouver. On les questionne, et elles narrent leur propre odyssée.

Vous êtes à la recherche du bout du monde ?

Elles acquiescent. Les autres éclatent alors de phéromones de rire aux odeurs pétillantes. Pourquoi s'esclaffent-elles ? Le bout du monde n'existerait-il pas ?

Si, il existe et vous y êtes arrivées ! Outre les moissons notre principale activité est de tenter le franchissement du bout du monde.

Les moissonneuses se proposent de guider dès le lendemain matin les deux « touristes » vers ce lieu métaphysique. La soirée se passe en discussions, à l'abri du petit nid que les moissonneuses ont creusé dans l'écorce d'un hêtre.

Et les gardiens du bout du monde ? demande 103 683e.

Ne vous en faites pas, vous les verrez bien assez tôt.

Est-il vrai qu'ils ont une arme capable d'écraser d'un coup toute une armée ?

Les moissonneuses sont surprises que ces étrangères connaissent de tels détails.

C'est exact.

103 683e va donc enfin connaître la solution de l'énigme de l'arme secrète !

Cette nuit-là, elle a un rêve. Elle voit la Terre qui s'arrête à angle droit, un mur d'eau vertical qui envahit le Ciel et, sortant de ce mur d'eau, des fourmis bleues tenant des branches d'acacia très destructrices. Il suffit qu'un bout de ces branches magiques touche quoi que ce soit pour que tout soit pulvérisé.

4

LE BOUT DU CHEMIN

Augusta passa toute la journée devant six allumettes. Le mur était plus psychologique que réel, ça elle l'avait compris. Le fameux « Il faut penser différemment ! » d'Edmond... Son fils avait découvert quelque chose, c'était certain, et il le cachait avec son intelligence.

Elle se remémora ses nids d'enfance, ses « tanières ». C'est peut-être parce qu'on les lui avait toutes détruites qu'il avait cherché à s'en fabriquer une qui serait inaccessible, un endroit où nul ne viendrait jamais le déranger... Comme un lieu intérieur, qui trouverait à projeter au-dehors sa paix... et son invisibilité.

Augusta secoua l'engourdissement qui la gagnait. Un souvenir de sa propre jeunesse émergea. C'était une nuit d'hiver, elle était toute petite, et elle avait compris qu'il pouvait exister des nombres en dessous de zéro... 3, 2, 1, 0 et puis – 1, – 2, – 3... Des nombres à l'envers ! Comme si on retournait le gant des chiffres. Zéro n'était donc pas la fin ou le commencement de tout. Il existait un autre monde infini de l'autre côté. C'était comme si on avait fait éclater le mur du « zéro ».

Elle devait avoir sept ou huit ans, mais sa découverte l'avait bouleversée et elle n'avait pas dormi de la nuit.

Les chiffres à l'envers... C'était l'ouverture d'une autre dimension. La troisième dimension. Le relief !

Seigneur !

Ses mains tremblent d'émotion, elle pleure, mais elle a la force de saisir les allumettes. Elle en pose trois en triangle puis place à chaque coin une allumette qu'elle dresse pour que toutes convergent en un point supérieur.

Cela forme une pyramide. Une pyramide et quatre triangles équilatéraux.

Voici la limite est de la Terre. Un lieu sidérant. Cela n'a plus rien de naturel, plus rien de terrien. Ce n'est pas comme 103 683e se l'imaginait. Le bord du monde est noir, jamais elle n'a rien vu d'aussi noir ! C'est dur, lisse, tiède et ça sent les huiles minérales.

A défaut d'océan vertical, on trouve ici des courants aériens d'une violence inouïe.

Elles restent longtemps à essayer de comprendre ce qui se passe. De temps en temps une vibration se fait sentir. Son intensité augmente de manière exponentielle. Puis soudain le sol tremble, un grand vent soulève les antennes, un bruit infernal fait claquer les tympans des tibias. On dirait un violent orage, mais à peine le phénomène se manifeste-t-il qu'il a déjà cessé, laissant juste retomber quelques volutes de poussières.

Beaucoup d'exploratrices moissonneuses ont voulu franchir cette frontière, mais les Gardiens veillent. Car ce bruit, ce vent, cette vibration, ce sont eux : les Gardiens du bord du monde, frappant tout ce qui essaie d'avancer sur la terre noire.

Ont-elles déjà vu ces Gardiens ? Avant que les rousses aient pu obtenir une réponse, un nouveau fracas éclate, puis s'efface. L'une des six moissonneuses qui les accompagnent affirme que personne n'est jamais arrivé à marcher sur la « terre maudite » et à en revenir vivant. Les Gardiens écrasent tout.

Les Gardiens... ce doit être eux qui ont attaqué La-chola-kan et l'expédition du 327e mâle. Mais pourquoi ont-ils quitté le bout du monde pour s'avancer vers l'ouest ? Veulent-ils envahir le monde ?

Les moissonneuses n'en savent pas plus que les rousses. Peuvent-elles au moins les décrire ? Tout ce qu'elles savent, c'est que celles qui ont approché les Gardiens en sont mortes écrasées. On ignore même dans quelle catégorie d'êtres vivants ranger ceux-ci : sont-ils des insectes géants ? des oiseaux ? des plantes ? Tout ce que les moissonneuses savent, c'est qu'ils sont très rapides, très puissants. C'est une force qui les dépasse et qui ne ressemble à rien de connu...

A ce moment-là 4 000e prend une initiative aussi soudaine qu'imprévue. Elle quitte le groupe et se risque en territoire tabou. Mourir pour mourir, elle veut tenter de franchir le bout du monde comme ça, au culot. Les autres la regardent, atterrées.

Elle progresse lentement, guettant la moindre vibration, la moindre fragrance annonciatrice de mort dans l'extrémité sensible de ses pattes. Voilà... cinquante têtes, cent têtes, deux cents têtes, quatre cents, six cents, huit cents têtes de franchies. Rien. Saine et sauve !

En face on l'acclame. D'où elle se trouve, elle voit des bandes blanches intermittentes filer à gauche et à droite. Sur la terre noire tout est mort ; pas le moindre insecte, pas la moindre plante. Et le sol est si noir... ça n'est pas une vraie terre.

Elle perçoit la présence de végétaux, loin devant. Serait-il possible qu'il existe un monde après le bord du monde ? Elle lance quelques phéromones à ses collègues restées sur la berge pour leur raconter tout ça, mais on dialogue mal à si grande distance.

Elle fait demi-tour, et c'est alors que se déclenchent à nouveau le tremblement et le bruit énormes. Le retour des Gardiens ! Elle galope de toutes ses forces pour rejoindre ses compagnes.

Celles-ci restent pétrifiées durant la brève fraction de temps où une stupéfiante masse traverse leur ciel dans un vrombissement énorme. Les Gardiens sont passés, exaltant les odeurs d'huiles minérales. Et 4 000e a disparu.

Les fourmis se rapprochent un peu du bord et comprennent. 4 000e a été écrasée si densément que son corps ne fait plus qu'un dixième de tête d'épaisseur, comme incrusté dans le sol noir !

Il ne reste plus rien de la vieille exploratrice belokanienne. Le supplice des œufs d'ichneumon prend fin par la même occasion. On voit d'ailleurs qu'une larve de cette guêpe venait de lui transpercer le dos, à peine un point blanc au milieu du corps roux aplati...

C'est donc ainsi que frappent les Gardiens du bout du monde. On entend juste un vacarme, on perçoit un souffle et instantanément tout est détruit, pulvérisé, écrasé. 103 683e n'a pas fini d'analyser le phénomène qu'une autre déflagration se fait entendre. La mort frappe même lorsque personne ne traverse son seuil. La poussière retombe.

103 683e voudrait néanmoins tenter la traversée. Elle repense à Sateï. Le problème est similaire. Si ça ne marche pas par-dessus, alors il faut y aller par-dessous. Il faut considérer cette terre noire comme un fleuve, et le meilleur moyen de passer les fleuves c'est de percer un tunnel en dessous.

Elle en parle aux six moissonneuses, immédiatement enthousiasmées. C'est tellement évident qu'elles ne comprennent pas pourquoi elles n'y ont pas pensé plus tôt ! Alors tout le monde se met à creuser à pleines mandibules.

Jason Bragel et le Pr Rosenfeld n'avaient jamais été des fanatiques de verveine, mais étaient en train de le devenir. Augusta leur raconta tout par le menu. Elle leur expliqua qu'après elle, ils avaient été désignés par son fils pour hériter de l'appartement. Probablement, chacun aurait-il un jour envie d'explorer là-dessous, comme elle-même en était tentée. Aussi préférait-elle réunir toutes les énergies pour frapper avec un maximum d'efficacité.

Une fois qu'Augusta eut fourni ces indispensables données préliminaires, tous trois parlèrent peu. Ils n'en avaient pas besoin pour se comprendre. Un regard, un sourire... Aucun des trois n'avait jamais ressenti osmose intellectuelle aussi immédiate. Cela dépassait d'ailleurs le seul intellect ; on aurait dit qu'ils étaient nés pour se compléter, que leurs programmes génétiques s'emboîtaient et fusionnaient. C'était magique. Augusta était très vieille, et pourtant les deux autres la trouvaient extraordinairement belle...

Ils évoquèrent Edmond ; dépourvue de la plus petite arrière-pensée, leur affection pour le défunt les étonnait eux-mêmes. Jason Bragel ne parla pas de sa famille, Daniel Rosenfeld ne parla pas de son travail, Augusta ne parla pas de sa maladie. Ils décidèrent de descendre le soir même. Ils le savaient, c'était la seule chose qu'il y eût à faire, ici et maintenant.

LONGTEMPS ON : *Longtemps on a pensé que l'informatique en général et les programmes d'intelligence artificielle en particulier allaient mélanger et présenter sous des angles neufs les concepts humains. Bref, on attendait de l'électronique une nouvelle philosophie. Mais même en la présentant différemment, la matière première reste identique : des idées produites par des imaginations humaines. C'est une impasse. La meilleure voie pour renouveler la pensée est de sortir de l'imagination humaine.*

Edmond Wells,
Encyclopédie du savoir relatif et absolu.

Chli-pou-kan grandit en taille et en intelligence, c'est maintenant une cité « adolescente ». En poursuivant dans la voie des technologies aquatiques, on a installé tout un réseau de canaux sous l'étage – 12. Ces bras d'eau permettent le transport rapide d'aliments d'un bout à l'autre de la ville.

Les Chlipoukaniennes ont eu tout loisir de mettre au point leurs techniques de transport aquatique. Le *nec plus ultra* est une feuille d'airelle flottante. Il suffit de prendre le courant dans le bon sens et on peut voyager sur plusieurs centaines de têtes de voie fluviale. Des champignonnières de l'est aux étables de l'ouest, par exemple.

Les fourmis espèrent réussir un jour à dresser les dytiques. Ces gros coléoptères subaquatiques, pourvus de poches d'air sous leurs élytres, nagent en effet très vite. Si on pouvait les convaincre de pousser les feuilles d'airelle, les radeaux disposeraient d'un mode de propulsion moins aléatoire que les courants.

Chli-pou-ni elle-même lance une autre idée futuriste. Elle se souvient du coléoptère rhinocéros qui l'a libérée de la toile d'araignée. Quelle machine de guerre parfaite ! Non seulement les rhinocéros ont une grande corne frontale, non seulement ils ont une carapace blindée, mais ils volent aussi à vive allure. Mère imagine carrément une légion de ces bêtes, avec dix artilleuses posées sur la tête de chacune d'entre elles. Elle voit déjà ces équipages fondre, quasi invulnérables, sur les troupes ennemies qu'elles inondent d'acide...

Seul écueil : tout comme les dytiques, les rhinocéros se montrent d'autant plus difficiles à apprivoiser qu'on n'arrive même pas à comprendre leur langue ! Alors plusieurs dizaines d'ouvrières passent leur temps à décrypter leurs émissions olfactives et à essayer de leur faire comprendre le langage phéromonal fourmi.

Si les résultats restent pour l'instant médiocres, les Chlipoukaniennes parviennent quand même à se les concilier en les gavant de miellat. La nourriture est finalement le langage insecte le mieux partagé.

En dépit de ce dynamisme collectif, Chli-pou-ni est soucieuse. Trois escouades d'ambassadrices ont été envoyées en direction de la Fédération pour se faire reconnaître comme soixante-cinquième cité et il n'y a toujours pas de réponse. Belo-kiu-kiuni rejette-t-elle l'alliance ?

Plus elle y réfléchit, plus Chli-pou-ni se dit que ses ambassadrices espionnes ont dû commettre des maladresses, se faire intercepter par les guerrières au parfum de roche. A moins qu'elles ne se soient simplement laissé charmer par les effluves hallucinogènes de la lomechuse de l'étage – 50... Ou quoi d'autre encore ?

Elle veut en avoir le cœur net. Elle n'a pas l'intention de renoncer ni à sa reconnaissance par la Fédération ni à la poursuite de l'enquête ! Elle décide d'envoyer 801e, sa meilleure et plus subtile guerrière. Pour lui donner tous les atouts, la reine opère une CA avec la jeune soldate, qui en saura de la sorte autant qu'elle sur ce mystère. Elle deviendra :

L'œil qui voit
L'antenne qui sent
La griffe qui frappe de Chli-pou-kan.

La vieille dame avait préparé un plein sac à dos de victuailles et de boissons, parmi lesquelles trois Thermos de verveine chaude. Surtout, ne pas faire comme cet antipathique de Leduc, contraint de remonter vite pour avoir négligé le facteur alimentation... Mais de toute façon, aurait-il jamais trouvé le mot code ? Augusta se permettait d'en douter.

Entre autres accessoires, Jason Bragel s'était muni d'une bombe lacrymogène grand modèle et de trois masques à gaz ; Daniel Rosenfeld, lui, avait pris un appareil photo avec flash, un modèle dernier cri.

Maintenant, ils tournaient à l'intérieur du manège de pierres. Comme cela avait été le cas pour tous ceux qui les avaient précédés, la descente faisait resurgir des souvenirs, des pensées enfouis. La petite enfance, les parents, les premières souffrances, les fautes commises, l'amour frustré, l'égoïsme, l'orgueil, les remords...

Leurs corps se mouvaient machinalement, au-delà de toute possibilité de fatigue. Ils s'enfonçaient dans la chair de la planète, ils s'enfonçaient dans leur vie passée. Ah ! combien était longue une vie, et comme elle pouvait être destructrice, bien plus facilement destructrice que créatrice...

Ils parvinrent finalement devant une porte. Un texte s'y trouvait inscrit.

L'âme au moment de la mort éprouve la même impression que ceux qui sont initiés aux grands Mystères.

Ce sont tout d'abord des courses au hasard de pénibles détours, des voyages inquiétants et sans terme à travers les ténèbres.

Puis, avant la fin, la frayeur est à son comble. Le frisson, le tremblement, la sueur froide, l'épouvante dominent.

Cette phase est suivie presque immédiatement d'une remontée vers la lumière, d'une illumination brusque.

Une lueur merveilleuse s'offre aux yeux, on traverse des lieux purs et des prairies où retentissent les voix et les danses.

Des paroles sacrées inspirent le respect religieux. L'homme parfait et initié devient libre, et il célèbre les Mystères.

Daniel prit une photo.

— Je connais ce texte, affirma Jason. C'est de Plutarque.

— Joli texte en vérité.

— Ça ne vous fait pas peur ? demanda Augusta.

— Si, mais c'est fait exprès. Et de toute façon, il est dit qu'après la frayeur vient l'illumination. Alors opérons par étapes. Si un peu de frayeur est nécessaire, laissons-nous effrayer.

— Justement, les rats...

Ce fut comme s'il avait suffi d'en parler. Ils étaient là. Les trois explorateurs sentaient leurs présences furtives, appréhendaient le contact, au ras de leurs chaussures montantes. Daniel déclencha à nouveau son appareil. Le flash révéla l'image répulsive d'une moquette de boules grises et d'oreilles noires. Jason se hâta de distribuer les masques, avant de pulvériser généreusement son gaz lacrymogène aux alentours. Les rongeurs ne se le firent pas dire deux fois...

La descente reprit et dura longtemps encore.

— Et si l'on pique-niquait, messieurs ? proposa Augusta.

Ils pique-niquèrent donc. L'épisode des rats semblait oublié, tous trois étaient de la meilleure humeur. Comme il faisait un peu froid, ils terminèrent leur collation par une lampée d'alcool et un bon café brûlant. Normalement, la verveine n'était servie qu'au goûter.

Elles creusent longuement avant de pouvoir remonter dans une zone où la terre est meuble. Une paire d'antennes émerge enfin, tel un périscope ; des odeurs inconnues l'inondent.

Air libre. Les voici de l'autre côté du bout du monde. Toujours pas de mur d'eau. Mais un univers qui, vraiment, ne ressemble en rien à l'autre. Si l'on dénombre encore quelques arbres et quelques places d'herbe, tout de suite après s'étale un désert gris, dur et lisse. Pas la moindre fourmilière ou termitière en vue.

Elles font quelques pas. Mais d'énormes choses noires s'abattent autour d'elles. Un peu comme les Gardiens, sauf que celles-là tombent au petit bonheur la chance.

Et ce n'est pas tout. Loin devant, se dresse un monolithe géant, tellement haut que leurs antennes n'arrivent pas à en percevoir les limites. Il assombrit le ciel, il écrase la terre.

Ce doit être le mur du bout du monde, et derrière il y a de l'eau, pense 103 683e.

Elles avancent encore un peu, pour tomber nez à nez avec un groupe de blattes agglutinées sur un morceau... d'on ne sait trop quoi. Leur carapace transparente laisse voir tous les viscères, tous les organes et même le sang qui bat dans les artères !

Hideux ! C'est en battant en retraite que trois moissonneuses sont pulvérisées par la chute d'une masse.

103 683e et ses trois dernières camarades décident malgré tout de continuer. Elles passent des murets poreux, toujours en direction du monolithe à la taille infinie. Elles se trouvent soudain dans une région encore plus déroutante. Le sol y est rouge et a le grain d'une fraise. Elles repèrent une sorte de puits et pensent y descendre pour trouver un peu d'ombre, quand brusquement une grosse sphère blanche d'au moins dix têtes de diamètre surgit du ciel, rebondit et les pourchasse. Elles se jettent dans le puits... ont juste le temps de se plaquer contre les parois lorsque la sphère s'écrase au fond.

Elles ressortent, affolées, et galopent. Alentour, le sol est bleu, vert ou jaune, et partout il y a ces puits et ces sphères blanches qui vous poursuivent. Cette fois c'en est trop, le courage a ses limites. Cet univers est bien trop différent pour être supportable.

Alors elles fuient à perdre haleine, reprennent le souterrain et retournent vite vers le monde normal.

CIVILISATION (suite) : Autre grand choc de civilisations : la rencontre de l'Occident et de l'Orient.
Les annales de l'Empire chinois signalent, aux environs de l'an 115 de notre ère, l'arrivée d'un bateau, vraisemblablement d'origine romaine, que la tempête avait malmené et qui s'échoua à la côte après des jours de dérive.
Or les passagers étaient des acrobates et des jongleurs qui, à peine à terre, voulurent se concilier les habitants de ce pays inconnu en leur donnant un spectacle. Les Chinois virent ainsi — bouche bée — ces étrangers aux longs nez cracher le feu, nouer leurs membres, changer les grenouilles en serpents, etc. Ils en conclurent à bon droit que l'Ouest était peuplé de clowns et de mangeurs de feu. Et plusieurs centaines d'années passèrent avant qu'une occasion de les détromper ne se présente.

Edmond Wells,
Encyclopédie du savoir relatif et absolu.

Ils furent enfin devant le mur de Jonathan. *Comment faire quatre triangles avec six allumettes ?* Daniel ne manqua pas de prendre une photo.

Augusta tapa le mot « pyramide » et le mur bascula en douceur. Elle fut fière de son petit-fils.

Ils passèrent, et ne tardèrent pas à entendre le mur qui se remettait en place. Jason éclaira les parois ; partout de la roche, mais plus la même que tout à l'heure. Avant le mur elle était rouge, et jaune à présent, veinée de soufre.

L'air restait pourtant respirable. On aurait même cru sentir un léger filet d'air. Le Pr Leduc avait-il raison ? Ce tunnel débouchait-il en forêt de Fontainebleau ?

Ils tombèrent tout à coup sur une nouvelle horde de rats, beaucoup plus agressifs que ceux qu'ils avaient rencontrés auparavant. Jason comprit ce qui devait se passer mais n'eut pas le loisir de l'expliquer aux autres : ils avaient dû remettre les masques et balancer du gaz. Chaque fois que le mur basculait, ce qui certes n'était pas arrivé souvent, des rats de la « zone rouge » passaient dans la « zone jaune », à la recherche de nourriture. Mais si ceux de la zone rouge s'en tiraient encore à peu près, les autres — les migrants — n'avaient rien trouvé de consistant et avaient dû s'entre-dévorer.

Et Jason et ses amis avaient affaire aux survivants, autrement dit aux plus féroces. Avec eux, le gaz lacrymogène se révélait carrément inefficace. Ils attaquaient ! Ils bondissaient, essayaient de s'accrocher aux bras...

Au bord de l'hystérie, Daniel mitraillait à coups de flashes aveuglants, mais ces bestiaux de cauchemar pesaient des kilos et n'avaient pas peur des hommes. Les premières blessures apparurent. Jason tira son Opinel, poignarda deux rats et les lança en pâture aux autres. Augusta lâcha plusieurs coups d'un petit revolver... Ils purent ainsi prendre le large. Il était temps !

QUAND J'ÉTAIS : Quand j'étais petit, je restais des heures allongé au sol à regarder les fourmilières. Cela me semblait plus « réel » que la télévision.

Parmi les mystères que m'offrait la fourmilière, celui-ci : pourquoi après l'un de mes saccages ramenaient-elles certains blessés et laissaient-elles les autres mourir ? Tous étaient de même taille... Selon quels critères de sélection un individu était-il jugé intéressant, et un autre négligeable ?

Edmond Wells,
Encyclopédie du savoir relatif et absolu.

Ils couraient dans ce tunnel zébré de jaune.

Ils arrivèrent ensuite devant un grillage d'acier. Une ouverture en son centre donnait à l'ensemble l'allure d'une nasse de pêcheur. Cela formait un cône qui se rétrécissait de sorte à laisser transiter un corps humain d'une épaisseur moyenne mais sans possibilité de retour, vu les pointes placées à l'issue du cône.

— C'est un bricolage récent...

— Hum, on dirait que ceux qui ont fabriqué cette porte et cette nasse ne souhaitent pas qu'on revienne en arrière...

Augusta reconnaissait encore le travail de Jonathan, le maître des portes et des métaux.

— Regardez !

Daniel éclaira une inscription :

Ici finit la conscience
Voulez-vous rentrer dans l'inconscient ?

Ils restèrent bouche bée.

— Qu'est-ce qu'on fait ?

Tous pensaient à la même chose au même moment.

— Au point où l'on est, il serait dommage de renoncer. Je vous suggère qu'on continue !

— Je passe le premier, lança Daniel en mettant sa queue-de-cheval à l'abri dans son col pour qu'elle n'accroche pas.

Ils rampèrent chacun à tour de rôle à travers la nasse d'acier.

— C'est marrant, dit Augusta, j'ai l'impression d'avoir déjà vécu ce genre d'expérience.

— Vous avez déjà été dans une nasse qui compresse et qui vous empêche de revenir en arrière ?

— Oui. C'était il y a très longtemps.

— Qu'est-ce que vous appelez très longtemps ?...

— Oh ! j'étais jeune, je devais avoir... une ou deux secondes.

Les moissonneuses racontent dans leur cité leurs aventures de l'autre côté du monde, pays de monstres et de phénomènes incompréhensibles. Les blattes, les plaques noires, le monolithe géant, le puits, les boules blanches... C'est trop ! Aucune possibilité de créer un village dans un univers aussi grotesque.

103 683ᵉ reste dans un coin à reprendre des forces. Elle réfléchit. Lorsque ses sœurs entendront son récit, elles devront refaire toutes les cartes et reconsidérer les principes de base de leur planétologie. Elle se dit qu'il est temps pour elle de rentrer à la Fédération.

Depuis la nasse, ils avaient bien dû faire une dizaine de kilomètres... Enfin, comment savoir, et puis la fatigue devait quand même commencer à se faire sentir.

Ils parvinrent à un mince ruisseau qui coupait le tunnel et dont l'eau était spécialement chaude et chargée de soufre.

Daniel s'arrêta net. Il lui avait semblé apercevoir des fourmis sur un radeau de feuille au fil de l'eau ! Il se reprit ; sans doute les émanations de poussière soufrée qui « lui filaient des hallus »...

Quelques centaines de mètres plus loin, Jason mit le pied sur un matériau craquant. Il éclaira. La cage thoracique d'un squelette ! Il poussa un cri sonore. Daniel et Augusta balayèrent de leur torche les alentours et découvrirent deux nouveaux squelettes, dont un de la taille d'un enfant. Etait-ce possible que ce fût Jonathan et sa famille ?

Ils se remirent en chemin, et durent bientôt courir : un froissement massif annonçait l'arrivée des rats. Le jaune des parois virait au blanc. De la chaux. Epuisés, ils furent enfin au bout du tunnel. Au pied d'un escalier en colimaçon qui remontait !

Augusta tira ses deux dernières balles dans la direction des rats, puis ils se lancèrent dans l'escalier. Jason eut encore l'esprit assez vif pour noter qu'il était à l'inverse du premier, c'est-à-dire que montée comme descente se faisaient en tournant dans le sens des aiguilles d'une montre.

La nouvelle fait sensation. Une Belokanienne vient de débarquer dans la Cité. On dit à la ronde que ce doit être une ambassadrice de la Fédération, venue annoncer le rattachement officiel de Chli-pou-kan comme soixante-cinquième cité.

Chli-pou-ni est moins optimiste que ses filles. Elle se méfie de cette arrivante. Et si c'était une guerrière au parfum de roche envoyée de Bel-o-kan pour infiltrer la cité de la reine subversive ?

Comment est-elle ?

Elle est surtout très fatiguée ! Elle a dû courir depuis Bel-o-kan pour faire le trajet en quelques jours.

Ce sont des bergères qui l'avaient aperçue, fourbue, errant aux environs. Elle n'avait pour l'instant rien émis, on l'avait directement amenée dans la salle des fourmis citernes pour qu'elle se ressource.

Faites-la venir ici, je veux lui parler seule à seule, mais je veux que des gardes restent à l'entrée de la loge royale prêtes à intervenir à mon signal.

Chli-pou-ni a toujours souhaité avoir des nouvelles de sa cité natale, mais maintenant qu'une représentante en débarque, la première idée qui lui traverse l'esprit est de la considérer comme une espionne et de la tuer. Elle attendra de la voir, mais si elle décèle la moindre molécule d'odeur de roche, elle la fera exécuter sans la moindre hésitation.

On amène la Belokanienne. Dès qu'elles se reconnaissent, les deux fourmis bondissent l'une sur l'autre, mandibules grandes ouvertes, et se livrent...

à la plus onctueuse des trophallaxies. L'émotion est si forte qu'elles n'arrivent pas tout de suite à émettre.

Chli-pou-ni lance la première phéromone.

Où en est l'enquête ? Est-ce que ce sont les termites ?

103 683e raconte qu'elle a traversé le fleuve de l'Est et visité la cité termite ; que celle-ci a été anéantie et qu'il n'y a pas un seul survivant.

Alors, qui est derrière tout ça ?

Les vrais responsables de tous ces événements incompréhensibles, selon la guerrière, sont les Gardiens du bord oriental du monde. Des animaux tellement bizarres qu'on ne les voit pas, on ne les sent pas. Tout d'un coup, ils surgissent du ciel et tout le monde meurt !

Chli-pou-ni écoute avec attention. Cependant, il reste un élément inexpliqué, ajoute 103 683e, comment les Gardiens du bout du monde ont-ils pu utiliser les soldates aux odeurs de roche ?

Chli-pou-ni a son idée là-dessus. Elle raconte que les soldates aux odeurs de roche ne sont ni des espionnes ni des mercenaires, mais une force clandestine chargée de surveiller le niveau de stress de l'organisme Cité. Elles étouffent toutes les informations qui seraient susceptibles d'angoisser la Cité... Elle narre comment ces tueuses ont assassiné 327e et comment elles ont tenté de l'assassiner elle-même.

Et les réserves de nourriture sous la roche plancher ? Et le couloir dans le granit ?

Pour cela, Chli-pou-ni n'a aucune réponse. Elle a justement envoyé des ambassadrices espionnes qui vont essayer de résoudre cette double énigme.

La jeune reine propose de faire visiter la Cité à son amie. Elle lui explique en chemin les formidables possibilités qu'offre l'eau. Le fleuve de l'Est, par exemple, a toujours été considéré comme mortel, mais ce n'est que de l'eau, la reine y est tombée et n'en est point morte. Peut-être qu'un jour on pourra descendre ce fleuve sur des radeaux de feuilles et découvrir le bord septentrional du monde... Chli-pou-ni s'exalte : des Gardiens du bord du nord existent sans doute, que l'on pourrait inciter à lutter contre ceux du bord oriental.

103 683e n'est pas sans remarquer que Chli-pou-ni déborde de projets audacieux. Tous ne sont pas réalisables, mais ce qui a déjà été mis en œuvre est impressionnant : jamais la soldate n'avait vu de champignonnières ou d'étables aussi vastes, jamais elle n'avait vu de radeaux flottants sur les canaux souterrains...

Mais ce qui la surprend le plus, c'est la dernière phéromone de la reine :

Elle affirme que si ses ambassadrices ne sont pas rentrées dans quinze jours, elle déclarera la guerre à Bel-o-kan. Selon elle, la cité natale n'est plus adaptée à ce monde. La simple existence des guerrières au parfum de roche montre que c'est une ville qui n'aborde pas de front les réalités. C'est une ville frileuse comme un escargot. Jadis elle était révolutionnaire, maintenant elle est dépassée. Il faut une relève. Ici, à Chli-pou-kan, les fourmis progressent bien plus vite. Chli-pou-ni estime que, si elle prend la tête de la Fédération, elle pourrait la faire évoluer rapidement. Avec les 65 cités fédérées, ses initiatives verraient leurs résultats décuplés. Elle pense déjà à conquérir les cours d'eau et à mettre au point une légion volante utilisant des coléoptères rhinocéros.

103 683e hésite. Elle avait l'intention de rejoindre Bel-o-kan pour y raconter son odyssée, mais Chli-pou-ni lui demande de renoncer à ce dessein.

Bel-o-kan a mis au point une armée « pour ne pas savoir », ne l'oblige pas à connaître ce qu'elle ne veut pas connaître.

La cime de l'escalier en colimaçon se trouve prolongée par des marches en aluminium. Elles ne datent pas de la Renaissance, celles-là ! Ils aboutissent à une porte blanche. Encore une inscription :

Et je suis arrivé au voisinage d'un mur qui était construit de cristaux et entouré de langues de feu. Et cela commença par me faire peur.

Puis je pénétrai dans les langues de feu jusqu'au voisinage d'une grande demeure qui était construite de cristaux.

Et les murs de la maison étaient comme un flot de cristal en damiers et ses fondations étaient en cristal.

Son plafond était comme la voie des étoiles.

Et entre eux se trouvaient des symboles de feu.

Et leur ciel était clair comme l'eau. (Enoch, I)

Ils poussent la porte, remontent un couloir très en pente. Le sol s'enfonce tout à coup sous leurs pas — un plancher pivotant ! Leur chute est si longue... que le temps d'avoir peur est déjà passé, ils ont l'impression de voler. Ils volent !

Leur chute est amortie par un filet de trapéziste, un filet gigantesque aux mailles serrées. A quatre pattes, ils tâtonnent dans le noir. Jason Bragel identifie une nouvelle porte... avec non pas un nouveau code, mais une simple poignée. Il appelle ses compagnons, à voix basse. Puis il ouvre.

VIEILLARD : En Afrique, on pleure la mort d'un vieillard plus que la mort d'un nouveau-né. Le vieillard constituait une masse d'expériences qui pouvait profiter au reste de la tribu alors que le nouveau-né, n'ayant pas vécu, n'arrive même pas à avoir conscience de sa mort.

En Europe, on pleure le nouveau-né car on se dit qu'il aurait sûrement pu faire des choses fabuleuses s'il avait vécu. On porte par contre peu d'attention à la mort du vieillard. De toute façon, il avait déjà profité de la vie.

Edmond Wells,
Encyclopédie du savoir relatif et absolu.

L'endroit est baigné d'une lumière bleue.

C'est un temple sans image, sans statue.

Augusta repense aux propos du Pr Leduc. Les protestants devaient certainement se réfugier ici autrefois, quand les persécutions se faisaient trop vives.

Sous de larges voûtes en pierre de taille, la salle est vaste, carrée, très belle. Le seul élément décoratif en est un petit orgue d'époque, placé au centre. Devant l'orgue, un lutrin sur lequel est posée une épaisse chemise.

Les murs sont couverts d'inscriptions, dont beaucoup, même à un regard profane, semblent plus proches de la magie noire que de la magie blanche. Leduc avait raison, les sectes ont dû se succéder dans ce refuge souterrain. Et jadis, il ne devait pas y avoir le mur basculant, la nasse et la trappe avec le filet.

On entend un gazouillis, comme de l'eau qui coule. Ils n'en voient pas tout de suite l'origine. La lumière bleutée provient du côté droit. Là se trouve une sorte de laboratoire, rempli d'ordinateurs et d'éprouvettes. Toutes les machines sont encore allumées ; ce sont les écrans d'ordinateurs qui produisent ce halo qui éclaire le temple.

— Cela vous intrigue, hein ?

Ils se regardent. Aucun des trois n'a parlé. Une lampe s'allume au plafond.

Ils se retournent. Jonathan Wells, en peignoir blanc, se dirige vers eux. Il est entré par une porte située dans le temple, de l'autre côté du labo.

— Bonjour Grand-mère Augusta ! Bonjour Jason Bragel ! Bonjour Daniel Rosenfeld !

Les trois interpellés demeurent bouche bée, incapables de répondre. Il n'était donc pas mort ! Il vivait là ! Comment peut-on vivre ici ? Ils ne savent par quelle question commencer...

— Bienvenue dans notre petite communauté.

— Où sommes-nous ?

— Vous êtes ici dans un temple protestant construit par Jean Androuet Du Cerceau au début du XVIIe siècle. Androuet s'est rendu célèbre en construisant l'hôtel Sully de la rue Saint-Antoine à Paris, mais je trouve que ce temple souterrain est son chef-d'œuvre. Des kilomètres de tunnels en pierre de taille. Vous avez vu, sur tout le trajet on trouve de l'air. Il a dû ménager des cheminées, ou bien il a su utiliser les poches d'air des galeries naturelles. On n'est même pas capable de comprendre comment il s'y est pris. Et ce n'est pas tout, il n'y a pas que de l'air il y a aussi de l'eau. Vous avez sûrement remarqué les ruisseaux qui traversent certaines portions du tunnel. Regardez, il y en a un qui débouche ici.

Il montre l'origine du gazouillis permanent, une fontaine sculptée placée derrière l'orgue.

— Beaucoup de gens, au fil des âges, se sont retirés ici pour trouver la paix et la sérénité d'entreprendre des choses qui demandaient, disons... beaucoup d'attention. Mon oncle Edmond avait découvert dans un vieux grimoire l'existence de cette tanière et c'est là qu'il travaillait.

Jonathan s'approche encore ; une douceur et une décontraction peu communes émanent de sa personne. Augusta en est sidérée.

— Mais vous devez être exténués. Suivez-moi.

Il pousse la porte par où il est apparu peu avant et les entraîne dans une pièce où plusieurs divans sont disposés en cercle.

— Lucie, hèle-t-il, nous avons des visiteurs !

— Lucie ? Elle est avec toi ? s'exclame avec bonheur Augusta.

— Hum, combien êtes-vous ici ? demande Daniel.

— Nous étions jusqu'alors dix-huit : Lucie, Nicolas, les huit pompiers, l'inspecteur, les cinq gendarmes, le commissaire et moi. Bref, tous les gens qui se sont donné la peine de descendre. Vous allez les voir bientôt. Excusez-nous, mais pour notre communauté il est actuellement 4 heures du matin, et tout le monde dort. Il n'y a que moi qui ai été réveillé par votre arrivée. Qu'est-ce que vous avez fait comme boucan dans les couloirs, dites donc...

Lucie apparaît, elle aussi en peignoir.

— Bonjour !

Elle s'avance, souriante, et les embrasse tous les trois. Derrière elle, des silhouettes en pyjama passent la tête par l'embrasure d'une porte pour voir les « nouveaux arrivants ».

Jonathan apporte une grande carafe d'eau de la fontaine et des verres.

— Nous allons vous laisser un moment, pour nous habiller et nous préparer. Nous accueillons tous les nouveaux avec une petite fête, mais là on ne savait pas que vous débarqueriez en pleine nuit... A tout de suite !

Augusta, Jason et Daniel ne bougent pas. Toute cette histoire est tellement énorme. Daniel se pince soudain l'avant-bras. Augusta et Jason trouvent l'idée excellente et font de même. Mais non, la réalité va parfois bien plus loin que le rêve. Ils se regardent, délicieusement déroutés, et se sourient.

Quelques minutes plus tard, tous sont réunis, assis sur les divans. Augusta, Jason et Daniel ont repris leurs esprits et sont à présent avides d'informations.

— Vous parliez tout à l'heure de cheminées, sommes-nous loin de la surface ?

— Non, trois ou quatre mètres au maximum.

— Alors on peut ressortir à l'air libre ?

— Non, non. Jean Androuet Du Cerceau a situé et construit son temple juste en dessous d'un immense rocher plat d'une solidité à toute épreuve — du granit !

— Il est pourtant percé d'un trou de la taille d'un bras, complète Lucie. Cet orifice servait là encore de cheminée de ventilation.

— Servait ?

— Oui, maintenant ce passage est consacré à un autre usage. Ce n'est pas grave, il y a d'autres cheminées de ventilation latérales. Vous voyez bien, on n'étouffe pas ici...

— On ne peut pas sortir ?

— Non. Ou en tout cas pas par là-haut.

Jason semble vivement préoccupé.

— Mais Jonathan, pourquoi alors as-tu construit ce mur pivotant, cette nasse, ce plancher qui se dérobe, ce filet ?... Nous sommes totalement bloqués ici !

— C'est précisément l'effet voulu. Cela m'a demandé beaucoup de moyens et d'efforts. Mais c'était nécessaire. Quand je suis arrivé la première fois dans ce temple, je suis tombé sur le lutrin. Outre l'*Encyclopédie du savoir relatif et absolu*, j'y ai trouvé une lettre de mon oncle qui m'était personnellement adressée. La voici.

Ils lisent :

« Mon cher Jonathan,

« Tu t'es décidé à descendre malgré mon avertissement. Tu es donc plus courageux que je ne le pensais. Bravo. Il y avait selon moi une chance sur cinq pour que tu réussisses. Ta mère m'avait parlé de ta phobie du noir. Si tu es ici c'est que tu es arrivé, entre autres, à surmonter ce handicap et que ta volonté s'est aiguisée. Nous en aurons besoin.

« Tu vas trouver dans cette chemise l'*Encyclopédie du savoir relatif et absolu* qui, au jour où j'écris ces mots, forme 288 chapitres parlant de mes travaux. Je souhaite que tu les poursuives, ils en valent la peine.

« L'essentiel de ces recherches porte sur la civilisation fourmi. Enfin tu liras et tu comprendras. Mais dans un premier temps j'ai une requête très importante à te formuler. Au moment où tu es parvenu ici, je n'ai pas eu le temps de mettre en place les protections (si j'y étais arrivé tu n'aurais pas trouvé cette lettre ainsi rédigée) de mon secret.

« Je te demande de les construire. J'ai commencé à esquisser quelques croquis, mais je pense que tu pourras améliorer ces suggestions, étant donné tes propres connaissances. L'objectif de ces mécanismes est simple. Il faut que les gens ne puissent pas pénétrer facilement jusqu'à mon antre, mais que ceux qui y arrivent ne puissent plus jamais faire demi-tour pour raconter ce qu'ils ont trouvé.

« J'espère que tu réussiras, et que ce lieu t'apportera autant de “richesses” qu’il m’en a à moi-même fournies.

« Edmond. »

— Jonathan a joué le jeu, expliqua Lucie. Il a construit tous les pièges prévus, et vous avez pu constater qu’ils fonctionnent.

— Et les cadavres ? Ce sont des gens qui se sont fait prendre par les rats ?

— Non. (Jonathan sourit.) Je vous assure qu’il n’y a eu aucun mort dans ce souterrain depuis qu’Edmond s’y est établi. Les cadavres que vous avez repérés datent d’au moins cinquante ans. On ne sait quels drames se sont déroulés ici à cette époque. Une secte quelconque...

— Mais alors on ne pourra plus jamais remonter ? s’inquiéta Jason.

— Jamais.

— Il faudrait atteindre le trou placé au-dessus du filet (à huit mètres de hauteur !), franchir la nasse dans l’autre sens, ce qui est impossible, et nous n’avons aucun matériel capable de la faire fondre, et encore passer le mur (or, Jonathan n’a pas prévu de système d’ouverture de ce côté-ci)...

— Sans parler des rats...

— Comment as-tu fait pour amener des rats là-dessous ? demanda Daniel.

— C’est une idée d’Edmond. Il avait installé un couple de *rattus norvegicus* s pécialement gros et agressifs dans une anfractuosité de la roche, avec une grande réserve de nourriture. Il savait que c’était une bombe à retardement. Les rats lorsqu’ils sont bien nourris se reproduisent à une vitesse exponentielle. Six petits tous les mois, qui sont eux-mêmes prêts à procréer au bout de deux semaines... Pour s’en protéger il utilisait un spray de phéromone d’agression insupportable pour ces rongeurs.

— Alors ce sont eux qui ont tué Ouarzazate ? demanda Augusta.

— Malheureusement, oui. Et Jonathan n’avait pas

prévu que les rats qui passeraient de l'autre côté du « mur de la pyramide » deviendraient encore plus féroces.

— L'un de nos copains, qui avait déjà la phobie des rats, a complètement disjoncté quand l'un de ces gros bestiaux lui a sauté au visage et lui a mangé un morceau de nez. Il est tout de suite remonté, le mur de la pyramide n'a même pas eu le temps de retomber. Vous avez de ses nouvelles en surface ? questionna un gendarme.

— J'ai entendu dire qu'il était devenu fou et qu'il avait été enfermé dans un asile, répondit Augusta, mais ce sont des « on-dit ».

Elle va pour prendre son verre d'eau, mais remarque qu'il y a plein de fourmis sur la table. Elle pousse un cri et, instinctivement, les balaie du revers de la main. Jonathan bondit, lui saisissant le poignet. Son regard dur contraste avec l'extrême sérénité qui régnait jusque-là dans le groupe ; et son vieux tic de la bouche, qui semblait bien guéri, a réapparu.

— Ne fais plus... jamais... ça !

Seule dans sa loge, Belo-kiu-kiuni dévore distraitement une portée de ses œufs ; sa nourriture préférée, en fin de compte.

Elle sait que cette soi-disant 801ᵉ n'est pas qu'une ambassadrice de la nouvelle cité. 56ᵉ, ou plutôt la reine Chli-pou-ni puisqu'elle veut se nommer ainsi, l'a envoyée pour qu'elle poursuive l'enquête.

Elle n'a pas à se faire de soucis, ses guerrières au parfum de roche doivent en venir à bout sans problème. La boiteuse, notamment, est si douée dans l'art d'enlever le poids de la vie — une artiste !

Pourtant, c'est la quatrième fois que Chli-pou-ni lui envoie des ambassadrices un peu trop curieuses. Les premières ont été tuées avant même de trouver la salle de la lomechuse. Les deuxièmes et les troisièmes ont succombé aux substances hallucinogènes du coléoptère empoisonné.

Quant à cette 801ᵉ, il paraît qu'elle est descendue à

peine terminée l'entrevue avec Mère. Elles sont décidément de plus en plus impatientes de mourir ! Mais aussi, à chaque fois, elles vont plus profond dans la Cité. Et si l'une d'entre elles parvenait malgré tout à trouver le passage ? Et si elle découvrait le secret ? Et si elle en répandait l'effluve ?...

La Meute ne comprendrait pas. Les guerrières anti-stress auraient peu de chances d'étouffer à temps l'information. Comment réagiraient ses filles ?

Une guerrière au parfum de roche entre précipitamment.

L'espionne est arrivée à vaincre la lomechuse ! Elle est en bas !

Et voilà, ça devait arriver...

666 est le nom de la bête (Apocalypse selon saint Jean).
Mais qui sera la bête pour qui ?

Edmond Wells,
Encyclopédie du savoir relatif et absolu.

Jonathan lâche le poignet de sa grand-mère. Avant qu'une gêne ait pu s'installer, Daniel tente une diversion.

— Et ce laboratoire à l'entrée, il sert à quoi ?

— C'est la pierre de Rosette ! Tous nos efforts ne sont qu'au service d'une seule ambition : communiquer avec elles !

— Elles... qui ça, elles ?

— Elles : les fourmis. Suivez-moi.

Ils quittent le salon pour le laboratoire. Jonathan, visiblement très à l'aise dans son rôle de continuateur d'Edmond, prend sur la paillasse une éprouvette emplie de fourmis et la lève à hauteur de regard.

— Voyez, ce sont des êtres. Des êtres à part entière. Ce ne sont pas que des petits insectes de rien du tout, et ça, mon oncle l'a tout de suite compris... Les fourmis constituent la seconde grande civilisation terrienne. Quant à Edmond, c'est une sorte de

Christophe Colomb qui a découvert un autre continent entre nos orteils. Il a compris le premier qu'avant de chercher des extraterrestres aux confins de l'espace, il convenait d'abord de faire la jonction avec les... intraterrestres.

Personne ne dit mot. Augusta se souvient. Il y a de cela quelques jours, elle se promenait en forêt de Fontainebleau et elle a senti tout à coup des masses infimes craquer sous sa semelle. Elle venait de marcher sur un groupe de fourmis. Elle s'était penchée. Toutes étaient mortes, mais il y avait une énigme. Elles étaient alignées comme pour former une flèche dont la pointe serait à l'envers...

Jonathan a reposé l'éprouvette. Il reprend son discours :

— Lorsqu'il est rentré d'Afrique, Edmond a trouvé cet immeuble, son souterrain, puis le temple. C'était le lieu idéal, il y a installé son laboratoire... La première étape de ses recherches a consisté à décrypter les phéromones de dialogue des fourmis. Cette machine est un spectromètre de masse. Comme son nom l'indique, elle donne le spectre de la masse, elle décompose n'importe quelle matière en énumérant les atomes qui la composent... J'ai lu les notes de mon oncle. Au début, il plaçait ses fourmis cobayes sous une cloche de verre reliée par un tuyau aspirant au spectromètre de masse. Il mettait la fourmi en contact avec un morceau de pomme, celle-ci rencontrait une autre fourmi et lui disait fatalement : « Il y a de la pomme par là. » Enfin, c'est l'hypothèse de départ. Lui, aspirait les phéromones émises, les décryptait et aboutissait à une formule chimique... « Il y a de la pomme au nord » se dit par exemple : « méthyl-4 méthylpyrrole-2 carboxylate ». Les quantités sont infimes, de l'ordre de 2 à 3 picogrammes (10^{-12} g) par phrase... Mais c'était suffisant. On savait ainsi dire « pomme » et « au nord ». Il poursuivit l'expérience avec une multitude d'objets, d'aliments ou de situations. Il obtint ainsi un véritable dictionnaire français-fourmi. Après n'avoir compris le nom que d'une centaine de fruits, d'une trentaine de fleurs, d'une dizaine de directions, il a su apprendre les phéromones d'alerte, les phéromones de plaisir, de suggestion, de description ; et il a même rencontré des sexués qui lui ont enseigné comment exprimer les « émotions abstraites » du septième segment antennaire... Pourtant, savoir les « écouter » ne lui suffisait pas. Il voulait maintenant leur parler, établir un véritable dialogue.

— Prodigieux ! ne peut s'empêcher de murmurer le Pr Daniel Rosenfeld.

— Il a commencé par faire correspondre chaque formule chimique à une sonorité de type syllabe. Méthyl-4 méthylpyrrole-2 carboxylate va par exemple se dire MT4MTP2CX, puis Miticamitipidicixou. Et enfin il a engrangé dans la mémoire de l'ordinateur : Miticamitipi = pomme ; et : dicixou = se situe au nord. L'ordinateur fait la traduction dans les deux sens. Quand il perçoit « dicixou » il traduit en texte « se situe au nord ». Et quand on tape « se situe au nord », il transforme cette phrase en « dicixou », ce qui déclenche l'émission de carboxylate par cet appareil émetteur...

— Un appareil émetteur ?

— Oui, cette machine-ci.

Il montre une sorte de bibliothèque composée de milliers de petites fioles, chacune terminée par un tube, lui-même branché sur une pompe électrique.

— Les atomes contenus dans chaque fiole sont aspirés par cette pompe, puis projetés dans cet appareil qui les trie et les calibre au dosage précis indiqué par le dictionnaire informatique.

— Extraordinaire, reprend Daniel Rosenfeld, tout simplement extraordinaire. Est-il vraiment arrivé à dialoguer ?

— Hum... à ce stade, le mieux est que je vous lise ses notes dans l'*Encyclopédie*.

EXTRAITS DE CONVERSATION : *Extrait de la première conversation avec une* formica rufa *de type guerrière.*

HUMAIN : *Me recevez-vous ?*
FOURMI : crrrrrrr.
HUMAIN : *J'émets, me recevez-vous ?*
FOURMI : crrrrrrrcrrrcrrrrrrrr. Au secours.

(N.B. : plusieurs réglages ont été modifiés. En particulier, les émissions étaient beaucoup trop puissantes, elles asphyxiaient le sujet. Il faut mettre le bouton de réglage d'émission sur 1. Le bouton de réglage de réception, en revanche, doit être poussé au 10 pour ne pas perdre une molécule.)

HUMAIN : *Me recevez-vous ?*
FOURMI : *Bougu.*
HUMAIN : *J'émets, m'entendez-vous ?*
FOURMI : *Zgugnu. Au secours ! Je suis enfermée.*

Extrait de la troisième conversation.
(N.B. : le vocabulaire a été cette fois étendu de quatre-vingts mots. L'émission était encore trop forte. Nouveau réglage, le bouton doit être positionné tout près de zéro.)

FOURMI : *Quoi ?*
HUMAIN : *Que dites-vous ?*
FOURMI : *Je ne comprends rien. Au secours !*
HUMAIN : *Parlons plus lentement !*
FOURMI : *Vous émettez trop fort ! Mes antennes sont saturées. Au secours ! Je suis enfermée.*
HUMAIN : *Là, ça va ?*
FOURMI : *Non, vous ne savez donc pas dialoguer ?*
HUMAIN : *Eh bien...*
FOURMI : *Qui êtes-vous ?*
HUMAIN : *Je suis un grand animal. Je me nomme ED-MOND. Je suis un HU-MAIN.*
FOURMI : *Qu'est-ce que vous dites ? Je ne comprends rien. Au secours ! à l'aide ! je suis enfermée !...*

(N.B. : suite à ce dialogue, le sujet est mort dans les cinq secondes qui ont suivi. Les émissions sont-elles encore trop toxiques ? A-t-il eu peur ?)

Jonathan interrompt sa lecture.

— Comme vous le voyez, ce n'est pas simple ! Accumuler du vocabulaire ne suffit pas pour leur parler. En outre, le langage fourmi ne fonctionne pas comme le nôtre. Il n'y a pas que les émissions de dialogue proprement dites qui sont perçues, il y a aussi les émissions envoyées par les onze autres segments antennaires. Ceux-ci donnent l'identification de l'individu, ses préoccupations, son psychisme... une sorte d'état d'esprit global qui est nécessaire à la bonne compréhension inter-individuelle. C'est pourquoi Edmond a dû abandonner. Je vous lis ses notes.

STUPIDE QUE JE SUIS : Stupide que je suis !
Même s'il existait des extraterrestres nous ne pourrions les comprendre. A coup sûr nos références ne peuvent être identiques. On arriverait en leur tendant la main, et cela signifierait peut-être pour eux un geste de menace.

Nous n'arrivons même pas à comprendre les Japonais avec leur suicide rituel, ou les Indiens avec leurs castes. Nous n'arrivons pas à nous comprendre entre humains... Comment ai-je pu avoir la vanité de comprendre les fourmis !

801e n'a plus qu'un moignon d'abdomen. Même si elle a pu tuer à temps la lomechuse, ce combat contre les guerrières au parfum de roche dans les champignonnières l'a sacrément rétrécie. Tant pis, ou tant mieux : sans abdomen, elle est plus légère.

Elle emprunte le large passage creusé dans le granit. Comment des mandibules de fourmis ont-elles pu aménager ce tunnel ?

En contrebas, elle découvre ce que Chli-pou-ni lui avait indiqué : une salle remplie de quantités d'aliments. A peine a-t-elle fait quelques pas dans cette salle qu'elle trouve une autre issue. Elle y pénètre et se trouve bientôt dans une ville, une ville entière aux odeurs de roche ! Une cité sous la Cité.

— Il a donc échoué ?

— Il est resté longtemps, en effet, à ruminer cet échec. Il pensait qu'il n'y avait aucune issue, que son ethnocentrisme l'avait aveuglé. Et puis ce sont les ennuis qui l'ont réveillé. Sa vieille misanthropie a été le facteur déclenchant.

— Que s'est-il passé ?

— Vous vous rappelez, professeur, vous m'aviez dit qu'il travaillait dans une société qui se nommait « Sweetmilk Corporation » et qu'il avait eu maille à partir avec ses collègues.

— En effet !
— L'un de ses supérieurs avait fouillé dans son bureau. Et ce supérieur n'était autre que Marc Leduc, le frère du Pr Laurent Leduc !
— L'entomologiste ?
— En personne.
— C'est incroyable... Il est venu me voir, il se prétendait un ami d'Edmond, il est descendu.
— Il est descendu dans la cave ?
— Oh ! mais ne t'en fais pas, il n'est pas allé loin. Il n'a pas su passer le mur de la pyramide, alors il est remonté.
— Mmmh, il était aussi venu voir Nicolas pour essayer de mettre la main sur l'*Encyclopédie*. Bon... Marc Leduc avait donc remarqué qu'Edmond travaillait avec passion sur des croquis de machines (en fait, les premières esquisses de la pierre de Rosette). Il a réussi à ouvrir le placard du bureau d'Edmond et il est tombé sur une chemise, sur l'*Encyclopédie du savoir relatif et absolu*. Il y a trouvé tous les plans de la première machine à communiquer avec les fourmis. Quand il a saisi l'usage de cet appareil (et il y avait suffisamment d'annotations pour qu'il comprenne), il en a parlé à son frère. Celui-ci s'est montré évidemment très intéressé et lui a aussitôt demandé de voler les documents... Mais Edmond s'était aperçu qu'on avait fouillé dans ses affaires, et pour les protéger d'une nouvelle visite, il a lâché quatre guêpes de type ichneumon dans le tiroir. Dès que Marc Leduc est revenu à la charge, il s'est fait piquer par ces insectes qui ont la fâcheuse habitude de déposer leurs larves voraces dans le corps où elles ont planté leur dard. Le lendemain, Edmond a repéré les traces de piqûres et a voulu démasquer publiquement le coupable. Vous savez la suite, c'est lui qui a été chassé.
— Et les frères Leduc ?
— Marc Leduc a été bien puni ! Les larves d'ichneumon le dévoraient de l'intérieur. Cela a duré très longtemps, plusieurs années à ce qu'il paraît.

Comme les larves n'arrivaient pas à sortir de cet immense corps pour se métamorphoser en guêpes, elles creusaient dans tous les sens pour chercher une issue. A la fin, la douleur était tellement insupportable qu'il s'est jeté sous une rame de métro. J'ai lu ça par hasard dans les journaux.

— Et Laurent Leduc ?

— Il a tout tenté pour essayer de retrouver la machine...

— Vous disiez que cela avait redonné envie à Edmond de s'y remettre. Quel rapport entre ces affaires assez anciennes et ses recherches ?

— Par la suite, Laurent Leduc a contacté directement Edmond. Il lui a avoué être au courant de sa machine à « discuter avec les fourmis ». Il prétendait être intéressé et vouloir travailler avec lui. Edmond n'était pas forcément hostile à cette idée, de toute façon il piétinait, et il se demandait si une aide extérieure ne serait pas la bienvenue. « Vient un moment où l'on ne peut continuer seul », dit la Bible. Edmond était prêt à guider Leduc dans son antre, mais il voulait d'abord mieux le connaître. Ils ont discuté tant et plus. Lorsque Laurent a commencé à vanter l'ordre et la discipline des fourmis, en appuyant sur le fait que parler avec elles permettrait sûrement à l'homme de les imiter, Edmond a vu rouge. Il a piqué une crise et l'a prié de ne plus jamais remettre les pieds chez lui.

— *Pfff*, ça ne m'étonne pas, soupire Daniel. Leduc fait partie d'une clique d'éthologistes, ce qu'il y a de pire au sein de l'école allemande, qui veut modifier l'humanité en copiant sous un certain angle les mœurs des animaux. Le sens du territoire, la discipline des fourmilières... ça fait toujours fantasmer.

— Du coup, Edmond tenait un prétexte pour se mettre à l'œuvre. Il allait dialoguer avec les fourmis dans une perspective... politique ; il pensait qu'elles vivaient selon un système anarchiste et voulait leur en demander confirmation.

— Evidemment ! murmura Bilsheim.

— Cela devenait un défi d'homme. Mon oncle réfléchit encore longtemps et se dit que le meilleur moyen de communiquer était de fabriquer une « fourmi robot ».

Jonathan brandit des feuillets chargés de dessins.

— En voici les plans. Edmond l'a baptisé « Docteur Livingstone ». Il est en plastique. Je ne vous dis pas le travail d'horloger qui a été nécessaire à la fabrication de ce petit chef-d'œuvre ! Non seulement toutes les articulations sont reconstituées et animées par de microscopiques moteurs électriques branchés sur une pile placée dans l'abdomen, mais l'antenne comporte réellement onze segments capables d'émettre simultanément onze phéromones différentes !... Seule différence entre Docteur Livingstone et une vraie fourmi : il est branché sur onze tuyaux, chacun de la taille d'un cheveu, eux-mêmes réunis en une sorte de cordon ombilical de la taille d'une ficelle.

— Prodigieux ! Tout simplement prodigieux ! s'enthousiasme Jason.

— Mais où est le Docteur Livingstone ? demande Augusta.

Des guerrières au parfum de roche la poursuivent. 801ᵉ, en train de détaler, repère soudain une très large galerie et s'y précipite. Elle parvient ainsi dans une salle énorme, au centre de laquelle se tient une drôle de fourmi, d'une taille nettement au-dessus de la moyenne.

801ᵉ s'en approche prudemment. Les odeurs de l'étrange fourmi solitaire ne sont qu'à moitié vraies. Ses yeux ne brillent pas, sa peau a l'air recouverte d'une teinture noire... La jeune Chlipoukanienne aimerait comprendre. Comment peut-on être aussi peu fourmi ?

Mais déjà les soldates l'ont débusquée. La boiteuse s'avance, seule, pour un duel. Elle lui saute aux antennes et se met à les mordre. Toutes deux roulent au sol.

801e se souvient des conseils de sa Mère : *Regarde où l'adversaire te frappe avec prédilection, c'est souvent son propre point faible...* De fait, dès qu'elle s'empare des antennes de la boiteuse, celle-ci se tord furieusement. Elle doit avoir les antennes hypersensibles, la pauvre ! 801e les lui tranche net et parvient à s'enfuir. Mais c'est maintenant une meute de plus de cinquante tueuses qui se ruent à sa suite.

— Vous voulez savoir où se trouve le Docteur Livingstone ? Suivez les fils qui partent du spectromètre de masse...

Ils remarquent en effet une sorte de tube transparent qui, longeant la paillasse, rejoint le mur, monte jusqu'au plafond, pour enfin aller s'enfoncer dans une sorte de grosse caisse en bois, suspendue au centre du temple, à l'aplomb de l'orgue. Cette caisse est vraisemblablement remplie de terre. Les nouveaux arrivants se démanchent le cou pour mieux l'examiner.

— Mais vous aviez dit qu'il y avait un rocher indestructible au-dessus de nos têtes, remarque Augusta.

— Oui, mais je vous ai aussi signalé qu'il existe une cheminée de ventilation que nous n'utilisons plus...

— Et si on ne l'utilise plus, continue l'inspecteur Galin, ce n'est pas parce que nous l'avons bouchée !

— Alors si ce n'est pas vous...

— ... Ce sont elles !

— Les fourmis ?

— Tout juste ! Une gigantesque cité de fourmis rousses est implantée au-dessus de cette dalle rocheuse, vous savez, ces insectes qui construisent de grands dômes de branchettes dans les forêts...

— Selon les évaluations d'Edmond, il y en a plus de dix millions !

— Dix millions ? Mais elles pourraient nous tuer tous !

— Non, pas de panique, il n'y a rien à craindre.

D'abord, parce qu'elles nous parlent et nous connaissent. Et aussi parce que toutes les fourmis de la Cité ne sont pas au courant de notre existence.

Comme Jonathan dit cela, une fourmi tombe de la caisse du plafond et atterrit sur le front de Lucie. Celle-ci tente de la recueillir, mais 801e s'affole et va se perdre dans sa rousse chevelure, glisse sur le lobe de son oreille, dévale ensuite la nuque, s'enfonce dans le chemisier, contourne les seins et le nombril, galope sur la fine peau des cuisses, tombe jusqu'à la cheville et, de là, plonge vers le sol. Elle cherche un instant sa direction... et fonce vers l'une des bouches de ventilation latérale.

— Qu'est-ce qu'il lui prend ?

— Va savoir. En tout cas, le courant d'air frais de la cheminée l'a attirée, elle n'aura aucun problème pour ressortir.

— Mais là, elle ne retrouve pas sa Cité, elle va déboucher complètement à l'est de la Fédération, non ?

L'espionne a réussi à filer ! Si cela continue nous devrons attaquer la prétendue soixante-cinquième cité...

Des soldates au parfum de roche ont fait leur rapport, les antennes basses. Après qu'elles se sont retirées, Belo-kiu-kiuni remâche un instant ce grave échec de sa politique du secret. Puis, très lasse, elle se remémore la façon dont tout a commencé.

Toute jeune, elle aussi avait été confrontée à l'un de ces phénomènes terrifiants qui laissent présumer l'existence d'entités géantes. C'était juste après son essaimage ; elle avait vu une plaque noire écraser plusieurs reines fécondes, sans même les manger. Plus tard, après avoir engendré sa cité, elle était parvenue à organiser une rencontre à ce sujet, où la plupart des reines — mères ou filles — étaient présentes.

Elle se souvenait. C'était Zoubi-zoubi-ni qui avait parlé la première. Elle avait raconté que plusieurs de ses expéditions avaient subi des pluies de boules roses causant plus d'une centaine de morts.

Les autres sœurs avaient surenchéri. Chacune dressait sa liste de morts et d'estropiés dus aux boules roses et aux plaques noires.

Cholb-gahi-ni, une vieille mère, remarque que selon les témoignages les boules roses avaient l'air de ne se déplacer que par troupeaux de cinq.

Une autre sœur, Roubg-fayli-ni, avait trouvé une boule rose immobile à peu près à trois cents têtes sous le sol. La boule rose était prolongée par une substance molle à l'odeur assez forte. On avait alors percé à la mandibule et fini par déboucher sur des tiges dures et blanches... comme si ces animaux avaient une carapace à l'intérieur du corps au lieu de l'avoir à l'extérieur.

Au terme de la réunion, chacune des reines étant tombée d'accord sur le fait que de tels phénomènes passaient l'entendement, elles avaient décidé d'observer un secret absolu afin d'éviter la panique dans les fourmilières.

Belo-kiu-kiuni, de son côté, pensa très vite à monter sa propre « police secrète », une cellule de travail formée à l'époque d'une cinquantaine de soldates. Leur mission : éliminer les témoins des phénomènes de boules roses ou de plaques noires afin d'éviter toute crise de folie-panique dans la Cité.

Seulement, un jour, il s'était passé quelque chose d'incroyable.

Une ouvrière d'une cité inconnue avait été capturée par ses guerrières au parfum de roche. Mère l'avait épargnée, tant ce qu'elle racontait était encore plus bizarre que tout ce qu'on avait jamais entendu.

L'ouvrière prétendait avoir été kidnappée par des boules roses ! Celles-ci l'avaient jetée dans une prison transparente, en compagnie de plusieurs centaines d'autres fourmis. On les y avait soumises à toutes sortes d'expériences. Le plus souvent, on les plaçait sous une cloche et elles recevaient des parfums très concentrés. Ce fut d'abord très douloureux, puis les parfums furent progressivement dilués, et les odeurs s'étaient alors transformées en mots !

En fin de compte, par le truchement de ces parfums et de ces cloches, les boules roses leur avaient parlé, se présentant comme des animaux géants qui se baptisaient eux-mêmes « humains ». Ils (ou elles ?) déclarèrent qu'il existait un passage creusé dans le granit sous la Cité et qu'ils voulaient parler à la reine. Celle-ci pouvait être sûre qu'il ne lui serait fait aucun mal.

Tout était allé très vite, ensuite. Belo-kiu-kiuni avait rencontré leur « fourmi ambassadrice », *Docteur Li-ving-stone*. C'était une étrange fourmi prolongée d'un intestin transparent. Mais on pouvait discuter avec elle.

Elles avaient dialogué longtemps. Au début, elles ne se comprenaient pas du tout. Mais toutes deux partageaient manifestement la même exaltation. Et semblaient avoir tellement de choses à se dire...

Les humains avaient par la suite installé la caisse pleine de terre à l'issue de la cheminée. Et Mère avait semé d'œufs cette nouvelle Cité. En cachette de tous ses autres enfants.

Mais Bel-o-kan 2 était plus que la ville des guerrières au parfum de roche. Elle était devenue la Cité-liaison entre le monde des fourmis et le monde des humains. C'était là que se trouvait en permanence *Doc-teur Li-ving-stone* (un nom tout de même assez ridicule).

EXTRAITS DE CONVERSATION : *Extrait de la dix-huitième conversation avec la reine Belo-kiu-kiuni :*

FOURMI : *La roue ? C'est incroyable que nous n'ayons pas eu l'idée d'utiliser la roue. Quand je pense que nous avons toutes vu ces bousiers pousser leur bille, et qu'aucune d'entre nous n'en a déduit la roue.*

HUMAIN : *Comment comptes-tu utiliser cette information ?*

FOURMI : *Pour l'instant, je ne sais pas.*

Extrait de la cinquante-sixième conversation avec la reine Belo-kiu-kiuni :

FOURMI : Tu as l'intonation triste.
HUMAIN : Ce doit être un mauvais réglage de mon orgue à parfums. Depuis que j'ai ajouté le langage émotif, on dirait que la machine a des ratés.
FOURMI : Tu as l'intonation triste.
HUMAIN :...
FOURMI : Tu n'émets plus ?
HUMAIN : Je pense que c'est une pure coïncidence. Mais je suis en effet triste.
FOURMI : Qu'y a-t-il ?
HUMAIN : J'avais une femelle. Chez nous, les mâles vivent longtemps, alors on vit par couple, un mâle pour une femelle. J'avais une femelle et je l'ai perdue, il y a de cela quelques années. Et je l'aimais, je n'arrive pas à l'oublier.
FOURMI : Qu'est-ce que ça veut dire « aimer » ?
HUMAIN : Nous avions les mêmes odeurs, peut-être ?

Mère se souvient de la fin de l'*hu-main Ed-mond*. Cela eut lieu lors de la première guerre contre les naines. Edmond avait voulu les aider. Il était sorti du souterrain. Mais à force de manipuler des phéromones, il en était complètement imprégné. Si bien que, sans le savoir, il passait dans la forêt pour... une fourmi rousse de la Fédération. Et lorsque les guêpes du sapin (avec qui elles étaient en guerre à l'époque) repérèrent ses odeurs passeports, elles se ruèrent toutes sur lui.

Elles l'ont tué en le prenant pour un Belokanien. Il a dû mourir heureux.

Plus tard, ce Jonathan et sa communauté avaient renoué le contact...

Il verse encore un peu d'hydromel dans le verre des trois nouveaux, qui ne cessent de le presser de questions :

— Mais alors, le Docteur Livingstone est capable de retranscrire nos paroles, là-haut ?

— Oui, et nous d'écouter les leurs. On voit apparaître leurs réponses sur cet écran. Edmond a bel et bien réussi !

— Mais qu'est-ce qu'ils se disaient ? Qu'est-ce que vous vous dites ?

— Hum... Après sa réussite, les notes d'Edmond

se font un peu floues. On dirait qu'il ne tient pas à tout noter. Disons que, dans un premier temps, ils se sont décrits l'un à l'autre, chacun a décrit son monde. C'est ainsi que nous avons appris que leur ville se nomme Bel-o-kan ; qu'elle est le pivot d'une fédération de plusieurs centaines de millions de fourmis.

— Incroyable !

— Par la suite, les deux parties ont jugé qu'il était trop tôt pour que l'information soit diffusée parmi leurs populations. Aussi ont-ils passé un accord garantissant le secret absolu sur leur « contact ».

— C'est pour ça qu'Edmond a tellement insisté pour que Jonathan bricole tous ces gadgets, intervient un pompier. Il ne voulait surtout pas que les gens sachent trop tôt. Il imaginait avec horreur le gâchis que la télévision, la radio ou les journaux feraient d'une telle nouvelle. Les fourmis devenues une mode ! Il voyait déjà les spots publicitaires, les porte-clés, les tee-shirts, les shows de rock-stars... toutes les conneries qu'on pourrait faire autour de cette découverte.

— De son côté, Belo-kiu-kiuni, leur reine, pensait que ses filles voudraient aussitôt lutter contre ces dangereux étrangers, ajoute Lucie.

— Non, les deux civilisations ne sont pas encore prêtes à se connaître et — ne rêvons pas — à se comprendre... Les fourmis ne sont ni fascistes, ni anarchistes, ni royalistes... elles sont fourmis, et tout ce qui concerne leur monde est différent du nôtre. C'est d'ailleurs ce qui en fait la richesse.

Le commissaire Bilsheim est l'auteur de cette déclaration passionnée ; il a décidément beaucoup changé depuis qu'il a quitté la surface — et son chef, Solange Doumeng.

— L'école allemande et l'école italienne se trompent, dit Jonathan, car elles essaient de les englober dans un système de compréhension « humain ». L'analyse reste forcément grossière. C'est comme si elles essayaient de comprendre notre vie en la comparant à la leur. Du myrmécomorphisme, en quelque sorte... Or, la moindre de leur spécificité est fascinante. On ne comprend pas les Japonais, les Tibétains ou les Hindous, mais leur culture, leur musique, leur philosophie sont passionnantes, même déformées par notre esprit occidental ! Et l'avenir de notre terre est au métissage, c'est on ne peut plus clair.

— Mais qu'est-ce que les fourmis peuvent bien nous apporter en fait de culture ? s'étonne Augusta.

Jonathan, sans répondre, fait un signe à Lucie ; celle-ci s'éclipse quelques secondes et revient avec ce qui semble être un pot de confiture.

— Regardez, rien que ça, c'est un trésor ! Du miellat de puceron. Allez-y, goûtez !

Augusta risque un index prudent.

— Hmmm, c'est très sucré... mais c'est rudement bon ! Ça n'a pas du tout le même goût que le miel d'abeilles.

— Tu vois ! Et tu ne t'es jamais demandé comment on faisait pour se nourrir tous les jours, dans cette double impasse en sous-sol ?

— Eh bien si, justement...

— Ce sont les fourmis qui nous nourrissent, de leur miellat et de leur farine. Elles stockent des réserves pour nous, là-haut. Mais ce n'est pas tout, nous avons copié leur technique agricole pour faire pousser des champignons agarics.

Il soulève le couvercle d'une grosse boîte en bois. En dessous on voit des champignons blancs qui poussent sur un lit de feuilles fermentées.

— Galin est notre grand spécialiste en champignons.

Ce dernier sourit modestement.

— J'ai encore beaucoup à apprendre.

— Mais des champignons, du miel... vous devez quand même avoir des carences en protéines ?

— Pour les protéines, c'est Max.

L'un des pompiers montre le plafond du doigt.

— Moi, je recueille tous les insectes que les fourmis mettent dans la petite boîte à droite de la caisse. On les fait bouillir pour que les cuticules se détachent ; et pour le reste, c'est comme de toutes petites crevettes, d'ailleurs ça en a le goût et l'apparence.

— Vous savez, ici, en se débrouillant bien, on a tout le confort qu'on veut, ajoute un gendarme. L'électricité est produite par une mini-centrale atomique, dont la durée de vie est de cinq cents ans. C'est Edmond qui l'avait installée dès les premiers jours de son arrivée... L'air passe par les cheminées, la nourriture nous parvient par les fourmis, on a notre source d'eau fraîche et, en plus, on a une occupation passionnante. On a l'impression d'être les pionniers de quelque chose de très important.

— Nous sommes en fait comme des cosmonautes qui vivraient en permanence dans une base et dialogueraient parfois avec des extraterrestres voisins.

Ils rient. Un courant de bonne humeur électrise les moelles épinières. Jonathan propose de revenir au salon.

— Vous savez, longtemps j'ai cherché une manière de faire coexister mes amis autour de moi. J'ai tenté les communautés, les squatts, les phalanstères... Je n'y arrivais jamais. J'avais fini par penser que je n'étais qu'un doux utopiste, pour ne pas dire un imbécile. Mais ici... ici il se passe des choses. Nous sommes bien obligés de cohabiter, de nous compléter, de penser ensemble. Nous n'avons pas le choix : si nous ne nous entendons pas, nous mourrons. Et il n'y a pas de fuite possible. Or, je ne sais pas si cela vient de la découverte de mon oncle ou de ce que nous apprennent les fourmis par leur simple existence au-dessus de nos têtes, mais pour l'instant notre communauté marche du feu de Dieu !

— Ça marche, même malgré nous...

— Nous avons parfois l'impression de produire une énergie commune où chacun peut librement puiser. C'est étrange.

— J'ai déjà entendu parler de ça, à propos des rose-croix et de certains groupes francs-maçons, dit

Jason. Ils nomment ça *egregor* : le capital spirituel du « troupeau ». Comme une bassine où chacun déverse sa force pour en faire une soupe qui profite à chacun... En général, il y a toujours un voleur qui utilise l'énergie des autres à des fins personnelles.

— Ici nous n'avons pas ce genre de problème. On ne peut avoir d'ambitions personnelles lorsqu'on vit en petit groupe sous la terre...

Silence.

— Et puis on parle de moins en moins, on n'a plus besoin de ça pour se comprendre.

— Oui, il se passe des choses ici. Mais nous ne les comprenons et ne les contrôlons pas encore. Nous ne sommes pas encore arrivés, nous n'en sommes qu'au milieu du voyage.

Silence à nouveau.

— Bon, bref, j'espère que vous vous plairez dans notre petite communauté...

801e arrive épuisée dans sa cité natale. Elle a réussi ! Elle a réussi !

Chli-pou-ni opère tout de suite une CA pour savoir ce qui s'est passé. Ce qu'elle entend la confirme dans ses pires suppositions quant au secret caché sous la dalle de granit.

Elle décide aussitôt d'attaquer militairement Bel-o-kan. Toute la nuit, ses soldates s'équipent. La toute nouvelle légion volante de rhinocéros est fin prête.

103 683e émet une suggestion de plan. Pendant qu'une partie de l'armée combattra de front, douze légions contourneront en douce la Cité pour tenter un assaut de la souche royale.

*L'*UNIVERS VA *: L'univers va vers la complexité. De l'hydrogène à l'hélium, de l'hélium au carbone. Toujours plus complexe, toujours plus sophistiqué est le sens d'évolution des choses.*
De toutes les planètes connues, la Terre est la plus complexe. Elle se trouve dans une zone où sa température peut varier. Elle est couverte d'océans et de montagnes. Mais si son éventail de formes de vie est pratiquement inépuisable, il en est deux qui culminent au-dessus des autres par leur intelligence. Les fourmis et les hommes.

On dirait que Dieu a utilisé la planète Terre pour faire une expérience. Il a lancé deux espèces, avec deux philosophies complètement antinomiques, sur la course de la conscience pour voir laquelle irait le plus vite.
Le but est probablement d'arriver à une conscience collective planétaire : la fusion de tous les cerveaux de l'espèce. C'est selon moi la prochaine étape de l'aventure de la conscience. Le prochain niveau de complexité.
Cependant, les deux espèces leaders ont pris des voies de développement parallèles :
— Pour devenir intelligent, l'homme a gonflé son cerveau jusqu'à lui donner une taille monstrueuse. Une sorte de gros chou-fleur rosâtre.
— Pour obtenir le même résultat, les fourmis ont préféré utiliser plusieurs milliers de petits cerveaux réunis par des systèmes de communication très subtils.
En valeur absolue, il y a autant de matière ou d'intelligence dans le tas de miettes de chou des fourmis que dans le chou-fleur humain.
Le combat est à armes égales.
Mais que se passerait-il si les deux formes d'intelligence, au lieu de courir parallèlement, coopéraient ?...

Edmond Wells,
Encyclopédie du savoir relatif et absolu.

Jean et Philippe n'aiment guère que la télé et, à la limite, les flippers. Même le tout nouveau mini-golf, récemment aménagé à grands frais, ne les intéresse plus. Quant aux balades en forêt... Pour eux, rien n'est pire que lorsque le pion les oblige à prendre l'air.

La semaine dernière, ils se sont certes amusés à crever des crapauds, mais le plaisir a été un peu trop court.

Aujourd'hui, toutefois, Jean semble avoir trouvé une activité vraiment digne d'intérêt. Il entraîne son copain à l'écart du groupe d'orphelins, en train de ramasser stupidement des feuilles mortes pour en faire des tableaux cucul la praline, et lui montre une sorte de cône en ciment. Une termitière.

Ils se mettent aussitôt à la casser à coups de pied, mais rien ne sort, la termitière est vide. Philippe se penche et renifle.

— Elle a été dézinguée par le cantonnier. Regarde, ça pue l'insecticide, ils sont tous crevés à l'intérieur.

Ils s'apprêtent à rejoindre les autres, déçus, quand Jean repère de l'autre côté de la petite rivière une pyramide à demi cachée sous un arbuste.

Cette fois-ci, c'est la bonne ! Une fourmilière impressionnante, un dôme d'au moins un mètre de haut ! De longues colonnes de fourmis entrent et sortent, des centaines, des milliers d'ouvrières, de soldates, d'exploratrices. Le DDT n'est pas encore passé par là.

Jean en sautille d'excitation.

— Dis donc, t'as vu ça ?

— Oh non ! tu veux pas encore bouffer des fourmis... Les dernières avaient un goût dégueu.

— Qui te parle de bouffer ! Tu as devant toi une ville, rien que ce qui dépasse là c'est comme New York ou Mexico. Tu te rappelles ce qu'ils disaient à l'émission ? Dedans ça grouille de populace. Regarde-moi toutes ces connes qui bossent comme des connes !

— Ouais... Tu as vu comment Nicolas à force de s'intéresser aux fourmis a fini par disparaître ? Moi je suis sûr qu'il y avait des fourmis au fond de sa cave et qu'elles l'ont bouffé. Et je vais te dire, je n'aime pas rester à côté de ce truc. Ça me plaît pas ! Saloperies de fourmis, hier j'en ai même vu qui sortaient d'un des trous du mini-golf, elles voulaient peut-être faire leur nid au fond... Saloperies de connes de fourmis de merde !

Jean lui secoue l'épaule.

— Eh bien justement ! Tu n'aimes pas les fourmis, moi non plus. Tuons-les ! Vengeons notre copain Nicolas !

La suggestion retient l'intérêt de Philippe.

— Les tuer ?

— Mais oui ! pourquoi pas ? Foutons le feu à cette ville ! Tu t'imagines Mexico en flammes, rien que parce que ça nous botte ?

— OK, on va y mettre le feu. Ouais. Pour Nicolas...

— Attends, j'ai même une meilleure idée : on va y

fourrer du désherbant, comme ça, ça va faire un vrai feu d'artifice.

— Génial...

— Ecoute, il est 11 heures, on se retrouve ici dans deux heures pile. Comme ça le pion nous fera pas chier et tout le monde sera à la cantine. Moi, je vais chercher le désherbant. Toi, tu te débrouilles pour amener une boîte d'allumettes, c'est mieux qu'un briquet.

— Banco !

Les légions d'infanterie avancent à bonne allure. Quand les autres cités fédérées demandent où elles vont, les Chlipoukaniennes répondent qu'on a repéré un lézard dans la région ouest et que la Cité centrale a réclamé leur aide.

Au-dessus de leurs têtes, les coléoptères rhinocéros bourdonnent, à peine ralentis par le poids des artilleuses qui s'agitent sur leurs têtes.

13 heures. Bel-o-kan est en pleine activité. On profite de la chaleur pour accumuler les œufs, les nymphes et les pucerons dans le solarium.

— J'ai amené de l'alcool à brûler pour que ça flambe encore mieux, annonce Philippe.

— Parfait, dit Jean, moi j'ai acheté le désherbant. Vingt francs la dose, les fumiers !

Mère joue avec ses plantes carnivores. Depuis le temps qu'elles sont là, elle se demande pourquoi elle n'en a jamais fait un mur de protection, comme elle le souhaitait au début.

Et puis elle repense à la roue. Comment utiliser cette idée géniale ? On pourrait peut-être fabriquer une grosse bille de ciment, qu'on pousserait à bout de pattes pour écraser les ennemies. Il faudrait qu'elle lance le projet.

— Ça y est, j'ai tout mis, l'alcool à brûler et le désherbant.

Pendant que Jean parle, une fourmi exploratrice l'escalade. Elle tapote le tissu de son pantalon du bout des antennes.

Vous semblez une structure vivante géante, pouvez-vous donner vos identifications ?

Il l'attrape et l'écrase entre le pouce et l'index. *Pfout !* Le jus jaune et noir coule sur ses doigts.

— En voilà déjà une qui a son compte, annonce-t-il. Bon, maintenant pousse-toi, il va y avoir de l'étincelle !

— Ça va faire un superméchoui, proclame Philippe.

— L'Apocalypse selon Jean ! ricane l'autre.

— Combien elles peuvent être là-dedans ?

— Sûrement des millions. Il paraît que l'an dernier les fourmis ont attaqué une villa dans la région.

— On va les venger eux aussi, dit Jean. Allez, va te planquer derrière cet arbre.

Mère songe aux humains. Leur poser plus de questions la prochaine fois. Comment utilisent-ils la roue, eux ?

Jean craque une allumette et la lance vers le dôme de branchettes et d'aiguilles. Puis il se met à courir, de peur de se prendre des éclats.

Ça y est, l'armée chlipoukanienne aperçoit la Cité centrale. Qu'elle est grande !

L'allumette qui vole amorce une courbe descendante.

Mère décide de leur parler sans plus attendre. Elle doit aussi leur dire qu'elle peut sans problème augmenter la quantité de miellat offerte ; la production s'annonce excellente, cette année.

L'allumette tombe sur les branchettes du dôme.

L'armée chlipoukanienne est suffisamment proche. Elle s'apprête à charger.

Jean saute derrière le grand pin, où Philippe est déjà à l'abri.

L'allumette ne rencontre aucune zone imbibée d'alcool à brûler ou de désherbant. Alors, elle s'éteint.

Les garçons se relèvent.
— Merde, alors !
— Je sais ce qu'on va faire. On va y mettre un bout de papier, comme ça on va avoir une grosse flamme qui touchera forcément l'alcool.
— Tu as du papier sur toi ?
— Euh... juste un ticket de métro.
— Donne.

Une sentinelle du dôme repère quelque chose de mystérieux : non seulement depuis quelques minutes il y a plusieurs quartiers qui sentent l'alcool, mais de plus un morceau de bois jaune vient d'apparaître, planté au sommet. Elle contacte aussitôt une cellule de travail pour laver les branchettes de cet alcool et pour retirer la poutre jaune.
Une autre sentinelle arrive en courant à la porte numéro 5.
Alerte ! Alerte ! Une armée de fourmis rousses nous attaque !
Le carton brûle. Les garçons vont à nouveau se cacher derrière le pin.
Une troisième sentinelle voit une grande flamme se lever au bout de la pièce de bois jaune.

Les Chlipoukaniennes galopent au pas de charge, comme elles ont vu les esclavagistes le faire.

Première explosion.

Tout le dôme s'embrase d'un coup.

Déflagrations, flammèches.

Jean et Philippe essayent de garder les yeux ouverts malgré la chaleur propagée. Le spectacle ne les déçoit pas. Le bois sec prend rapidement. Lorsque la flamme arrive aux flaques de désherbant, c'est l'explosion. Des détonations et des gerbes vertes, rouges, mauves jaillissent de la « Cité de la fourmi égarée ».

L'armée chlipoukanienne tombe en arrêt. Le solarium flambe en premier, avec tous les œufs, tout le bétail, puis l'incendie gagne l'ensemble du dôme.

La souche de la Cité interdite a été touchée dès les premières secondes de la catastrophe. Les concierges ont explosé. Des guerrières foncent pour essayer de dégager la pondeuse unique. Mais trop tard, celle-ci a été étouffée par les gaz toxiques.

Les alertes fusent à toute vitesse. Alerte phase 1 : les phéromones excitatrices sont lâchées ; alerte phase 2 : ça tambourine de façon sinistre dans tous les couloirs ; alerte phase 3 : des « folles » courent dans les galeries et communiquent leur panique ; alerte phase 4 : tout ce qui est précieux (œufs, sexués, bétails, aliments...) s'enfonce vers les étages les plus profonds, tandis qu'en sens inverse les soldates montent faire front.

Dans le dôme, on essaie de trouver des solutions. Des légions d'artilleuses arrivent à éteindre certaines zones en y jetant de l'acide formique concentré à moins de 10 pour cent. Ces pompiers improvisés, s'apercevant de l'efficacité de leurs soins, arrosent ensuite la Cité interdite. Peut-être qu'en l'humectant on pourra sauver la souche.

Mais le feu gagne. Les citadins coincés sont étouffés par les fumées toxiques. Les arches de bois incandescent tombent sur les foules hébétées. Les carapaces fondent et se tordent comme du plastique dans une casserole.

Rien ne résiste aux assauts de cette chaleur extrême.

ÉPISODE : *Je me suis trompé. Nous ne sommes pas égaux, nous ne sommes pas concurrents. La présence des humains n'est qu'un court « épisode » dans leur règne sans partage sur la Terre.*
Elles sont plus, infiniment plus nombreuses que nous. Elles possèdent plus de cités, elles occupent beaucoup plus de niches écologiques. Elles vivent dans des zones sèches, glacées, chaudes ou humides où nul homme ne saurait survivre. Où que se porte notre regard, il y a des fourmis.
Elles étaient là cent millions d'années avant nous, et à en juger par le fait qu'elles ont été l'un des rares organismes à résister à la bombe atomique, elles seront sûrement encore là cent millions d'années après nous. Nous ne sommes qu'un accident de trois millions d'années dans leur histoire. D'ailleurs, si des extraterrestres débarquaient un jour sur notre planète, ils ne s'y tromperaient pas. Ils chercheraient sans aucun doute à discuter avec elles. Elles : les vrais maîtres de la Terre.

Edmond Wells,
Encyclopédie du savoir relatif et absolu.

Le lendemain matin, le dôme a complètement disparu. La souche noire reste plantée au milieu de la ville, toute nue.

Cinq millions de citoyennes sont mortes. En fait, toutes les fourmis qui se trouvaient dans le dôme et ses environs immédiats.

Toutes celles qui ont eu la présence d'esprit de descendre sont indemnes.

Les humains vivant sous la Cité ne se sont aperçus de rien. L'énorme dalle de granit les en a empêchés. Et tout cela s'est déroulé durant l'une de leurs nuits artificielles.

La mort de Belo-kiu-kiuni demeure le fait le plus lourd de menaces ; dépourvue de sa pondeuse, la Meute paraît bien menacée.

L'armée chlipoukanienne, cependant, a participé à la lutte contre le feu. Dès que les guerrières apprennent la mort de Belo-kiu-kiuni, elles dépêchent des messagers vers leur Cité. Quelques heures plus tard, portée par un coléoptère rhinocéros, Chli-pou-ni vient en personne constater les dégâts.

Lorsqu'elle parvient à la Cité interdite, des fourmis pompiers sont encore en train d'arroser les cendres. Il n'y a plus rien à combattre. Elle questionne, et on lui raconte l'incompréhensible désastre.

Comme il n'y a plus de reines fécondes, elle devient naturellement la nouvelle Belo-kiu-kiuni et investit la loge royale de la Cité centrale.

Jonathan se réveille le premier, est surpris d'entendre l'imprimante de l'ordinateur crépiter.

Il y a un mot sur l'écran.

Pourquoi ?

Elles ont donc émis pendant leur nuit. Elles veulent dialoguer. Il pianote la phrase précédant rituellement chaque dialogue.

HUMAIN : Salutation, je suis Jonathan.

FOURMI : *Je suis la nouvelle Belo-kiu-kiuni. Pourquoi ?*

HUMAIN : Nouvelle Belo-kiu-kiuni ? Où est l'ancienne ?

FOURMI : *Vous l'avez tuée. Je suis la nouvelle Belo-kiu-kiuni. Pourquoi ?*

HUMAIN : Que s'est-il passé ?

FOURMI : *Pourquoi ?*

Puis la conversation est coupée.

Maintenant elle sait tout.

Ce sont eux, les humains, qui ont fait ça.

Mère les connaissait.

Elle les a toujours connus.

Elle a gardé secrète l'information.

Elle a ordonné l'exécution de tous ceux qui auraient pu dévoiler le moindre indice.

Elle les a même soutenus, eux, contre ses propres cellules.

La nouvelle Belo-kiu-kiuni contemple sa mère inerte. Lorsque les gardes viennent chercher la dépouille pour la jeter au dépotoir, elle a un sursaut.

Non, il ne faut pas jeter ce cadavre.

Elle scrute l'ancienne Belo-kiu-kiuni, dont déjà se dégagent des odeurs de mort.

Elle suggère qu'on recolle les membres détruits avec de la résine. Qu'on vide le corps de ses chairs molles pour les remplacer par du sable.

Elle veut le garder dans sa propre loge.

Chli-pou-ni, nouvelle Belo-kiu-kiuni, réunit quelques guerrières. Elle propose qu'on reconstruise la Cité centrale de manière plus moderne. Selon elle, le dôme et la souche étaient trop vulnérables. Et l'on doit aussi se consacrer à la recherche de rivières souterraines, voire au percement de canaux reliant entre elles toutes les cités de la Fédération. Pour elle l'avenir est là, dans l'apprivoisement de l'eau. On pourra mieux se protéger des incendies, mais aussi voyager rapidement et sans danger.

Et pour les humains ?

Elle émet une réponse évasive :

Ils ne présentent pas grand intérêt.

La guerrière insiste :

Et s'ils nous attaquent à nouveau avec leur feu ?

Plus l'adversaire est fort, plus il nous oblige à nous surpasser.

Et ceux qui vivent sous la grande roche ?

Belo-kiu-kiuni ne répond pas. Elle demande à rester seule, puis se tourne vers le cadavre de l'ancienne Belo-kiu-kiuni.

La nouvelle reine incline délicatement la tête et pose ses antennes contre le front de sa Mère. Elle demeure ensuite immobile, un temps très long, comme plongée en une CA d'éternité.

GLOSSAIRE

Acide formique : arme de jet. L'acide formique le plus corrosif est concentré à 40 pour cent.

Acide indole-acétique : herbicide.

Acide oléique : vapeur émise par les cadavres fourmis.

Age de la reine : une reine rousse vit en moyenne 15 ans.

Age des asexués : une ouvrière ou une soldate rousse vit en général 3 ans.

Alcool : les fourmis savent provoquer la fermentation du miellat de puceron et le jus de céréales.

Alimentation : régime courant d'une rousse : 43 pour cent de miellat de puceron, 41 pour cent de viande d'insectes, 7 pour cent de sèves d'arbre, 5 pour cent de champignons, 4 pour cent de graines concassées.

Araignée : monstre dévorant les gens par petits morceaux et les endormant entre chaque amputation. Danger.

Armes myrmécéennes : mandibules sabres, aiguillon poison, vaporisateur de colle, vessie de jet d'acide formique, griffes.

Bataille des Coquelicots : En l'an 100000666, première guerre fédérale mettant face à face l'arme bactériologique et les tanks.

Bel-o-kan : cité centrale de la Fédération rousse.

Belo-kiu-kiuni : reine de Bel-o-kan.

Blatte : ancêtre du termite. Premier insecte terrestre.

Bousier : pousseur de boule. Comestible.

Cadavre : cuticule vide.

Caste : en général, on trouve trois castes : les sexués, les soldates, les ouvrières. Elles-mêmes sont subdivisées en sous-castes : ouvrières agricoles, soldates artilleuses, etc.

Chauve-souris : monstre volant vivant dans les cavernes. Danger.

Chitine : matière composant les cuirasses myrmécéennes.

Chli-pou-ni : fille de Belo-kiu-kiuni.

Chli-pou-kan : cité ultramoderne construite par Chli-pou-ni.

Cité interdite : forteresse protégeant la loge nuptiale. Il existe des cités interdites en bois, en ciment, ou même en roche creuse.

Citerne : réservoir à rosée.

Civilisation myrmécéenne : civilisation des fourmis.

Climatisation : régulation de la température dans les grandes cités par solarium, excréments, et bouches à air frais situées dans le dôme.

Coccinelle : prédateur du bétail de pucerons. Comestible.

Cœur : succession de plusieurs poches en forme de poire encastrées les unes dans les autres. Le cœur est placé dans le dos.

Communication absolue (CA) : échange total de pensées par contact antennaire.

Concierges : sous-caste à tête ronde et plate chargée de bloquer les couloirs stratégiques.

Degré : unité de compte du temps-température et du temps-chronologique. Plus il fait chaud, plus les degrés-temps rétrécissent ; plus il fait froid, plus ils s'étendent.

Densité : en Europe, on compte en moyenne 80 000 fourmis (toutes espèces confondues) par mètre carré.

Dépotoir : monticule à l'entrée des fourmilières où les insectes déversent leurs déchets et leurs cadavres.

Dionée : fauve végétal courant aux alentours de Bel-o-kan. Danger.

Dodécadécimal : mode d'évaluation chiffrée myrmécéen. Les fourmis comptent par douze car elles ont douze griffes (deux par pattes).

Dogme des reines : ensemble d'informations précieuses transmises d'antennes à antennes de reine mère à reine fille.

Donjon : pointe secondaire construite sur le dôme. On trouve plutôt des donjons dans les termitières que dans les fourmilières.

Doryphore : coléoptère aux élytres orangés marqués de cinq lignes longitudinales noires. Les doryphores se nourrissent généralement de pommes de terre. Le jus de doryphore est un poison mortel.

Dynastie : succession de reines filles pour un même territoire.

Dytique : coléoptère marin et sous-marin. Comestible.

Elevage : art développé par certaines espèces pour apprivoiser et recueillir les sécrétions anales des pucerons et cochenilles. Un puceron peut fournir 30 gouttes de miellat par heure en été.

Ephémère : sorte de petite libellule à queue fourchue. La larve vit 3 ans, l'individu qui en éclot vit entre 3 et 48 heures. Comestible.

Escargot : mine de protéines. Comestible.

Esclavagistes : espèce guerrière incapable de survivre sans l'aide de servantes.

Excrément : un excrément de fourmi pèse 1 000 fois moins lourd que son corps.

Fédération : regroupement de cités d'une même espèce. Une fédération de fourmis rousses comprend en moyenne 90 nids couvrant 6 hectares et comprenant 7,5 kilomètres de pistes foulées et 40 kilomètres de pistes odorantes.

Fête de la Renaissance : envol des sexués ayant lieu généralement dès les premières chaleurs.

Feu : arme taboue.

Force : une fourmi rousse peut tirer soixante fois son poids. Elle développe donc $3,2 \times 10^{-6}$ chevaux.

Fourmi masquée : espèce douée en chimie organique.

Froid : sédatif universel dans le monde insecte.

Glande à poison : vessie où l'on stocke l'acide formique. Des muscles spéciaux peuvent le projeter à une pression très élevée.

Glande de Dufour : glande renfermant les phéromones pistes.

Graine : les rousses aiment l'élaiosome des graines. C'est-à-dire le petit morceau le plus riche en huile. Un nid moyen récolte 70 000 graines par saison.

Guayeï-Tyolot : petit nid de printemps.

Guêpes : cousines primitives et venimeuses des fourmis. Danger.

Guerre des Fraisiers : en 99999886, la guerre des Fraisiers opposa les jaunes et les rousses.

Hauteur : plus un nid est élevé, plus la cité cherche à avoir une grande surface d'ensoleillement. Dans les zones chaudes les fourmilières sont entièrement enterrées.

Herbicides : myrmicacine, acide indole-acétique.

Hibernation : grand sommeil, de novembre à mars.

Humains : monstres géants évoqués dans certaines légendes modernes. On connaît surtout leurs animaux roses apprivoisés : les doigts. Danger.

Ichneumon : guêpe pondant ses œufs affamés dans votre corps. Danger.

Jabot social : organe de la générosité.

Jeune : une fourmi peut vivre 6 mois sans manger, en état d'hibernation.

La-chola-kan : cité la plus à l'ouest de la Fédération.

Larve de fourmi-lion : sable mouvant carnivore. Danger.

Légion : masse de soldats capables de manœuvrer simultanément.

Lézard : dragon dans la civilisation myrmécéenne. Danger.

Loge nuptiale : lieu de ponte de la reine.

Lomechuse : coléoptère pourvoyeur de drogue mortelle. Danger.

Luciole : coléoptère producteur de lumière phosphorescente. Comestible.

Lutte à la mandibule : sport myrmécéen.

Maladies : les maladies les plus courantes chez les fourmis rousses sont la conidie (provoquée par un champignon parasite), l'aegeritelle (sorte de pourrissement de la chitine), le vers cérébral (vers parasite se nichant au niveau des ganglions sous-œsophagiens), l'hypertrophie des glandes labiales (sorte de gonflement anormal du thorax apparaissant dès le stade larvaire), l'*aternaria* (spores mortelles).

Mâles : insectes issus d'œufs non fécondés.

Mante religieuse : insecte aimant immodérément faire l'amour et manger. Danger.

Mercenaires : fourmis solitaires se battant pour un autre nid que leur nid natal en échange d'aliments et d'une identité citadine.

Messagers volants : techniques des naines pour transmettre des messages par moucherons. Comestible.

Métamorphose : passage à une deuxième forme de vie courant chez la plupart des insectes.

Mithridatisation : capacité des espèces sociales à s'habituer à un poison mortel, au point de pondre des œufs génétiquement immunisés contre ce danger.

Moissonneuses : fourmis agricultrices de l'Est.

Moustique : les mâles sucent les sèves de plantes. On ne sait pas de quoi se nourrissent les femelles. Comestible.

Musique : son ou ultrason produit par les grillons et les cigales en frottant leurs élytres. Les fourmis champignonnistes savent, elles aussi, faire de la musique avec leur articulation abdominale.

Naines : principales ennemies des rousses.

Noir : les citadines aiment vivre dans l'obscurité.

Ni : dynastie des reines belokaniennes.

Ocelles infrarouges : trois petits yeux posés en triangle sur le front des sexués, leur permettant de voir dans l'obscurité totale.

Œuf : fourmi très jeune.

Oiseaux : monstres volants. Danger.

Olfaction : les asexués possèdent 6 500 cellules sensorielles par antenne. Les sexués, 300 000.

Ondes : plus petit dénominateur commun émis, sous une forme ou sous une autre, par tous les êtres ou les objets mobiles.

Orientation de la Cité : les rousses construisent leur ville en disposant la partie la plus large vers le sud-est, pour recevoir un maximum d'ensoleillement au début de la journée.

Pain : boulettes de céréales hachées et triturées.

Passeport : odeur du nid natal ou adoptif pour les mercenaires.

Phéromone : phrase ou mot liquide.

Plantes carnivores : grassettes, saccaracénies, dionées, droseras. Danger.

Plantes empoisonnées : colchique, glycine, laurier-rose, lierre. Danger.

Pluie : météo mortelle.

Poids : le poids d'une fourmi varie entre 1 et 150 milligrammes.

Pucerons : bétail. Comestible.

Rhinocéros : coléoptère pourvu d'une grande corne frontale.

Rouges tisseuses : fourmis migrantes de l'Est utilisant leur propre larve comme navette de tissage.

Salamandre : danger.

Sanitaire : bassin réceptacle des excréments des citoyennes.

Serpent : danger.

Shi-gae-pou : cité des fourmis naines du Nord-Ouest.

Taille : les rousses mesurent en moyenne 2 têtes de long.

Tank : technique de combat consistant à faire porter une ouvrière à grandes mandibules par six petites ouvrières mobiles.

Tête : unité de mesure myrmécéenne. Equivaut à 3 millimètres.

Température : les rousses n'arrivent à bouger qu'à partir d'une température supérieure ou égale à 8°. Les sexués se réveillent parfois un peu plus tôt, vers 6°.

Température du nid : une cité rousse est thermorégulée pour avoir selon les étages entre 20° et 30°.

Termites : espèce rivale des fourmis.

Terre : planète cubique.

Tissage : opération effectuée avec une larve.

Transport : pour transporter quelqu'un, la fourmi l'attrape par les mandibules. L'autre se recroqueville pour offrir un minimum de frottement au sol.

Trophallaxie : don de nourritures entre deux fourmis.

Vent : ça vous arrache du sol pour vous déposer on ne sait où.

Vision : les fourmis voient comme à travers un grillage. Les sexués ont la couleur, mais toutes les teintes sont déplacées vers l'ultraviolet.

Vitesse de marche : à 10° une rousse se déplace à 18 m/h. A 15° elle va à 54 m/h. A 20° elle peut faire jusqu'à 126 m/h.

Yeux : ensemble de facettes posées sur le globe oculaire. Chaque facette comprend deux cristallins, une grande lentille externe et une petite interne. Chaque cellule est directement reliée au cerveau. Les fourmis ne perçoivent que les objets proches, mais à grande distance, elles repèrent malgré tout le moindre mouvement.

Zoubi-zoubi-kan : cité de l'Est, célèbre pour son grand cheptel de pucerons.

56e : nom de vierge de Chli-pou-ni.

327e : jeune mâle belokanien.

4 000e : chasseresse rousse vivant à Guayeï-Tyolot.

103 683e : soldate belokanienne.

801e : fille de Chli-pou-ni utilisée comme espionne.

Les vrais noms des « actrices » sont (par ordre alphabétique) les suivants :

La casse-graines	*Messor barbarus*
La champignonniste	*Atta sexdens*
L'esclavagiste	*Polyergus rufescens*
La fourmi masquée	*Anergates atratulus*
La fourmi réservoir	*Myrmecocystus melliger*
La magnan	*Doryline annoma*
La moissonneuse	*Pogonomyrmex molefaciens*
La naine	*Iridomyrmex humiliis*
La noire bergère	*Lasius niger*
La rouge tisseuse	*Œcophylla longinoda*
La rousse fédérative	*Formica rufa*

Table

Composition réalisée par JOUVE

Achevé d'imprimer en mars 2009 en Espagne par
LITOGRAFIA ROSÉS
Gava (08850)
Dépôt légal 1re publication : avril 1993
Édition 37 : mars 2009
LIBRAIRIE GÉNÉRALE FRANÇAISE – 31, rue de Fleurus – 75278 Paris Cedex 06

30/9615/3